SEQUÊNCIAS BRASILEIRAS

ROBERTO SCHWARZ

Sequências brasileiras

Ensaios

2ª edição

COMPANHIA DAS LETRAS

Grafia atualizada segundo o Acordo Ortográfico da Língua Portuguesa de 1990, que entrou em vigor no Brasil em 2009.

Capa
Mariana Newlands

Imagem da capa
Da paisagem e do tempo (1956), de Maria Leontina,
óleo sobre tela, 46 x 55 cm.

Preparação
Cássio Arantes Leite

Revisão
Fátima Couto
Marina Cervone

Atualização ortográfica
Página Viva

Dados Internacionais de Catalogação na Publicação (CIP)
(Câmara Brasileira do Livro, SP, Brasil)

Schwarz, Roberto, 1938-.
Sequências brasileiras: ensaios / Roberto Schwarz. — São Paulo : Companhia das Letras, 1999.

ISBN 978-85-7164-918-7

1. Ensaios Brasileiros 2. Literatura Brasileira — História e crítica I. Título

99-2767 CDD-869.909

Índice para catálogo sistemático:
1. Literatura brasileira : História e crítica 869.909

[2014]

EDITORA SCHWARCZ LTDA.
Rua Bandeira Paulista, 702, cj. 32
04532-002 — São Paulo — SP
Telefone: (11) 3846-0801
Fax: (11) 3846-0814
www.companhiadasletras.com.br
www.blogdacompanhia.com.br

Sumário

I

Saudação *honoris causa*[*]

Com esta cerimônia a Universidade Estadual de Campinas saúda a obra e atuação de um intelectual exemplar. O adjetivo se impõe, como sabem os muitos amigos aqui reunidos, para os quais a exigência com que o homenageado encara o ensino, o estudo, a escrita e a cidadania tem servido de orientação e apoio.

A autoridade que hoje se prende ao nome de Antonio Candido, autêntica em sentido próprio, pois prescinde de poder material, decorre de vários fatores, dos quais vamos lembrar alguns.

Os artigos saídos na revista *Clima* e no rodapé semanal da *Folha de S.Paulo* e do *Diário de S. Paulo*, entre 1941 e 1947, formam o primeiro bloco de publicações do escritor. São mais de cento e cinquenta trabalhos de assunto diverso, unidos pelo propósito militante de ampliar a compreensão da atualidade. O comentário das tentativas iniciais de poetas e romancistas é feito sempre com seriedade e simpatia. Estreias decisivas, como as de Clarice Lispector ou

* Discurso lido na cerimônia em que Antonio Candido recebeu o título de doutor *honoris causa* da Unicamp.

João Cabral de Melo Neto — um teste para todo crítico —, recebem destaque pronto e à altura. Já a discussão dos autores brasileiros consagrados se trava com rigor, que entretanto nada tem de forçado, pois na semana anterior, ou na seguinte, a mesma coluna examinava, em espírito semelhante, os procedimentos poéticos de T. S. Eliot, o romance de Silone, as posições de Gide, a autobiografia de Trotski. A vizinhança entre a produção local e as grandes tendências contemporâneas em arte, política e filosofia, provocada pela abertura de espírito dominante nesses rodapés, configura um programa de desprovincianização e clarificação da cena cultural.

Situando um pouco, digamos que o crítico tratava de socializar o seu juízo de gosto por meio de argumentações apoiadas nas modernas ciências humanas, cuja implantação em São Paulo, na Faculdade de Filosofia, Ciências e Letras, data do período. A ligação do debate literário ao dínamo da pesquisa acadêmica, com suas várias frentes em evolução, produzia um estilo novo de raciocínio estético, mais afim com os requisitos intelectuais do tempo. Com outro rosto, a atitude esclarecida manifestava-se igualmente na dimensão extrauniversitária, através do engajamento antifascista, que também ele conferia alcance coletivo aos argumentos: a eventual reorganização democrática das sociedades no pós-guerra, a brasileira inclusive, fornecia um prisma por onde avaliar o processo cultural. Por fim, salientemos a convicção socialista do Autor, de que fazia parte o anti-stalinismo, o que foi pioneiro para a época. Tratava-se de uma posição difícil, que suscitava adversários por todos os lados. Embora não seja o tópico central dos escritos, ela lhes comunica a sua lucidez e independência, graças às quais, passados quarenta anos, eles ainda estão perto de nós.

O conjunto forma uma ótima introdução, acessível, viva e diversificada, à problemática de nossa literatura moderna; a meu ver, a melhor de que dispomos. Como os artigos de Paulo Emilio Salles Gomes sobre o cinema, e os de Decio de Almeida Prado sobre a vida teatral, os rodapés de Antonio Candido elaboram as linhas do momento que acompanharam, além de se integrarem à sua fisionomia, que através deles se transforma em problema passível de meditação.

Na tese sobre *O método crítico de Silvio Romero*, defendida em 1945, Antonio Candido procura estabelecer a parte que devem ter na crítica literária as considerações externas, de condicionamento social e psicológico, e as internas, de composição artística. Por via oblíqua, trata de examinar os pressupostos de sua própria atividade em curso, levando a cabo um primeiro esforço de autossuperação. A estratégia adotada é indicativa de uma convicção teórica: em lugar de debater a alternativa abstrata entre estudos de contexto e estudos de forma, diretamente nos termos da discussão e da bibliografia internacional a respeito, Antonio Candido prefere colher o problema na sua feição local, exposta nos impasses metodológicos do predecessor. Deste ângulo, a versão universalista da questão pareceria acadêmica no mau sentido, deixando escapar os tópicos relevantes, sempre ligados a uma história particular.

Todos sabemos que Silvio Romero é uma figura substantiva e vulnerável. A sua ofuscação terminológica e cientificista se presta facilmente ao riso, sobretudo, aliás, porque as modas científicas hoje são outras. Ao insistir na relevância do seu trabalho, mas sem lhe desconhecer o aspecto rebarbativo, Antonio Candido assume como condição própria, que cumpre reconhecer e superar, o desequilíbrio e a precariedade de nossa herança cultural. Para escrever a respeito, o crítico desenvolve um estilo que combina a seriedade e o senso amistoso do ridículo, estilo que registra e reequilibra nos termos devidos a importância que tem para nós — não há como saltar por sobre a própria sombra — a nossa formação cultural defeituosa. Seja dito de passagem que uma solução de tipo análogo já dera encanto e pertinência à prosa crítica de Lúcia Miguel-Pereira e Mário de Andrade.

No prefácio à *Formação da literatura brasileira*, anos mais tarde, Antonio Candido iria formular este mesmo sentimento em parágrafos de muita beleza, que imagino responsáveis pela dedicação de vários estudantes às coisas brasileiras. Passo a citar:

> A nossa literatura é galho secundário da portuguesa, por sua vez arbusto de segunda ordem no jardim das Musas... Os que se nutrem apenas delas são reconhecíveis à primeira vista, mesmo quando eruditos e inteligentes, pelo gosto provinciano e falta de senso de proporções. Estamos fadados, pois, a depender da experiência de outras letras, o que pode levar ao desinteresse e até menoscabo das nossas. Este livro procura apresentá-las, nas fases formativas, de modo a combater semelhante erro, que importa em limitação essencial da experiência literária. Por isso, embora fiel ao espírito crítico, é cheio de carinho e apreço por elas, procurando despertar o desejo de penetrar nas obras como em algo vivo, indispensável para formar a nossa sensibilidade e visão do mundo.
>
> Comparada às grandes, a nossa literatura é pobre e fraca. Mas é ela, não outra, que nos exprime. Se não for amada, não revelará a sua mensagem; e se não a amarmos, ninguém o fará por nós. Se não lermos as obras que a compõem, ninguém as tomará do esquecimento, descaso ou incompreensão. Ninguém, além de nós, poderá dar vida a essas tentativas muitas vezes débeis, outras vezes fortes, sempre tocantes, em que os homens do passado, no fundo de uma terra inculta, em meio a uma aclimação penosa da cultura europeia, procuraram estilizar para nós, seus descendentes, os sentimentos que experimentavam, as observações que faziam —, dos quais se formaram os nossos.[1]

1. Antonio Candido, *Formação da literatura brasileira*, São Paulo, Martins, 1969, pp. 9-10.

O lugar da *Formação da literatura brasileira* na estante é ao lado das obras clássicas de Gilberto Freyre, Sérgio Buarque de Holanda e Caio Prado Jr. Até onde posso julgar, o livro renova e aprofunda a leitura de todos os autores de que trata, que são muitos. A sua erudição é notável e discreta, o que vale a pena sublinhar num país de alardes. Contudo, a originalidade maior do trabalho está na concepção geral, na ideia de *formação*, enfatizada no título. Como os mestres mencionados haviam feito para os padrões da sociabilidade e da vida econômica, Antonio Candido historia o vir a ser de um sistema literário relativamente estável, com dimensão nacional, cujos problemas são particulares. Nesse sentido tangível, trata-se de um estudo fundador. Identifica dinamismos específicos e reais de nossa vida cultural, que uma interpretação universalista deixaria escapar. Assim, por exemplo, foi possível captar, sob o signo do engajamento patriótico das letras, uma certa continuidade de fundo entre momentos tão opostos, pela escola, quanto o arcádico e o romântico. Daí também a relação complexa com a ideia nacional, cuja força formativa está sublinhada e examinada em seus efeitos, tornados parte de nossa identidade, sem que entretanto o estudo tenha a mínima parte com o nacionalismo.

Nas palavras do Autor, a *Formação da literatura brasileira* busca reconstituir a história dos brasileiros no seu desejo de terem uma literatura. Essa aliança de esforço artístico e missão nacional, um fato de época, obriga a crítica a observar as duas dimensões, ou seja, a praticar a análise interna das obras bem como a salientar o seu papel do ponto de vista da edificação da cultura pátria. Nos ensaios posteriores, Antonio Candido irá deslocar os acentos. Ainda usando a sua terminologia, o interesse agora se concentra nos processos de *estruturação*, em que elementos da realidade externa se tornam forças ordenadoras internas à obra artística, aí revelando dimensões que escapam ou divergem da ideologia e das intenções deliberadas de seu criador. A prioridade passa para a análise estética, ou formal, *mas sem que esta se dessocialize*, o que é um prisma novo, além de resolver um impasse quase secular na crítica brasileira. Trata-se de um estruturalismo desenvolvido por conta própria, de inspiração antropológica e sociológica, em oposição possivelmente ao marxismo vulgar, mas em todo caso anterior à moda estrutural de inspiração linguística, à qual muito discretamente esses trabalhos se opuseram como uma alternativa de esquerda. São estudos complexos, originais no método e extremamente fecundos nos resultados, que firmaram um padrão de ensaísmo inédito no Brasil.

Do ponto de vista literário, os trabalhos mais complexos de Antonio Candido são os recentes, as combinações de depoimento exato e análise, que passou a publicar, se não me engano, a partir de fins dos anos 60. São escritos que abrem mão da terminologia e exposição científica, mas não da disciplina mental e conhecimentos correspondentes. Apoiado na sua excelente memória, onde está repertoriada a experiência nessa altura já longa do estudioso da literatura e da sociedade, o ensaísta circula reflexivamente entre anedotas, testemunhos, decênios, explicações, teorias, numa prosa simples e precisa, que é o espelho daquela agilidade. A leitura do prefácio-homenagem a *Raízes do Brasil*, das reflexões sobre "A Revolução de 1930 e a cultura" ou da "Digressão sentimental sobre Oswald de Andrade" produz o efeito de uma forma literária própria, realizada à perfeição.[2]

Na mesma linha de simplicidade alcançada, quero lembrar ainda um pequeno livro, o *Na sala de aula*, que se apresenta como um caderno de análise literária, um apoio didático para o professor que queira explicar a poesia a seus alunos. A singeleza da apresentação não impede as análises de contribuírem decisivamente para a compreensão da literatura brasileira. Mas o que desejamos

2. Os textos mencionados encontram-se respectivamente em *Teresina etc.* (Rio de Janeiro, Paz e Terra, 1980); *A educação pela noite* (São Paulo, Ática, 1987) e *Vários escritos* (São Paulo, Duas Cidades, 1970).

salientar aqui é outra coisa: trata-se da tentativa de socializar, nas precárias condições culturais do país, sem rebaixar o nível, a mais requintada e informada experiência poética. Um esforço modelar de democratização da cultura, livre de barateamento, ou, para usar o termo político, isento de populismo. Embutida nele, como um programa hipotético, está a conversão — à democracia — do que a elite culta brasileira elaborou de melhor.

Para terminar, esta homenagem fica incompleta se não mencionarmos *Os parceiros do Rio Bonito*, o estudo sobre o caipira paulista e a transformação de seus meios de vida, um dos livros obrigatórios da sociologia brasileira. Como estamos sobretudo entre literatos, quero salientar um detalhe apenas, em continuidade às observações anteriores. No capítulo sobre a vida familiar, o Autor examina a onomástica em relação com os laços de parentesco. Habitualmente essa ordem de preocupações pertence aos grupos dominantes tradicionais, ciosos de suas ramificações e precedências. Pode pertencer também aos antropólogos, em busca da chave explicativa de sociedades alheias a seu universo. Ora, os caipiras são parte integrante de nossa sociedade, embora inferiorizados. Quando se interessa pelas regras e pelos parentescos que estão por detrás de seus nomes, Antonio Candido está transformando a curiosidade genealógica, normalmente uma diversão vazia, ou a técnica antropológica, destinada à análise de mundos estranhos, em meio de conhecimento e reconhecimento de parcelas frágeis, injustiçadas e ameaçadas de nosso próprio mundo. Posto em ligação com outra classe social, o interesse pela continuidade e organização dos laços familiares troca de sinal...

Mas tão importante como a obra escrita é a atuação do professor. O número dos alunos para quem os cursos de Antonio Candido foram um acontecimento e impulso decisivo é grande, em sociologia como em literatura; não há melhor prova da capacidade de um docente. No que toca às inovações universitárias, lembro que Antonio Candido implantou os estudos de Teoria Literária na Universidade de São Paulo, contribuindo para a sua ulterior generalização no país. Esteve também entre os primeiros a normalizar a presença do Modernismo nos estudos superiores e nas teses de pós-graduação, puxando os currículos para a atualidade. Mais adiante, foram dele a ideia e a coordenação inicial de nosso Instituto de Estudos da Linguagem na Unicamp, concebido no intuito de evitar os problemas de gigantismo aparecidos no curso de Letras da USP.

Produção intelectual, capacidade didática e contribuições institucionais compõem uma carreira acadêmica impecável e acatada. Soma-se a esta um conjunto de atividades paralelas, decorrentes da convicção política. Atividades modestas, às vezes malvistas, que puxam pela conexão, tão frequentemente adormecida, entre a vida estudiosa e o destino geral da sociedade. A estatura intelectual de Antonio Candido se afirma através da união dessas duas faces. Assim, não era indiferente que na década de 40 o professor de sociologia fosse também militante antifascista, redator de uma revista democrática, e, mais tarde, diretor da *Folha Socialista* e presidente da seção de São Paulo da Associação Brasileira de Escritores. Como faz parte essencial do perfil universitário que estamos homenageando a resistência multiforme à ditadura de 64. Está viva na memória dos mais velhos a solidariedade do professor de Teoria Literária, já então muito eminente, com os alunos e colegas perseguidos. Muitos lembrarão o estudo curto e educativo sobre a força desagregadora do terror policial, publicado em pleno 1972, no momento em que o tema era agudo.[3] Lembrarão igualmente o desafogo proporcionado pela publicação da revista *Argumento*, em 1974, quando a abertura mal se vislumbrava, risco assumido por uma equipe de intelectuais e homens de boa vontade, de que fazia parte Antonio Candido. Há também a entrevista concedida à revista *IstoÉ*, no final do governo Geisel, em que Antonio Candido dava o primeiro passo para devolver

3. "A verdade da repressão", in *Teresina etc.*, op. cit.

ao socialismo o direito de cidade no debate público.[4] Chamo a atenção ainda para o terrível depoimento prestado à Assembleia Legislativa do Estado, sobre a simbiose, propiciada pela ditadura, entre ação policial e autoridade acadêmica na Universidade de São Paulo.[5] E lembremos por fim que Antonio Candido foi vice-presidente e depois presidente da primeira diretoria da Adusp, a qual abriu a luta, dentro da universidade, contra a perseguição ideológica e a favor da reintegração dos professores cassados, criando as condições para a superação das aberrações do período anterior. Restabelecido o clima de liberdade, Antonio Candido viaja para Cuba e passa a se movimentar contra o isolamento da ilha e a favor de seu retorno ao convívio latino-americano, que é outro modo de normalizar a hipótese do socialismo no continente.

Pode parecer estranho, numa ocasião festiva, dar tanto espaço à violência, à injustiça, à corrupção e ao medo. A um espírito dialético entretanto não surpreende que haja sido em atrito com isso tudo que um homem de correção tão natural, amena e de todos os momentos se tenha transformado em legenda.

Para encerrar esta saudação, quero observar que o Professor se aproxima dos setenta anos escrevendo uma prosa cada vez mais viva, com parte importante de sua obra por reunir em livro, e outra parte ainda na cabeça, por redigir. Vai entrando assim para a companhia reduzida e admirável dos escritores para quem a idade foi ocasião de desdobramentos intelectuais novos, tão insubstituíveis quanto os anteriores. Penso nos seus amigos, e exemplos de todos nós, Manuel Bandeira, Carlos Drummond de Andrade e Sérgio Buarque de Holanda.

Muito obrigado pela atenção.

4. "Democracia e socialismo", entrevista a Jorge Cunha Lima, *IstoÉ*, 7 set. 1977.

5. *O livro negro da USP* (Adusp, 1978), pp. 55-8.

Sobre a *Formação da literatura brasileira*

(notas de debatedor)

Vou retomar brevemente as observações de Paulo Arantes. Como ele lembrou, a ideia da *formação*, muito importante para o trabalho de Antonio Candido, figura no centro de vários livros capitais da cultura brasileira. Seria interessante marcar, ainda que de maneira ultrassumária, algumas diferenças.

Se vocês tomarem os livros de Gilberto Freyre, nos quais se descreve uma espécie de matriz sociológica da civilização brasileira, o movimento geral é de saudosismo; assistimos à perda progressiva de um *valor*, no caso o nosso passado colonial. O curso da história significa o desaparecimento gradual de uma forma de sociedade admirável, ou, ainda, a decomposição de um molde.

Se vocês passarem ao Sérgio Buarque, é diferente. Também aí nós temos as raízes portuguesas, mas com sorte as deixaremos para trás, num tipo de sociedade mais democrática. O impulso é de superação das origens, o que por momentos não impede o autor de as descrever de modo próximo ao de Gilberto Freyre. A posição política entretanto é oposta, e a orientação aponta o futuro.

Em Caio Prado, literariamente menos armado que os outros

dois, o esquema é mais complexo. Também aqui nós temos a matriz colonial que precisa ser superada. Escravidão, monocultura, incultura, primitivismo — em suma, o atraso — são o resultado funcional da subordinação da Colônia à Metrópole. Instruído na tradição marxista, Caio salienta o significado contemporâneo e internacional dessas deficiências, vale dizer, o seu papel na reprodução da ordem imperialista. Não seremos uma nação independente — a despeito do Grito do Ipiranga — enquanto não corrigirmos as deformações que constituem o nosso legado colonial.

Em Celso Furtado o problema dessa mesma superação se condensa num ponto estratégico: o comando das decisões econômicas que determinam o futuro do país está fora deste e deve ser trazido para dentro. Furtado escreve do ângulo do homem de Estado, e depois dos outros três autores. Não desconhece o que eles dizem da conformação da sociedade brasileira, cujos efeitos negativos entretanto julga sanáveis, a partir de uma intervenção patriótica e esclarecida dos governantes. Nesse sentido, o processo da progressiva interiorização das decisões seria, caso chegasse a se completar, o aspecto decisivo da história nacional recente.

Nos quatro exemplos, o ponto de fuga do processo é fortemente impregnado de valor, negativo ou positivo, e diz respeito direto à atualidade vivida pelos autores. Sob esse aspecto, o livro de Antonio Candido, em parte pela natureza do assunto, difere de seus pares.

Com efeito, no caso da literatura brasileira tratava-se de historiar uma formação que já se havia completado: acompanhando o argumento do mesmo Antonio Candido, em Machado de Assis temos um escritor cuja força e peculiaridade só se explicam pela interação intensa e aprofundada entre autores, obras e público, interação que comprova em ato a existência do sistema literário amadurecido.

Nas páginas iniciais da *Formação*, em que apresenta o seu projeto, diz Antonio Candido que procurou estudar a "história dos brasileiros no seu desejo de ter uma literatura". Esse "desejo", que se pode dar como realizado a partir do último quartel do século XIX, naturalmente já não é o do crítico, em meados do século XX, embora lhe diga respeito, como parte importante de seu passado. As suas preocupações presentes, ditadas pelo radicalismo democrático e pela vontade de desprovincianizar, formam o fundo tácito sobre o qual a outra história é narrada.

Esse distanciamento que não cancela os seus vínculos tem consequências que vale a pena assinalar. O nacionalismo literário é entendido como força e finalidade efetiva, a que no entanto o crítico, sendo aliás internacionalista convicto, não adere. Este lhe reconhece produtividade até certo momento, a dimensão de progresso relativo, o que não impede de lhe notar e objetar também as funções de encobrimento ideológico, de imposição de padrões de classe, além da indiferença à qualidade estética, "defeitos" assinalados com uma ironia peculiar, que é ela mesma um achado literário, a condensação feliz de um prisma estético-político substantivo. O ponto de vista é diferenciado e sem mitos: depois de ter sido uma aspiração, a formação do sistema literário brasileiro é um fato, com vantagens e vícios a especificar. A constituição local de um campo no qual as questões contemporâneas se podem articular com propriedade representa um passo muito considerável, que no entanto não faz a diferença *total* imaginada em concepções mais enfáticas do futuro nacional. Estamos longe das ilusões redentoras do nacionalismo, o que o próprio Antonio Candido assinalaria no estudo sobre "Literatura e subdesenvolvimento", onde recorda a irrealidade de algumas das esperanças mais exaltadas ligadas ao anti-imperialismo. O termo *formação* está sendo usado, portanto, num sentido sóbrio, e sua normatividade, que existe, é descrita de fora, nos limites de seu desempenho real. Para lhe perceber a irradiação moderada, basta lembrar que, já "formado", o nosso sistema literário coexistia com a escravidão e com outras "anomalias", traços de uma sociedade nacional que até hoje não se completou sob o aspecto da cidadania, e talvez não venha a se completar, o que certamente faz refletir sobre a natureza mesma daquele movimento de formação nacional.

Do lado do assunto, a ideia de *formação* apreendia, dava visibilidade a um dinamismo decisivo, a saber, a gravitação cultural da Independência, no interior da qual Arcadismo e Romantismo — estilos tão opostos — puderam ter uma inesperada funcionalidade comum. Do lado do presente, da história dos estudos brasileiros, a ideia tinha a ver com os novos patamares teóricos ligados ao surgimento da Faculdade de Filosofia da USP. Ao positivismo rasteiro dos estudos literários tradicionais, opunha a exigência de um objeto logicamente constituído, com seus movimentos próprios de valorização, inclusão e exclusão. Essa posição avançada, com razões e pressupostos refletidos e explícitos, coisa inédita entre nós, até hoje não foi bem assimilada. Assim, alguns apontam o déficit em entusiasmo brasileiro da parte de Antonio Candido (!), que não incluiu na sua *Formação* — por não fazerem parte dela — grandes figuras como Gregório de Matos e o padre Vieira, ao passo que outros críticos, ou os mesmos em momentos diversos, o acusam de bitolamento nacionalista por historiar uma aspiração nacional.[1]

Dizendo noutras palavras, Antonio Candido tem um conceito materialista e não tradicionalista de tradição. Esta vale e pesa, mas por razões que não se esgotam no âmbito dela mesma ou de seus defensores. Ela comporta usos diversos, conservadores ou transformadores, e hoje aliás ela talvez seja mais indispensável a estes últimos que aos outros. Vocês que leram Adorno lembram a descrição exata que ele faz, no caso da música de Schönberg, da complementaridade entre o tradicionalismo severo e a capacidade de

1. Por exemplo, Haroldo de Campos, *O sequestro do barroco na formação da literatura brasileira: o caso Gregório de Matos*, Salvador, Fundação Casa de Jorge Amado, 1989.

revolucionar uma forma. É como se na ausência de tradição rigorosa as mudanças radicais se tornassem impensáveis...

Para bem ou para mal, um sistema literário é uma força histórica, e funciona como um filtro — para retomar as observações do Paulo. Num país culturalmente a reboque, como o nosso, onde as novidades dos centros mais prestigiosos têm efeito ofuscante, a existência de um conjunto de obras entrelaçadas, confrontadas entre si, lastreadas de experiência social específica, ajuda a barrar a ilusão universalista que é da natureza da situação de leitura, ilusão a que é levado todo leitor, especialmente quando, com toda a razão, busca fugir à estreiteza ambiente.

Para dar um exemplo de outra área, quando eu era estudante de ciências sociais na USP, acontecia mais ou menos o seguinte: alguns professores eram positivistas, outros eram weberianos, outros ainda marxistas, que por sua vez se dividiam em lukacsianos e althusserianos, depois gramscianos, e assim por diante. Essas filiações em parte refletiam simpatias filosóficas, em parte políticas, em parte os altos e baixos das reputações internacionais; mas não refletiam o aprofundamento de questões efetivamente em jogo. Pouco tempo depois esse quadro começou a mudar, por influência talvez da radicalização social do pré-64. Passava a ser menos importante ser isso ou aquilo do que avançar um passo em relação aos problemas que estavam sendo postos com insistência crescente pela realidade, que ia corrigindo e criticando os esquemas dos meus professores. Estava se formando um sistema local de problemas e contradições, que de modo nenhum excluía, mas filtrava a oferta internacional de teorias sociais, que agora diziam respeito a um contexto que tinha oportunidade contemporânea e lhes marcava as implicações. Foi um momento — que não durou — de peso acrescido da experiência local, e de menos provincianismo. Em ponto maior, foi desse tipo o processo que Antonio Candido descreveu para a literatura brasileira.

Uma observação ainda, para sugerir a variedade dos funcionamentos que a tradição pode ter. Vocês sabem que há momentos canônicos, em que a evolução da forma artística toma feição lógica muito tangível. No romance francês, por exemplo, é fácil notar que Flaubert apara as demasias e extravagâncias de Stendhal e Balzac em vários planos, apurando um desígnio formal que já se pressentia na obra deles. Sem forçar a nota, esse movimento se pode entender como imanente e sob o signo do progresso e da racionalização (o que não quer dizer que o escritor mais avançado seja maior, nem, muito menos, mais interessante que seus antecessores, que entretanto ficam sendo "antigos" por comparação). Por outro lado, se viermos ao Brasil e pensarmos em Machado de Assis, lembraremos com Antonio Candido que ele soube ver e aproveitar meticulosamente os acertos de nosso romance romântico, de resto tão fraco. A debilidade de uma tradição não a impede de eventualmente formar parte forte de uma grande obra. Digamos então que Machado redimensionava e solucionava os problemas armados por quarenta anos de ficção brasileira. Contudo, a feição mais espetacular do livro da maturidade machadiana, as *Memórias póstumas de Brás Cubas*, está no humorismo inglês, bem distante do tom de nossa prosa romântica. Como Flaubert, Machado havia estudado os seus predecessores, testado as suas situações ficcionais, racionalizado os seus procedimentos, apertado os parafusos, mas é certo que a modificação que no seu livro desloca todo o resto é a adoção do narrador humorístico do *Tristram Shandy*. O resultado é extraordinário, inclusive e sobretudo como revelação de dimensões profundas da sociedade brasileira, mas certamente não vem em linha reta do aperfeiçoamento dos prosadores precedentes. A tal ponto que pareceu artificial aos críticos contemporâneos, a quem o inglesismo deu impressão pedante, de falta de afinidade com a vida local. Pois bem, talvez não seja exagero considerar Machado como um artista de mesmo nível que Flaubert. Entretanto, a solução que dá força ao seu romance nem de longe tem a necessidade inelutável da forma flaubertiana, que em certo sentido, difícil de formular, mas fácil de reconhecer, realiza na sua pureza o ideal da prosa narrativa moderna. Nesse sentido, sem ser menor, Machado é um artista menos "necessário", e sua obra não constitui um ponto cardeal, como a do outro. Salvo se pensarmos, a partir de um sentimento histórico diverso, hoje muito forte, que nada é mais real do que a heterogeneidade do tecido literário, do que o efeito desencontrado, de corpo estranho, causado pela técnica britânica e setecentista no quadro do Brasil oitocentista. Por outro lado, se é certo que Sterne não formava parte da tradição brasileira, é certo também que ele formava parte da tradição ocidental. Noutras palavras, Machado cultivava uma tradição estreita, na qual a experiência histórica local se estava sedimentando, sem prejuízo de cultivar a tradição clássica, bem como o sentimento atualista, que comandava a combinação das outras duas, com perfeita ciência de sua dissonância. A heterogeneidade, quase cacofonia, dessa composição nada tradicionalista depende de um trabalho agudo de captação e crítica de continuidades incipientes, humildes e não notadas antes — o fio tênue que pode ligar Martins Pena, Manuel Antônio de Almeida, Joaquim Manuel de Macedo, José de Alencar —, assim como depende de assimilação em grande escala do arsenal da literatura do Ocidente. A posição estratégica e muito consistente de Flaubert no quadro de uma linha evolutiva crucial certamente faz parte de sua força. A continuidade muito cavada de Machado em relação aos modestos ficcionistas brasileiros anteriores, continuidade atravessada contudo de distanciamento e referências outras, dá um resultado não menor. Se não for levado em espírito de Fla-Flu, esse gênero de comparações faz refletir sobre os ingredientes paradoxais da relevância, ou sobre as condições e os caminhos inesperados da cultura em países como o nosso.

São reflexões que dependem da ideia não nacionalista e não

tradicionalista de sistema literário nacional. Essa ideia, o ponto de chegada do processo histórico descrito no livro de Antonio Candido, e também o ponto de chegada da exposição do Paulo, não podia estar mais fora de moda, nem ter maior oportunidade crítica. Com os ajustes necessários, que hoje mandam deixar em aberto o âmbito prático a que a noção do "nacional" se referia, a ideia descreve a situação literária contemporânea de qualquer pessoa com juízo. De fato, por mais heterodoxos ou abrangentes que sejamos, não podemos nos articular *diretamente* com a tradição mundial, que aliás não existe em estado pronto. Todos nos articulamos nalgum lugar, retomando ou inventando tradições parciais, sendo que "lugar" naturalmente é uma noção variável, que no momento, devido à nova onda de internacionalização, está passando por uma redefinição decisiva. Nenhum de nós universitários, por exemplo, se liga somente ao seu país, ou à sua região. Conforme o caso, nosso trabalho faz que tenhamos um pé num departamento de letras da Unesp, outro num arquivo em Lisboa e outro na biblioteca da Universidade de Indiana. É comum o processo cultural se configurar assim, mesmo que a essa combinação não corresponda nenhum processo político. A falta de correspondência entre esse tipo de matriz cultural e nossas possibilidades práticas reais naturalmente é um problema. Por outro lado, é evidente que hoje também as possibilidades práticas não têm o âmbito, o contorno de um país. Indo a outro campo, quando o PT quer se viabilizar politicamente, o seu candidato à presidência faz uma viagem pela Europa, para visitar líderes social-democratas, isso porque o partido sabe que faz parte de um contexto de forças que não se esgota localmente. Sem apoio da social-democracia espanhola, alemã, italiana etc., seria impossível governar. Digamos então que é certo que a inserção múltipla e muito espalhada do intelectual reflete no seu plano uma certa superação prática das arenas locais e nacionais. Nem por isso ele passa a habitar simplesmente o planeta, ilusão de bolsistas potenciais como nós, ilusão cujo preço cultural é a irrelevância. A moda, como vocês sabem, é da aldeia global, por oposição às aldeias locais: o tempo das formações nacionais passou, pois o mundo, interligado pelas novas formas de comunicação, vive um só e mesmo presente. A grande aceitação dessa tese no Brasil talvez não se deva apenas ao seu acerto, relativo, mas também à decisão medíocre e muito compreensível de não se dar por achado, de não se dar por implicado na iniquidade das relações sociais locais, o que permitiria entrar para o primeiro mundo sem mais perda de tempo. Uma modernidade das mais tradicionais no país, da ordem, por exemplo, do Liberalismo e progressismo escravistas.

Adequação nacional e originalidade crítica

"O crítico é aquele que nas formas entrevê o destino [...]."
G. Lukács, "Sobre a natureza e a forma do ensaio: uma carta a Leo Popper", *A alma e as formas*

Vamos tomar como ponto de partida o estudo de Antonio Candido sobre *O cortiço*. Redigido nos anos 70, foi publicado inicialmente em duas versões parciais, com o propósito de dar lastro local a debates sobre método.[1] Na primeira tratava-se de apontar a dimensão que escapava às leituras estruturalistas então em voga. Na outra, o Autor queria demonstrar pelo exemplo a legitimidade e até a necessidade do trânsito entre análise estética e reflexão histórico-social, um vaivém *de esquerda*, que entre os atualizados com as tendências francesas e norte-americanas era tido como um equívoco metodológico, atentatório à liberdade em arte.

A terceira e última versão do ensaio só agora foi publicada.[2]

1. Antonio Candido, "A passagem do dois ao três (contribuição para o estudo das mediações na análise literária)", *Revista de História*, 100, São Paulo, 1974; e "Literatura-sociologia: a análise de *O cortiço* de Aluísio Azevedo", *Prática de Interpretação Textual*, série Letras e Artes, caderno 28, PUC, Rio de Janeiro, 1976.

2. Antonio Candido, "De cortiço a cortiço", *Novos Estudos-Cebrap*, 30, São Paulo, 1991. Na publicação definitiva, em livro, o ensaio forma um conjunto comparativo

Também aqui os termos da discussão internacional, depois de propostos, são relativizados. Os parágrafos iniciais expõem uma questão teórica prestigiosa, que será superada pelo andamento da análise: a constituição de um romance dá-se a partir de estímulos diretos da realidade? Não seria mais exato vê-la através da transformação de outros romances anteriores? Em lugar da alternativa, que é um falso problema, Antonio Candido dirá que os dois processos coexistem, *e que a sua combinação é regulada, caso a caso, por uma fórmula singular*, a qual é a chave da individualidade e da historicidade da obra.

Adiante veremos melhor o alcance desse argumento. Por ora basta notar como uma mesma análise servia ao crítico para intervir em três discussões teóricas distintas, deixando ver que ele tinha em mente um caminho próprio, diferente daqueles mais concorridos. Tentaremos em seguida salientar e comentar a peculiaridade desse percurso, que apesar de particular nada tinha de idiossincrático, antes atendendo a necessidades objetivas da crítica em países como o nosso.

Conforme a expressão programática do Autor, trata-se de estudar "um problema de filiação de textos e de fidelidade a contextos".[3] Nessa linha, o ensaio indica a presença em *O cortiço* de temas, figuras e episódios de *L'Assommoir*, ou de outros romances de Zola; mas assinala também as diferenças na *composição*, as quais concebe como adaptações do modelo ao contexto local, ou, ainda, como efeitos literários da filtragem reordenadora a que a experiência local submete os esquemas europeus. Assim, a comparação das *formas* leva à reflexão sobre as suas relações e sobre

com outros três, sobre as *Memórias de um sargento de milícias*, de Manuel Antônio de Almeida, *L'Assommoir*, de Emile Zola, e *I Malavoglia*, de Giovanni Verga. Ver Antonio Candido, *O discurso e a cidade*, São Paulo, Duas Cidades, 1993. As citações referem-se a essa edição.

3. Op. cit., p. 124.

as sociedades respectivas, pondo em foco um complexo de questões interligadas, de claro interesse, que a divisão corrente em matérias estéticas e sociais leva a desconhecer.

Por exemplo, Antonio Candido observa que a diferenciação alcançada pela sociedade francesa apartava os mundos do trabalho e da riqueza, de sorte que um romancista como Zola, com ambição de obra cíclica, os trataria em livros separados; ao passo que o estágio primitivo da acumulação brasileira sugeria a um naturalista local, mesmo inspirado no *L'Assommoir*, um enredo em que explorador e explorados convivem estreitamente, com certa vantagem estética, devida ao realce espontâneo da polarização.

Notem-se as considerações contraintuitivas a que um tal composto de observações induz. À sociedade menos diferenciada, além de tributária da outra no plano cultural, não corresponde necessariamente uma obra mais simples ou menos forte. Não porque a literatura independa da sociedade, ou plane num espaço incondicionado, como aventa o novo idealismo, mas porque as conexões não são as previstas.

Outro paradoxo: o desejo naturalista de transcrever a realidade *diretamente*, sem a intermediação da literatura prévia ou de artifícios de linguagem, mostra ser irreal; mas isso não anula as suas obras, como pensa a crítica antimimética, para a qual o Realismo se resume numa empresa ilusionista; antes obriga a lhes entender o valor em termos que não os da doutrina. Por outro lado, a demonstração de que mesmo um texto naturalista é filho de outros textos e não nasce da simples consideração do mundo não quer dizer que o momento da consideração não exista. Contra a ideia pré-moderna (mas afinada com a mídia) da procriação das obras pelas obras, numa espécie de vácuo social, sem referência a realidades extratextuais, o argumento de Antonio Candido nos mostra o reaproveitamento de assuntos e formas no campo de gravitação de *outra* experiência histórica, a qual incide sobre o modelo, podendo estragá-lo ou revitalizá-lo, transformando-o com ou sem propriedade, e em todo caso teleguiando a sua reorganização e imprimindo-lhe algo de si.

Há também a possibilidade de a *cópia* (no sentido de obra segunda, por oposição à obra primeira) resultar superior, o que relativiza a noção de *original*, retirando-lhe a dignidade mítica e abalando o preconceito — básico para o complexo de inferioridade colonial — embutido nessas noções. Nem por isso entretanto estas se tornam supérfluas, como querem os amigos da intertextualidade e de Derrida, os quais mal ou bem supõem um espaço literário que não existe, sem fronteiras, homogêneo e livre, onde tudo, inclusive o original — e portanto nada —, é cópia. Só por ufanismo ou irreflexão alguém dirá que a eventual superioridade de um artista latino-americano sobre o seu exemplo europeu indica paridade cultural das áreas respectivas, *por aí ocultando as desigualdades e sujeições que teriam de ser o nosso assunto por excelência*. É um bom resultado da *déconstruction*, além de uma alegria, saber que os latino-americanos não estamos metafisicamente fadados à inferioridade da imitação, já que também os europeus imitam (aí a relativização da originalidade). Mas seria mais cegueira não enxergar que a inovação não se distribui por igual sobre o planeta, e que se as causas dessa desigualdade não são metafísicas, talvez sejam outras. Além de esforço civilizatório, merecedor de aplauso, a utilização de um modelo com pressupostos sociais europeus era uma cópia sim, na acepção pejorativa, enquanto ele não fosse reciclado conforme as condições locais, quando então se livrava da feição postiça, ou melhor, quando superava a inadequação entre a cultura contemporânea e as condições do lugar. Assim, o "problema de filiação de textos e fidelidade a contextos", com as contradições que engendra, abre para um espaço internacional, polarizado por hegemonia, desigualdade e alienação, onde encontramos as dificuldades históricas e coletivas do subdesenvolvimento. A questão da originalidade se redefine, para além do personalismo romântico, em termos sólidos e... originais.

Entretanto, colocado o problema e traçadas algumas linhas comparativas, o ensaio parece abandonar o seu objeto. Por razões que só adiante se esclarecem, passa ao estudo de um dito infame, corrente no Rio de Janeiro da época, segundo o qual "para português, negro e burro, três pês: pão para comer, pano para vestir, pau para trabalhar".[4] A análise mostra como, na expressão mencionada, a estrutura e as aliterações convidam ao jogo combinatório, a uma equivalência degradante entre burro, negro e português, equivalência sustentada pela noção pejorativa de trabalho que a sociedade escravista desenvolvia. O alvo último da "piada" é o português, já que a assimilação entre o escravo e a besta de carga não tinha por que escandalizar. Quem é o "emissor latente" do gracejo?

> Penso no brasileiro livre daquele tempo com tendência mais ou menos acentuada para o ócio, favorecido pelo regime de escravidão, encarando o trabalho como derrogação e forma de nivelar por baixo, quase até à esfera da animalidade, como está no dito. O português se nivelaria ao escravo porque, de tamanco e camisa de meia, parecia depositar-se (para usar a imagem usual do tempo) na borra da sociedade, "pois trabalhava como um burro". Mas enquanto o negro escravo e depois libertado era de fato confinado sem remédio às camadas inferiores, o português, falsamente assimilado a ele pela prosápia leviana dos "filhos da terra", podia eventualmente acumular dinheiro, subir e mandar no país meio colonial.[5]

Pois bem, este ponto de vista do brasileiro livre, com seu ressentimento "de freguês endividado de empório", ou com a sua "curiosa mistura de lucidez e obnubilação", se reencontra no enfoque narrati-

4. Op. cit., p. 128.

5. Op. cit., pp. 129-30.

vo de O cortiço, *onde tem papel estruturador.* O crítico se afastou do livro, mas para identificar um componente da sua ordem profunda.

Assim, o desvio expositivo destina-se a comprovar a existência *extraliterária* da posição que comanda o enfoque do romance (o que não é o mesmo que comandar o romance inteiro). Para prevenir mal-entendidos, note-se que estamos no polo oposto do *reducionismo*, pois não se trata de acomodar a obra a um esquema sociológico preestabelecido. Pelo contrário, só a intimidade muito refletida com o livro permitiu reconhecer na piada de português, com a sua má-fé ideológica, um termo de comparação pertinente, dotado de força sugestiva. Como se vê, a sondagem de correspondências estruturais entre literatura e vida social tem de se haver com obstáculos bem mais reais que os de método, tão lembrados: ela exige conhecimentos e estudos desenvolvidos em áreas distantes umas das outras, além da intuição da totalidade em curso, na contracorrente da especialização universitária comum. Isso posto, o golpe de vista para o parentesco histórico entre estruturas díspares é talvez a faculdade-mestra da crítica materialista, para a qual a literatura trabalha com matérias e configurações engendradas fora de seu terreno (em última análise), matérias e configurações que lhe emprestam a substância e qualificam o dinamismo. Repitamos que o objetivo desse tipo de imaginação não é a redução de uma estrutura a outra, mas a reflexão histórica sobre a constelação que elas formam. Estamos na linha *estereoscópica* de Walter Benjamin, com a sua acuidade, por exemplo, para a importância do mecanismo de mercado para a compleição da poesia de Baudelaire.

Noutras palavras, o dito dos três pês e o enfoque narrativo de *O cortiço* têm em comum, ainda que não o tratem de modo igual, um nacionalismo feito de desprezo pelo trabalho, pelo negro, pela animalidade e pelo português. A análise vai mostrar a parte da ofuscação e do ressentimento nesse patriotismo pouco estimável, além de uma inesperada ambivalência de colonizado em relação ao próprio Brasil. No entanto, ao menos em princípio, não há dúvida de que essa configuração ideológica se poderia revelar através do estudo do romance tomado nele mesmo, dispensando o achado do estratégico mote trocista. O que se ganhou, então, ao considerar juntamente algo que é literatura e algo que não é? Qual o interesse de armar um espaço com objetos de natureza heterogênea? Vejamos algumas respostas.

A partir da década de 60, uma parte dos ensaios de Antonio Candido tem como desafio teórico a reversibilidade entre análise literária e análise social. Convencido do interesse desses relacionamentos, bem como da sua dificuldade, o crítico procura torná-los *judiciosos*, evitando a falta de discriminação reinante na historiografia positivista e naturalista, continuada no marxismo vulgar, tradições para as quais a peculiaridade da esfera literária pouco existia. Ora, se houve um progresso em crítica neste século, ele com certeza esteve na "descoberta", sob rótulos de escola diversos, da incrível complexidade interna da literatura, da natureza proteica da forma, e, sobretudo, do papel decisivo desta última. Quanto maior a intimidade com as obras e a sua força, mais claro o erro do conteudismo simples, e mais estrito o veto à consideração independente das matérias, apartadas de sua especificação formal. Como avaliar este hiato — ponto de honra dos novos estudos — entre a *riqueza* da significação estética e a *banalidade* da significação corrente? É bem verdade que talvez convenha questionar a questão, cujo espírito tão assimétrico pode juntar, no tocante aos estudiosos, a especialização nalguns campos e a ingenuidade em outros.

De todo modo, as respostas à pergunta serão diversas, ligadas a concepções também diversas do que seja forma e do que seja realidade. No extremo, o estudo da organização interna da obra pode se tornar uma finalidade autossuficiente, como acontece nalguns tipos de formalismo, para os quais a referência ao mundo não é uma questão artística nem crítica, mas uma impureza. Esta é a outra frente onde intervém o ensaio de Antonio Candido, cujos cuidados na apreensão e na descrição da forma literária vêm de par com uma descrição não menos estruturada nem menos original de realidades históricas pertinentes. Quais são estas? É uma pergunta para a qual não há resposta geral, mas só caso a caso, e dependendo sempre de um *achado crítico*, em que a relação interna e discriminada entre os âmbitos acrescente à inteligência dos dois. Num momento em que a tendência mais prestigiosa da crítica internacional abandonava o tema da referência externa, concebida na forma irrisória do espelhismo fotográfico, Antonio Candido fazia um esforço refletido em direção contrária, procurando precisar e aprofundar os termos daquela relação. Em lugar do debate sobre teses gerais, rapidamente estéril, tratava de detalhar modos de continuidade bem como de ruptura, puxando a discussão para questões de fato, ou seja, para o valor de conhecimento das leituras oferecidas.

Como o romance, o ditado antiportuguês manifesta uma ideologia da época. O ensaio entretanto não aponta diretamente para aí, mas para alguma coisa menos palpável, embora real à sua maneira. O que Antonio Candido explicita é o *sistema de relações sociais pressuposto*, a cuja lógica virtual empresta expressão pelo prisma de uma de suas figuras cardeais, no caso o brasileiro nato, livre, ocioso e presumidamente branco (por oposição ao português, ao escravo, ao trabalhador e ao homem de sangue africano). A paráfrase, simples e contundente, uma espécie de invenção didática, tem força crítica notável.

> [...] eu, brasileiro nato, livre, branco, não posso me confundir com o homem de trabalho bruto, que é escravo e de outra cor; e odeio o português, que trabalha como ele e acaba mais rico e mais importante do que eu, sendo além disso mais branco. Quanto mais ruidosamente eu proclamar os meus débeis privilégios, mais possibilidades terei de ser considerado branco, gente bem, candidato viável aos

benefícios que a Sociedade e o Estado devem reservar a seus prediletos. [...] Sórdido jogo, expresso nestes e outros *mots d'esprit* [a frase dos pês], que formam uma espécie de gíria ideológica de classe, com toda a tradicional grosseria da gente fina.[6]

Adiante voltaremos à intenção desmistificadora da análise. Por agora notemos apenas que este prisma, engendrado por uma história social particular, e articulado com as linhas básicas de sua configuração, é uma *forma* objetiva, capaz de pautar tanto um romance como uma fórmula insultuosa, um movimento político ou uma reflexão teórica, *passíveis de confronto através da reconstrução daquela condição prática mediadora.*

Examinemos alguns aspectos e algumas consequências dessa ideia *social* de forma. Trata-se de um *esquema prático*, dotado de lógica específica, programado segundo as condições históricas a que atende e que o historicizam de torna-viagem. O esquema não se esgota em suas manifestações singulares, que podem pertencer a âmbitos de realidade distintos, a cujos componentes se articula. No caso descrito, ele se traduz num interesse econômico-político, numa ideologia, num jogo verbal, num enfoque narrativo. Quanto a afinidades, estamos no universo do marxismo, para o qual os constrangimentos materiais da reprodução da sociedade são eles próprios formas de base, as quais mal ou bem se imprimem nas diferentes áreas da vida espiritual, onde circulam e são reelaboradas em versões mais ou menos sublimadas ou falseadas, formas, portanto, trabalhando formas. Ou ainda, as formas que encontramos nas obras são a repetição ou a transformação, com resultado variável, de formas preexistentes, artísticas ou extra-artísticas.

Do ângulo dos estudos literários, o forte dessa noção está no

6. Op. cit., pp. 132-3.

compacto heterogêneo de relações histórico-sociais que a forma sempre articula, e que faz da historicidade, a ser decifrada pela crítica, a substância mesma das obras. A vantagem ressalta no confronto com os diferentes "formalismos" — termo confuso, que pensa designar pejorativamente a superestimação teórica do papel da forma, quando talvez se trate, pelo contrário, de uma subestimação. Com efeito, os formalistas costumam *confinar* a forma, enxergar nela um traço distintivo e privativo, o privilégio da arte, aquilo que no campo extra-artístico não existe, razão por que a celebram como uma estrutura sem referência. Tome-se por exemplo a questão do ponto de vista narrativo, comumente examinado em termos espaciais, segundo esteja perto, longe, acima, abaixo, dentro ou fora das personagens. Sem desmerecer observações dessa ordem, que podem esclarecer muito, é claro que a compreensão da *substância prático-histórica* do vínculo dá outra realidade aos estudos da posição do narrador. O enfoque narrativo alimentado e disciplinado pelo complexo de finalidades próprio a certa elite brasileira em fins do século XIX exemplifica bem esse enriquecimento.

A comparação mais relevante contudo se faz com o estruturalismo de inspiração linguística. Salvo engano, ao adotar o ideal de cientificidade e o tipo de estrutura elaborado por essa disciplina, a crítica literária incorpora um modelo indiferente a aspectos decisivos de seu objeto. Não custa lembrar que, embora feito de palavras, este último não funciona como uma língua, pois é um artefato singular, obra de um indivíduo em face de uma situação artística, social etc. Ora, o foco nos mecanismos universais da linguagem e do próprio ser humano empurra noutra direção, para o lado do historicamente inespecífico — hoje mortal para a literatura. Apesar da eminência dos autores, as leis gerais da narrativa (Barthes) ou a teoria de uma função poética também universal da linguagem (Jakobson) têm algo daquela generalidade sem objeto efetivo a que Marx, ao lembrar que o trabalho "em geral" não existe, se referia como *Abge-*

schmacktheit [sensaboria]. Na medida em que o estruturalismo calca a sua investigação da forma no exemplo da linguística, onde a referência, por definição, é apenas um horizonte, as relações históricas ficam relegadas ao campo dos conteúdos sem potência plasmadora e, aliás, sem interesse para a crítica. A ironia das coisas literárias quis que em muitos casos a convicção da relevância da forma desembocasse na castração dela e na perda de sua especificidade. O descompasso com o movimento da literatura nos últimos dois séculos e meio, quando a invenção formal concebe a si mesma como uma sucessão de atos eminentemente históricos (e de modo nenhum fechados na referência à própria linguagem ou à série literária), é grande. Assim, sumariamente digamos que a forma travejada pela relação histórica e pelos seus dinamismos, intra e extraliteratura, parece bem mais próxima daquilo que os artistas de fato fazem e que vale a pena buscar em seus trabalhos.

Qual o método para a) definir o "emissor latente" de uma expressão humorística, b) trocar em miúdos o significado social dela, e c) lhe reconhecer a feição, a presença tácita — a qual é uma autêntica descoberta — no enfoque narrativo de um livro importante da literatura brasileira? A diversidade das operações, ligadas a diferentes disciplinas do conhecimento, corresponde à natureza compósita da forma descrita. Esta reúne uma categoria técnica, elaborada pela teoria do romance, a uma figura própria à história e à sociedade brasileiras, figura cuja generalidade nacional e substância problemática, nunca levadas em conta, estão grifadas e explicadas aqui pela primeira vez. Assim, a exposição não deve a força persuasiva à autoridade de um método famoso, e sobretudo pronto, mas ao interesse e à evidência dos achados, de vária ordem, à exatidão das descrições, bem como ao rigor das análises. O estudo no caso não se filia a uma especialidade particular, embora esteja solidamente apoiado no conjunto das ciências humanas, e venha animado de disciplina científica, como aliás indica a sua disposição para o debate construtivo, com padrão acadêmico, muito fora dos hábitos do país.

Dito isso, é claro que o essencial do ato crítico, na parte que vimos até agora — a fixação e anatomia do tipo social atrás da prosa —, não depende só da erudição literária e histórica, mas também da sensibilidade político-moral. A aproximação entre o dito dos três pês e a organização de *O cortiço* não se faz pela via direta da semelhança, e sim por intermédio da aversão lúcida a certo tipo de nacionalismo autoritário e aproveitador, próprio a uma faixa de patriotas ruidosos, que se sentiam os pró-homens do Brasil, com direito às benesses do Estado, e próprio também, de modo indireto, à conivência muito generalizada com a grosseria das piadas de português, como se sabe um gosto local. Mais ou menos à época, aliás, Machado de Assis recomendava "raspar a casca do riso, para ver o que há dentro".[7] Noutras palavras, a identificação do problema, a explicação de seu fundamento histórico-sociológico, a indicação de sua presença tácita num romance de peso e numa manifestação querida e duvidosa da alma nacional têm como condição prévia um ato de independência reflexiva, a recusa esclarecida à cumplicidade com os costumes mentais da elite. Não se trata da descrição distanciada de uma ideologia, *mas de seu desmascaramento em pontos cruciais*, com indicação dos motivos de classe atrás de preconceitos eficazes. Acompanhada de seus efeitos intelectuais, essa posição obriga a rever o quadro das ideias e letras brasileiras, no qual se inscreve como uma reflexão modificadora, um progresso do conhecimento de si disponível no interior de um processo histórico real.

Assim, embora nascido no contexto de um debate acadêmico sobre métodos, onde devia exemplificar uma orientação mais abrangente, o ensaio de Antonio Candido encontra o seu lugar próprio no

7. *Balas de estalo,* 26 jan. 1885; citado em Clara Alvim, *Os discursos sobre o negro no século XIX: desvios da enunciação machadiana*, Rio de Janeiro, CIEC, 1989, p. 11.

enfrentamento literário-ideológico-político sobre a natureza da experiência social brasileira. Seja dito entre parênteses que, por fazer parte das turmas iniciais da Faculdade de Filosofia de São Paulo (criada em 1934), Antonio Candido costuma ser citado entre os primeiros críticos brasileiros a se beneficiar de uma formação atualizada em ciências humanas, a salvo do autodidatismo tradicional e em sintonia com a dinâmica intelectual nova — o que certamente é verdade. Mas, passados os anos, o valor de seus escritos — que melhoram e ganham em saliência com o tempo — parece trocar de origem: interessam justamente por não se esgotarem no universalismo *prêt-à-porter* do debate teórico atual, ou melhor, por terem continuidade refletida com as posições, noções e contradições sustentadas pela experiência histórica do país, dentro, fora e antes da universidade, experiência cujo andamento é outro e possivelmente mais real.

O desejo de ligar a obra a seu meio e a seu tempo não é novo. O modelo consagrado desse tipo de estudo manda começar pelo panorama de época, no qual em seguida se inserem os livros que se querem explicar. A arte da exposição consiste, no caso, em acentuar os traços comuns, o ar de família, tornando por assim dizer inerentes uma à outra a literatura e a sociedade, incluída nesta até a paisagem. Essa orientação nem sempre foi conservadora, e na origem, quando se opunha a normas de corte, a concepções universalistas e atemporais de beleza, teve extraordinário impacto crítico e inovador. Para apreciá-la na força da genialidade, leia-se a autobiografia de Goethe, que procurou ver-se a si mesmo, à sua geração e à cultura europeia contemporânea em termos dessa ordem. Contudo, redefinida logo adiante na órbita da historiografia nacionalista, com as prioridades ideológicas correspondentes, a exigência de contextualização adquiria conotações de conformismo, se não apologéticas. Em diferentes versões, a orientação patriótica impunha as suas coordenadas à apreciação literária, de que passava a funcionar como o *a priori*, aliás errado. De fato, as fronteiras nacionais são um limite

— ou contexto — arbitrário para a vida do espírito moderno. Para os fins de sua arte, o escritor emancipado não se define como um *cidadão*, nada o impedindo de desconhecer aquela baliza e de buscar fora dela a inspiração e a matéria para a sua arte. Daí a dizer que o condicionamento social da literatura não existe e não passa de um mito retrógrado o passo é pequeno. Entretanto, o próprio sentimento do relativo das fronteiras políticas certamente corresponde a uma experiência social efetiva, condicionada e sustentada por processos de raio mais amplo. Digamos então que a liberdade artística, tal como os tempos modernos a formaram, dispensa o escritor de se curvar às prescrições da pátria ou de qualquer outra modalidade de oficialismo. Mas não o dispensa de consistência e profundidade no relacionamento com os seus materiais, que tomou onde e como quis, e sobre os quais trabalha.[8] Através desse metabolismo se processa, conscientemente ou não, uma liga entre forma artística e necessidade histórica, de esfera por definir caso a caso, esfera aliás que hoje pode incluir polos afastados a ponto de tornar irreal a ideia mesma de contexto, com seus pressupostos de trama cerrada e tangível. A combinação extrema entre liberdade no ponto de partida e necessidade na execução, necessidade a descobrir, programada pela experiência que a história acumulou nos materiais utilizados, define a vocação audaz da arte moderna, bem como a sua posição em falso no que respeita ao âmbito e à ordem nacional, que nem por isso deixam de existir. Veremos que a composição inesperada e abrupta do ensaio de Antonio Candido responde de modo também moderno a essa ordem de problemas.

Notamos a maneira inopinada pela qual o dito dos três pês e a sua análise aparecem no ensaio. Depois de considerações introdutórias sobre o tema da "filiação de textos e fidelidade a contextos", e

8. Neste ponto, como nas demais discussões sobre a forma literária e a sua historicidade, me apoio na *Teoria estética* de Adorno.

de comparações com o romance de Zola, seguidas de observações também comparativas sobre as sociedades francesa e brasileira, entra o exame detalhado de uma frase que andava pelas ruas e que nada indicava que viesse ao caso. Numa versão inicial do escrito, destinada a um encontro de professores de literatura, Antonio Candido afirmava que tanto é possível passar da observação literária à observação social como o contrário, e que a sua comunicação se destinava a exemplificar o segundo caminho. Seria uma explicação simples para o ponto de partida na análise social. Contudo, se examinarmos o funcionamento desta última na economia geral do estudo, veremos que envolve questões mais complexas. Antes de mais nada, assinale-se que a sociedade não aparece aqui na sua versão habitual, de ambiente externo e conhecido, cujas grandes linhas as obras ilustram, mesmo quando as contestam. No caso, pelo contrário, a sociedade figura por meio de um *resultado* seu, uma frase na qual a sua problemática de classe muito particular está condensada — mas não explicada — a partir de um ponto de vista também particular, além de abjeto. Conforme a demonstração do crítico, é esse mesmo ponto de vista que inconscientemente anima o enfoque narrativo de *O cortiço*, de que portanto é um elemento dinâmico interior: a consequência social passou a causa literária, com consequências, por sua vez, que se desdobram na ficção.

Repetindo, a sociedade não aparece como modalidade envolvente, mas como elemento interno ativo, sob a forma de um dinamismo especificamente seu, resultado consistente dela e potência interior ao romance, onde atritará com outras forças e revelará algo de si. Lembremos ainda que se trata aqui de um ponto de vista ou padrão de conduta autoritário e preconceituoso, inconsciente da própria face pífia, que além do mais não é temático no livro, estando na posição influente e impalpável de sobredeterminante formal. Essa soma de aspectos, que se diriam negativos, tão reais e eficazes quanto turvos, corre a sua sorte (e empurra a dos outros) no movimento de conjunto do romance, a que empresta a vivacidade entre boçal e substanciosa. As suas *resultantes* ficcionais, configuradas mas tácitas, parafraseadas pela interpretação crítica, passam longe das visões oficiais ou correntes do país, e longe também da visão explícita promovida pelo próprio livro, cuja cegueira de classe funciona como um ingrediente involuntário de complexidade artística.

Tomada como invólucro da literatura, a sociedade desempenha um papel de enquadramento, que seria despropósito desconhecer. Mas concebida como força interna, encapsulada num dispositivo formal com desdobramento autônomo, a sua lógica escapa à comparação externa, para produzir uma verossimilhança sem parte com as noções e os limites aceitos. Os dois funcionamentos são reais, e a preferência pelo segundo traduz o interesse pela sondagem de forças organizadoras profundas. Paradoxalmente, é sob esse aspecto desprovido de aval empírico imediato que a obra tem parte — a especificar — com os desdobramentos do mundo. Voltando à nossa questão, a introdução a seco de uma engrenagem social relevante e tão peculiar acentua, em lugar de disfarçar, o componente não literário da literatura, o que em seguida permite apreciar o trabalho especificamente literário de assimilação, valorização e superação do que parecia mas não era externo. Com esse lastro, também a questão anterior da "fidelidade a contextos" muda de caráter: em lugar do modelo pronto, dado e a copiar, que funciona como um estímulo de fora, temos uma presença estruturada — externa? interna? —, presa a práticas sociais específicas e parte, através destas, da história contemporânea. De outro ângulo ainda, trata-se de uma exposição ensaística que faz suas a *contingência* e a *consistência* próprias à aventura da arte moderna.

Isso posto, a tônica do ensaio não está na identificação de uma ótica de classe, nem o livro será amarrado a uma posição social particular. A pergunta é outra: qual o *rendimento literário* daquele enfoque? ou seja, na terminologia dialética do Autor, qual "a verdade dos pês"? Esta se desenvolve no confronto com a intriga do romance, cujo movimento é enérgico. João Romão é um taverneiro português, fanaticamente acumulador, que não tem medo de trabalhar pesado, de se privar de tudo, de roubar o que for possível, ou de amigar-se com uma escrava, a quem usa de todas as maneiras. Aos poucos põe de pé um cortiço, onde explora indistintamente brasileiros e portugueses, brancos e negros, até ficar rico e entrar para a sociedade apresentável. O enriquecimento, perseguido com determinação alucinada, confere ao romance uma linha central de grande consistência e nitidez. Em sentido óbvio, esta decorre da motivação ou personalidade de João Romão. Mais profundamente, o crítico nota que ela apreende, pela primeira vez na literatura brasileira, o ritmo da acumulação do capital, nas condições peculiares ao país. Assim, a unidade do livro — um fato interno, de construção e estrutura — apresenta também uma face mimética — um fato da ordem da referência externa —, ficando unidos aspectos que as teorizações recentes não costumam considerar em conjunto. Por outro lado, conforme a observação principal do ensaio, esse dinamismo da intriga não só não confirma como inflige um desmentido incisivo ao sistema das noções em primeiro plano no romance. No que depende de apreciações formuladas, este último descansa em estereótipos naturalistas, quanto à raça e ao clima, e nacionalistas, quanto ao ex-colonizador. Ora, as polaridades correspondentes, entre negro e branco, trópico e Europa, brasileiro e português, que organizam e dão colorido de ciência ao espetáculo, são desconsideradas e derrubadas pelo curso da ação, igualmente claro. Esta opõe um homem em processo de enriquecimento rápido aos demais que ele explora, os dois campos estando impregnados, até o âmago, embora diferentemente, pelas condições semicoloniais de trabalho, que portanto não são particulares a um ou outro nem servem para os distinguir. O homem é um português, e os explorados são, indiscriminadamente, *outros portugueses*, brasileiros, negros, mulatos e brancos. A esta luz, como fica a ideologia que contrapõe o brasileiro ao português, ao negro e ao burro, a qual afirma justamente as diferenças e presunções que o entrecho da acumulação desqualifica? O desdobramento

> mostra que, afinal de contas, dos figurantes a que caberiam os três pês [pão, pano e pau] o português não é português, o negro não é negro e o burro não é burro. Em plano profundo, trata-se de uma trinca diferente, pois em verdade estão em presença: primeiro, o explorador capitalista; segundo, o trabalhador reduzido a escravo; terceiro, o homem socialmente alienado, rebaixado ao nível do animal.[9]

Recapitulando os passos, a expressão humorística formaliza ideológica e esteticamente (mas não no campo da arte institucionalizada) um conjunto de preconceitos de classe, o mesmo que governa certo aspecto d'*O cortiço*, razão pela qual pôde servir de introdução à análise literária deste. Uma vez exposto à dinâmica do romance, aquele complexo aparece como um conjunto de ilusões odiosas, além de eficazes, pois obscurecem de modo funcional e conservador os interesses em jogo, definidos no plano da intriga. Esse resultado *artístico* do movimento do romance reflui sobre a frase dos pês, embora esta seja uma peça de ideologia *extraliterária*, encontrável por assim dizer na rua: esclarece-lhe a natureza de ilusão racista e xenófoba, derivada de uma relação de trabalho peculiar e de um tipo também peculiar de acumulação de riqueza, "no qual o homem pode ser confundido com o bicho e tratado de acordo com esta confusão".[10] Aí está, perfeitamente claro, o inconcebível para algumas teorias: o dinamismo literário produzindo conhecimen-

9. Antonio Candido, op. cit., p. 134.

10. Op. cit., p. 129.

tos sobre a realidade externa... Observe-se que a discrepância entre o movimento do romance e o seu sistema de noções pode ser encarada de muitos modos. Uma leitura menos generosa, e menos interessante, a tomaria simplesmente como defeito de composição. Desautorizadas pelo enredo, as perspectivas naturalistas e nacionalistas fariam figura de um palavreado vazio, que são em parte. Mas podem ser entendidas também como *ideologia*, quando então a composição discrepante adquire funcionalidade crítica e *valor mimético* em relação ao país. Trata-se de aspectos *objetivos* da configuração do romance, onde existem *em ato*, mas sem estarem *ditos*. Sua formulação se deve ao crítico, e não pertence ao horizonte do romancista, o que não significa que ela seja arbitrária. Como escreve Antonio Candido, a "violência social [do livro] é maior do que supunha o [seu] autor".

No que respeita à mimese, o ensaio procede de maneira diferenciada, que em si mesma objeta às oposições sumárias em voga. O sistema de prevenções embutidas no enfoque narrativo será uma *imitação* da realidade? Pareceria mais adequado chamá-lo um *decalque* inconsciente, a migração de reflexos de classe dominante para o campo literário, onde atuam como princípio ordenador, desempenhando o seu papel ideológico de apresentar perspectivas particulares como verdades gerais. Já no plano voluntário do assunto, o enriquecimento do taverneiro português é contado de modo a deliberadamente confirmar aquelas "verdades" — os estereótipos brasileiros no capítulo — que em troca lhe emprestam a verossimilhança impregnada de preconceito. Ficou visto entretanto que a consistência estrita na busca da vantagem econômica, ao mesmo tempo que unifica a narrativa, redefine o conflito e seus campos, fazendo girar em falso os chavões que a fábula devia consolidar. O cuidado artístico e *formal* com a coerência narrativa funciona como um fator independente, com potência crítica involuntária em relação ao conjunto de ideologias que o enredo, através da *mimese*, reproduzia e ilustrava. Nesse sentido, a consistência formal desconhece a ordem estabelecida, os seus limites e os seus equívocos, em cujo quadro não se acomoda e em relação à qual apresenta um valor de ruptura, por oposição ao papel redundante e conservador da mimese. Contudo, o crítico notou ainda o valor mimético da própria consistência formal, que, sem prejuízo de seu caráter construtivo, como que no interior dele, paradoxalmente imita e traz para a dinâmica do romance o ritmo de certo tipo de acumulação de riqueza. Essa imitação de um andamento geral da sociedade tem potência crítica por sua vez, pois livra da facilidade e do preconceito a consistência do romance, a qual não se deve ao acaso de uma fixação *subjetiva* (a avidez econômica de uma personagem) mecanicamente reiterada, nem à nacionalidade *portuguesa* desta. Digamos que a unidade formal abrangente não é assegurada pelo baixo contínuo da obsessão do ganho, nem pela arquitetura dos contrastes entre raças, climas e tipos nacionais, nem pela visão de classe que preside à narrativa, que entretanto são ingredientes capitais dela. Cada um destes é uma forma, com dinamismo próprio, a qual será arrastada e desautorizada em ato pelo movimento de conjunto, cuja forma geral tem a sua verdade na inverdade que as outras, vencidas por algo de mais substantivo, vão deixando entrever ao longo do processo.

A ser assim, a literatura não fica reduzida a captar e a reapresentar o social? qual a sua produtividade própria? em que termos conceber-lhe os aspectos de inovação e ruptura? não haveria um pressuposto — ingenuamente realista — de neutralidade e transparência da linguagem, levando a ignorar o papel constituinte, a realidade irredutível desta última? Espero haver reproduzido fielmente as questões de Luiz Costa Lima, levantadas no debate que se seguiu à exposição do presente estudo. São objeções que ajudam a entender a peculiaridade da posição de Antonio Candido. A discussão poderia partir do antagonismo, palpável nas perguntas, entre a captação do social e a produtividade específica da literatura e da linguagem. Essa oposição não é autoevidente, e na minha opinião não corresponde à prática da grande arte moderna, embora corresponda a uma de suas teorias. Sem forçar a nota, e com o devido bom humor, penso que a divisão imaginada por Costa Lima se poderia formular da maneira seguinte: de um lado, no partido do atraso, a mimese da realidade histórica, ausência de inquietação formal, redundância ideológica, ilusão da linguagem transparente, sem tração própria; de outro, no partido avançado, a produção literária do novo, a ruptura antimimética, a consciência da eficácia específica à linguagem, bem como o desligamento da antena referencial. Ora, basta lembrar a acuidade social e imitativa dos melhores romancistas experimentais desse século para encarar com reservas esta distribuição dos papéis.

Voltando ao ensaio de Antonio Candido, vimos que ele não aponta um, mas vários tipos de relação do romance com a realidade. A população, o ambiente social e a paisagem são apresentados conforme as teorias do Naturalismo, científicas na época, hoje exemplos de ideologia. O ritmo estiliza as convicções nacionais a respeito da ganância e brutalidade do vendeiro português, mas apreende também, noutro nível, o andamento impessoal da acumulação de riqueza, cuja mola não é a guerra entre as raças e entre as nacionalidades, mas o capital. O mecanismo anônimo e irrefletido do enfoque narrativo é governado por ambivalências características do nacionalismo complexado da virada do século, o chamado "jacobinismo" brasileiro. Essas ambivalências não foram invenção do romancista e existiam também fora da literatura, onde puderam originar pancadarias, bem como o mencionado dito humorístico dos três pês. Para olhos de hoje, enfim, a relação mais significativa com a realidade é a que resulta da constelação problemática, interna ao livro, entre o movimento da acumulação e um complexo de ideologias e formas da época, passavelmente grossas. Assim, o crítico nos mostra que um romance tão *real* como *O cortiço* é arquitetado, entre outros elementos, com um modelo narrativo estrangeiro, teorias científicas duvidosas, uma intuição da nova dinâmica econômica, projeções do preconceito, um ponto de vista de classe tacanho. Tomados em si mesmos, os diferentes momentos de mimese diferem muito quanto ao valor, e vão do brilhante ao lamentável. Mas mesmo estes últimos têm interesse, uma vez revirados pela corrente geral, e possivelmente as experiências mais agudas e esclarecidas que o romance hoje possa propiciar venham por conta de suas expressões mais racistas. Noutras palavras, a mimese pode ter valor crítico, pode alinhar-se com o obscurantismo, e pode inclusive ter efeito crítico graças a este último alinhamento, tudo dependendo de sua posição relativa no conjunto. O mesmo vale para o aspecto construtivo, que no livro tanto cria condições de generalidade incompatíveis com o preconceito como decorre de algo como uma sistematização do próprio preconceito. Diante de uma descrição pormenorizada e refletida, as generalizações da Teoria Literária a favor ou contra a mimese ou a construção mostram-se improcedentes. Para completar, parece claro que o valor de ruptura da construção pode se beneficiar da tensão com o aspecto conformista da imitação, e que o valor crítico desta pode ser sublinhado pelo aspecto mecânico que a outra acaso tenha e ao qual vale escapar. A chispa crítica não salta num lugar só, e estipular disjuntivas abstratas nem sempre é mais radical e produtivo do que discernir relações.

A forma de que falamos aqui é inteiramente *objetiva*, com o que queremos dizer que ela se antepõe às intenções subjetivas, das personagens ou do autor, as quais no âmbito dela são apenas *matéria* sem autoridade especial, que não significa diretamente, ou que só significa por intermédio da configuração que a redefine. Quanto a afinidades, o primado da forma sobre opiniões e intenções se torna programático, na história do romance, a partir de Flaubert. Fora da literatura, o sentimento análogo se encontra na ideia marxista da precedência do *processo*, cuja engrenagem objetiva, funcionando atrás das costas dos protagonistas, também lhes utiliza e desqualifica os propósitos, transformados em ilusões funcionais (como no caso da presunção nacionalista encobrindo o funcionamento do capital). O interesse dessa ideia "desumana" e puramente relacional de configuração artística, cheia de implicações materialistas e desabusadas, não está na harmonia, mas na dissonância reveladora, cuja verdade histórica é tarefa da interpretação evidenciar. Por fim, trata-se de uma forma de formas, um complexo altamente heterogêneo de experiências literariamente transpostas, sobre o qual o romancista trabalha. Vale a pena insistir nessa diversidade interna — mal-amanhada do ponto de vista intelectual — porque ela dá uma ideia justa da arte realista, às vezes imaginada segundo o modelo da supressão ilusória do sujeito nos automatismos da fotografia, das anotações de campo, da prosa escorreita, da informação científica, da ausência de composição. Ora, o ensaio nos mostra a força literária de *O cortiço* ligada essencialmente a efeitos disfuncionais de sua arquitetura e de seu enfoque narrativo, os quais por outra parte, sem serem visados, naturalmente foram buscados pelo escritor, que achou que o livro assim estava bom. Ainda aqui estamos na tradição marxista, da assim chamada "vitória do realismo", que reconhece ao trabalho de configuração romanesca a força capaz de levar a melhor sobre as concepções atrasadas ou limitadas de um autor e — por que não? — *de um país.*

Sem prejuízo da existência de fulano ou beltrano, a figura latente atrás da frase dos três pês e do enfoque do romance é uma construção abstrata, com lugar angular na organização social do país em um de seus momentos. A generalidade e a força explicativa do esquema lhe vêm daí, e nesse sentido se pode dizer que a chave que abriu o romance foi a descoberta do diagrama de classes apropriado. O andamento da intriga vai expor os impasses e as contradições daquela posição, que animam o livro e não deixam também de existir fora dele, guardadas as diferenças.

Foi visto o desempenho inglório em que a "prosápia dos filhos da terra" encontra a sua verdade, uma vez levado em conta o curso específico da acumulação da riqueza. Vejamos outras revelações semelhantes, que fazem parte do rendimento literário do livro nessa interpretação. As teorias naturalistas, por exemplo, mostram um regime de funcionamento também *sui generis*, esclarecedor para a história intelectual do país. Elas são ideológicas ao encobrir as necessidades do capital com categorias raciais, ou quando justificam "cientificamente" a situação inferior de negros e mulatos, mas ainda assim têm o mérito, *para o Brasil*, de trazer a nossa recalcada questão racial ao primeiro plano da discussão, além de integrarem uma situação teórico-moral complicada, acentuando

> a ambiguidade do intelectual brasileiro que aceitava e rejeitava a sua terra, dela se orgulhava e se envergonhava, nela confiava e dela desesperava, oscilando entre o otimismo idiota das visões oficiais e o sombrio pessimismo devido à consciência do atraso. Sob este aspecto o Naturalismo foi um momento exemplar, porque viveu a contradição entre a grandiloquência das aspirações liberais e o fatalismo das teorias então recentes e triunfantes, com base aparentemente científica, que pareciam dar um cunho de inexorável inferioridade às nossas diferenças com relação às culturas matrizes.[11]

Não vamos resumir outros deslocamentos e redimensionamentos de mesmo tipo operados pelo ensaio, dizendo respeito às inflexões mais ou menos nacionais adquiridas no livro pelo sexo, pela natureza, pela alegoria. Para nosso propósito, basta indicar o interesse palpável dessas discussões literárias, *originais pela conjunção crítica inédita que armaram*, onde análise artística, descoberta e tomada de consciência histórica vão de mãos dadas, na trilha,

11. Op. cit., p. 139.

naturalmente, da peculiaridade estética, mas também moral, ideológica e política, de uma vasta experiência social em andamento. De outro ângulo, com vistas ainda no interesse que têm essas discussões, note-se que a localização e o exame do fundamento prático de uma forma permitem falar de obra e realidade uma em termos da outra. O lastro de realidade pertinente como que endossa a consistência do trabalho artístico, *além de emprestar à exploração e paráfrase da lógica interna das obras um estatuto literário especial.* Faz que a prosa crítica se beneficie da *ressonância real* que a radicalização sob todos os aspectos, que é um imperativo da intensificação estética, possa ter. As várias passagens que citamos podem ilustrar esse ponto.

Com propósito apenas indicativo, a parte final do ensaio aproxima *O cortiço* de *L'Assommoir* e de *Memórias de um sargento de milícias*, obras que o Autor estudou no mesmo período.[12] O confronto cria um espaço de diferenças poderosamente sugestivas, entre, por exemplo, o significado sobretudo social da pobreza em Zola (Naturalismo europeu) e seu significado mais alegórico-nacional em Aluísio (Naturalismo brasileiro); ou entre a dialética de ordem e desordem num universo quase sem trabalho, como é o caso no *Sargento de milícias*, e a dialética do espontâneo e do dirigido num mundo comandado por lucro, trabalho e competição, como é o caso n'*O cortiço*. Antes de entrarem em comparação, estes termos foram especificados com rigor pelas estruturas literárias e pela história de que fazem parte, de sorte que a sua aproximação não coloca em presença traços isolados, mas universos complexos e inteiros. Naturalmente não cabe aqui adivinhar um livro em pre-

12. Ver, do Autor, "Degradação do espaço (estudo sobre a correlação funcional dos ambientes, das coisas e dos comportamentos em *L'Assommoir*)", *Revista de Letras*, vol. 14, Faculdade de Filosofia, Ciências e Letras de Assis, 1972; e "Dialética da malandragem", *Revista do Instituto de Estudos Brasileiros*, 8, São Paulo, 1970.

paração, mas parece claro que esses ensaios, ao mesmo tempo que individualizam ao máximo os seus objetos de análise, têm a ideia de os colocar em constelação solta, de forma a sugerir perspectivas no espaço heterogêneo correspondente. Digamos que o autor procura a maneira literária de praticar a arte tão interessante, e em geral arbitrária, de comparar experiências ou aspectos nacionais. Noutras palavras, trata-se de um comparatismo que permite problematizar e sopesar o país no contexto da sua atualidade.[13]

Nada mais contrário ao espírito de Antonio Candido que transformar o seu ensaio em receita. Contudo, trata-se de um trabalho muito meditado, cujos passos têm a exemplaridade dos procedimentos que deram certo. Cuidemos então de ficar com algumas de suas sugestões.

A começar pelos parágrafos de reflexão prévia, onde os empréstimos formais são considerados à luz tanto da sociedade de origem como da nossa. Esta espécie de verificação preliminar de formas e categorias pela experiência disponível faz parte das tarefas elementares do espírito crítico seja onde for. Num país como o Brasil entretanto ela é mais indispensável — e produtiva — porque as diferenças que o distinguem das sociedades que lhe servem de padrão dificilmente deixam de pesar. Nem por isso aquela verificação é um cuidado corrente, pois o desejo de coincidir sem ressalvas vexatórias com a vida cultural dos países adiantados está entre as nossas aspirações mais caras.

Uma vez determinadas a forma e sua contraparte prática, vale a pena um exame em separado dessa última, mesmo que breve. Isto para que fique bem consubstanciada a sua peculiaridade, ou, ainda, para que a distância que nos separa das sociedades canônicas não

13. Cf. Antonio Candido, *O discurso e a cidade* (São Paulo, Duas Cidades, 1993), em cuja primeira parte agora estão reunidos os três estudos mencionados, mais "O mundo-provérbio", sobre *I Malavoglia*, de Giovanni Verga.

apareça como resultado da idiossincrasia de personagens ou de um escritor com imaginação desviada. Com efeito, a quem haveria de ocorrer que "brasileiro nato" ou "brasileiro livre e branco", noções com vocação de opereta, fossem categorias para levar a sério?

O essencial do trabalho naturalmente tem de estar na exploração e no comentário do movimento próprio à forma, com preferência para as suas consequências menos óbvias, ou as suas verdades mais surpreendentes, desde que demonstráveis. No contexto brasileiro, pobre em reflexão crítica sobre a sociedade, o rendimento extraliterário dessa potência de revelação das formas oferece campo e tem oportunidade excepcional. Nesse ponto é interessante a comparação com o ensaísmo de esquerda na Europa. A situação deste foi determinada de modo decisivo pela presença de uma teoria social avançada, vigorosamente analítica e crítica. Boa parte do seu trabalho consistiu em entretecer, para verificação e iluminação recíproca, os pontos altos da radicalização artística e os desdobramentos do capital, da luta de classes e da ordem burguesa, tendo como interlocutor de fundo a obra de Marx. Ora, a situação é diversa entre nós, onde existe uma considerável literatura de imaginação funcionando há mais de um século, enfronhada no específico e problemático das relações sociais do país, mas sem contrapartida conceitual de densidade equivalente à esquerda. Daí o caráter discreta mas resolutamente pioneiro dos ensaios de Antonio Candido, obrigado a prover ele mesmo a história, a sociologia e a psicologia social necessárias à plenitude de suas observações no plano formal.

Os sete fôlegos de um livro

Os livros que se tornam clássicos de imediato, como foi o caso da *Formação da literatura brasileira*, publicada em 1959, às vezes pagam por isso, ficando sem o debate que lhes devia corresponder. Passados quarenta anos, a ideia central de Antonio Candido mal começou a ser discutida.

O livro vinha apoiado em superioridades palpáveis, que se impuseram em bloco e empurraram para a sombra os detalhes. A erudição segura, a atualização teórica, a pesquisa volumosa, a exposição equilibrada e elegante, o juízo de gosto bem argumentado, tudo isso estava numa escala inédita entre nós. Seja dito entre parênteses que a passagem do tempo não tornou menos desejáveis estas qualidades. Entretanto, há também os outros aspectos, mais difíceis de notar e igualmente valiosos.

A título de exemplo, vale a pena estudar as relações do crítico e historiador com seus predecessores. Nada mais educativo que ver em conjunto os capítulos de José Veríssimo sobre o Arcadismo, na *História da literatura brasileira*, e os de Antonio Candido, na *Formação*: o leitor notará que as observações do primeiro são retomadas uma a uma pelo segundo, formuladas com maior amplitude ou equilíbrio, combinadas a informações novas, corrigidas pelo ponto de vista atual, *mas sempre aproveitadas.*

A relação de continuidade, adensamento ou superação é constante, ao ponto de se tornar uma força produtiva deliberada, uma técnica de trabalho. Lembra o que o próprio Antonio Candido notou a respeito de Machado de Assis, que teve a capacidade de utilizar e aprofundar a elaboração dos romancistas que o precederam, crescendo sobre os ombros de escritores que, ao menos em parte, eram bastante medíocres, mas cuja obra havia contribuído na transposição literária da experiência do país.

Sirva de ilustração a mudança na figura de Cláudio Manoel da Costa ao passar de um crítico ao outro. À maneira romântica, Veríssimo o considerava como um tímido precursor do sentimento brasileiro, sem a força — ainda — da cor local. Já Antonio Candido vai valorizá-lo como o poeta que, beneficiado pelo convencionalismo generalizante do padrão neoclássico, pôde estilizar com admirável universalidade o tema-chave das duas fidelidades do letrado brasileiro, tão apegado à rusticidade da vida local quanto à norma culta do Ocidente. A força particularizante no caso — a capacidade de configurar este conflito histórico — decorreu do universalismo da escola poética, ao contrário do que supunha a visão romântica, que aí só enxergava fraqueza e falta de peculiaridade. Assim, a valorização crítica do que é historicamente específico, ensinada pelo romantismo, é conservada; ao passo que a condenação romântica do registro neoclássico é questionada.

O interesse da viravolta, com seu claro acréscimo em discernimento, que deixa para trás o pitoresquismo nacionalista sem abrir mão da particularidade da experiência local, dispensa comentários. Os machadianos estarão reconhecendo uma variante do famoso "sentimento íntimo" do tempo e do país, "diverso e melhor do que se fora apenas superficial". Para o que nos importa aqui, é uma instância entre muitas da produtividade ligada à verificação crítica da tradição, que aliás é outro nome para o valor intelectual do *processo formativo* estudado por Antonio Candido.

Como estou querendo sugerir a fecundidade dessa linha de trabalho, vamos tomar para contraste o procedimento universitário comum. Neste, os fatos da literatura local são apanhados sem maior disciplina histórica e revistos ou enquadrados pelos pontos de vista prestigiosos do momento, tomados à teoria crítica internacional e a seus pacotes conceituais. O chão social cotidiano e extrauniversitário da elaboração intelectual, pautado por suas contradições específicas, é substituído pelo sistema de categorias elaborado nos programas de pós-graduação, na maior parte norte-americanos, com brechas para franceses, alemães e ingleses. O universalismo infuso da Teoria Literária, que em parte nem decorre dela, mas da sua adoção acrítica nestas e noutras plagas, cancela a construção intelectual da experiência histórica em curso. Desaparecem, ou ficam em plano irrelevante, o juízo *crítico* propriamente dito e o processo efetivo de acumulação literária e social a que as obras responderam. Não custa insistir que estas minhas observações não são ditadas pelo chauvinismo, mas pela atenção às consequências acarretadas pelos diferentes recortes do objeto.

Pois bem, o conselho que se pode tirar da abordagem de Antonio Candido — que não foi concebida em vista desta polêmica — aponta para uma colocação diferente dos acentos. Digamos que a operação toda é comandada pelo juízo de gosto — que não se omite —, situado e inspirado na vida presente, mas justificado com argumentos estruturais, historicamente informados, em que ele se socializa. Os conceitos das gerações anteriores, tanto os que o tempo sustentou quanto os provincianos e fora de esquadro, fazem parte dessa informação histórica, e são levados em conta, de sorte que a sua aferição crítica, à luz da experiência e das teorizações contemporâneas, tem a feição (e a força) de uma autossuperação que excede o indivíduo e se dá no âmbito da história. Em vez do enquadramento da experiência local pelas teorias internacionais, com o que ele implica de abdicação, unilateralidade, vida emudecida etc., assistimos à relativização de esquemas universalizantes, a qual por si só é um resultado crítico de primeira ordem. A independência no caso se deve ao discernimento formal e conceitual do crítico, mas também expressa algo de um momento nacional favorável, em que a experiência feita no país, bem como a pesquisa de sua consistência interna, pareciam contar como um prisma relevante sobre as coisas, um prisma que valia a pena objetivar e comunicar. O interesse pelo passado sob o signo da atualidade, quer dizer, sem passadismo, havia sido firmado fazia duas décadas por Mário de Andrade. Para o modernista, a tarefa nacional e a nossa função "para com a humanidade" consistiam em tradicionalizar o passado, "isto é, referi-lo ao presente".[1] O sentido antitradicional em que usa a palavra tradição indica as carências do país novo, denotando o ímpeto de criar juntamente a tradição e a liberdade em relação a ela.

Em seu momento inicial, digamos que a concepção rigorosa do objeto, com lógica interna e delimitação bem argumentada, opunha a *Formação* aos repertórios e panoramas algo informes que são tradicionais na historiografia literária. A novidade tinha a ver com o clima intelectual da Universidade de São Paulo dos anos 40 e 50, quando houve em algumas áreas da Faculdade de Filosofia um esforço coletivo e memorável de exigência científica e de reflexão. Sem prejuízo da pesquisa, os trabalhos deviam ser comandados por *problemas*, a que deviam a relevância.

Como diz o título do livro, trata-se de historiar nos seus *momentos decisivos* a formação de uma literatura *nacional*. Este último

1. Mário de Andrade, "Assim falou o papa do futurismo" (1925), in Telê Ancona Lopez (org.), *Entrevistas e depoimentos*, São Paulo, T. A. Queiroz, 1983, p. 18-9.

adjetivo é bom para datar a matéria estudada, em que a literatura brasileira está em sentido *histórico*, e não geográfico e anacrônico. Por motivos que merecem análise, nós brasileiros gostamos de nos contrapor aos portugueses, mas não ao legado colonial. Assim, temos o costume de considerar parte direta da nação tudo o que tenha ocorrido no território. Daí que, forçando um pouco, os índios pré-cabralinos, José de Anchieta, Cunhambebe, Zumbi, Gregório de Matos e o padre Vieira figurem como nossos concidadãos, numa pseudoproximidade que engana. Num livro recente, Fernando Novais aponta o anacronismo embutido em expressões como "Brasil Colônia" ou "período colonial da história do Brasil", às quais prefere "América Portuguesa". "Pois não podemos fazer a história de um período como se os protagonistas que a viveram soubessem que a colônia iria se constituir no século dezenove num estado nacional", diz o autor.[2] Cada um a seu modo, Gregório e Vieira são grandes figuras do sistema colonial, ou ainda, do ciclo colonial português. Será que ficam desconhecidos ou diminuídos por não terem participado de um dinamismo que cinquenta anos depois de sua morte mal começava a se esboçar?

Adivinhando a *Formação da literatura brasileira* pelo sumário, poderíamos pensar num estudo sobre os momentos arcádico e romântico no Brasil, com um capítulo de ligação sobre as Luzes. Estaria perdido o essencial da contribuição de Antonio Candido, que consistiu em ver aqueles momentos — esteticamente antagônicos — sob o signo unificador da independência nacional em processo, compondo um objeto com questões específicas. Em termos de estilo, nada mais oposto ao Arcadismo do que o Romantismo. Um é explicitamente universalista e convencional — basta lembrar

2. Fernando A. Novais, "Condições da privacidade na Colônia", in Laura de Mello e Souza (org.), *História da vida privada no Brasil*, vol. 1, São Paulo, Companhia das Letras, 1997, p. 17.

os seus pastores —, enquanto o outro visa o máximo de individualização. Não obstante, impregnados de patriotismo ilustrado em dose variável, os dois movimentos se integraram à gravitação da independência nacional, à tarefa de criar um país que participasse da cultura comum do Ocidente e que guardasse fisionomia própria. A continuidade do movimento foi uma tese dos próprios românticos, que viam alguns árcades como predecessores, em especial os que haviam cantado o índio. Nesse sentido, trata-se de um processo com unidade real, inclusive do ponto de vista da autocompreensão de seus membros, que tinham em comum alguma coisa da atitude empenhada e construtiva da Ilustração.

Contudo, sublinhar essa unidade, no caso, é só o primeiro passo. O essencial é descrever a sua articulação interna, ou seja, a complementaridade funcional dos momentos e a regra de seu movimento, além do sistema de paradoxos e de ilusões que lhe corresponde. Noutras palavras, a formação da literatura brasileira é identificada como uma estrutura histórica em sentido próprio, aliás de grandes dimensões, com atributos e dinamismos específicos, a pesquisar e estudar dentro de sua lógica. Por exemplo, a identificação do caráter peculiarmente *interessado* ou *empenhado* dessa literatura — caráter implicado na natureza *patriótica* e *programática* do processo da formação nacional tardia — é uma descoberta de peso, cheia de alcance para a compreensão da vida intelectual brasileira, e provavelmente das outras comparáveis, saídas, como a nossa, de condições coloniais. Outra lei de movimento é a alternância dos impulsos universalistas e localistas, que tem como quadro inicial a sucessão cronológica dos padrões neoclássico e romântico, mas cuja razão de ser profunda é outra, ligada às necessidades de afirmação de uma literatura nacional, a que os dois aspectos são necessários, motivo pelo qual depois seguiram se alternando, já sem muito a ver com a matriz inicial da oposição. Essa feição estrutural-histórica do livro não foi notada, porque o autor não fez praça dela. Talvez o momento seja bom para lembrar que Antonio Candido é seguramente, e de longe, o mais estrutural entre os críticos brasileiros, se entendermos o termo em acepção exigente, para além dos cacoetes terminológicos. Para dar ideia da posição avançada do livro, note-se ainda que a combinação de estrutura e história — ou seja, a pesquisa da historicidade entranhada nas estruturas, bem como da disciplina estrutural dos andamentos históricos — estava no foco do debate teórico da época. A *Crítica da razão dialética*, de Sartre, publicada pouco depois, fazia dessa combinação a pedra de toque da compreensão do mundo pela esquerda.

Voltando à estrutura da *Formação da literatura brasileira*, vejamos algumas objeções que ela suscitou, as quais são outras tantas maneiras de tornar visível o seu perfil. Aos nacionalistas, convencidos de que o Brasil começou no dia do descobrimento ou antes, o livro parece pouco patriótico, pois entrega de mão beijada aos portugueses várias das grandes figuras que viveram nessas paragens, como o padre Vieira e Gregório de Matos. Já comentamos o anacronismo. O argumento reaparece com o poeta e crítico Haroldo de Campos, que considera o livro um "sequestro do barroco", sempre por não tratar de Gregório.[3] O recorte sequestrador seria expressão das preferências românticas de Antonio Candido e de sua antipatia por tudo o que tenha a ver com Gôngora. Também aqui o anacronismo dispensa comentários. Não ocorreu a Haroldo que a ausência do grande baiano se pudesse ligar à natureza do tema tratado, ou, por outra, que a formação da literatura *nacional* seja um processo particular, com realidade e delimitação próprias, cujo âmbito não é o mesmo da história do território ou da língua, nem da literatura escrita "no Brasil", para lembrar a solução dada ao problema por Afrânio Coutinho. Os ciclos históricos existem ou não existem.

3. Haroldo de Campos, *O sequestro do barroco na formação da literatura brasileira: o caso Gregório de Mattos*, Salvador, Fundação Casa de Jorge Amado, 1989.

Não custa acrescentar que a força de Góngora é um pressuposto explícito da *Formação*, onde forma um contraste definidor com a imagem de tipo neoclássico. O que por outro lado não impede o livro de comentar os monstrengos do barroco administrativo, tão funcionais nas circunstâncias da colonização.

Noutro passo, Haroldo de Campos supõe que o autor, porque estudou uma formação nacional, é nacionalista, obedecendo a "um ideal metafísico de entificação do nacional".[4] Por isso mesmo, seria prisioneiro das ilusões da *origem* e da *evolução linear*, que segundo a filosofia de Jacques Derrida acompanham a posição mencionada. Ora, a despeito da autoridade do filósofo, nada mais distante da realidade, pois Antonio Candido pertence à geração universitária que notoriamente criticou o nacionalismo e seus mitos, dando uma explicação materialista e sóbria da formação nacional, alheia à patriotada. Já quanto à tese de que ele cultive a metafísica da nacionalidade, só aplaudindo de pé o disparate. Para consolidá-la, Haroldo cata e força as expressões do texto, de modo a mudar a *Formação* numa *epopeia do Logos e do Ser em busca de seu novo habitáculo em terras americanas*.[5] Depois de fazer de Antonio Candido um misto brasileiro de Hegel e Heidegger — o que é um erro de pessoa dos mais extravagantes — fica fácil apontá-lo como ideólogo do Brasil metafísico. No caso, se vejo bem, a boa crítica entraria pelo rumo contrário e desconstruiria as generalidades de Derrida — tão estéreis do ponto de vista do conhecimento — à luz de uma problemática efetiva.

Quanto à linearidade do esquema, o próprio da análise estrutural praticada no livro é justamente a exposição *articulada*, oposta à linha evolutiva simples. Assim, por exemplo, a busca romântica da diferenciação nacional aparece como frequentemente

4. Op. cit., p. 12.

5. Op. cit., pp. 12-5.

inócua, além de filiada às expectativas europeias de pitoresco. Ao passo que o universalismo arcádico aparece como capaz de configurar singularidades e perplexidades históricas de maneira superior. Onde a visão linear?

Outros consideram que a combinação de categorias de história literária e de história política — Arcadismo, Romantismo e Independência — significa desconhecimento da autonomia da esfera estética, ou, no caso, desconhecimento da periodização estilística (tese de Afrânio Coutinho), representando a recaída em posições ultrapassadas. Ora, a combinação dos âmbitos não decorre aqui de uma opção de método, da preferência por uma maneira ou outra de análise, mas da *descoberta* de uma estrutura e de um movimento reais, cujas articulações, sumamente interessantes, se devem estudar e não negar — a não ser, naturalmente, que se trate de demonstrar a sua inexistência, o que seria legítimo (e talvez difícil). Seja dito entre parênteses que a ligação refletida entre análise estética e análise histórico-social representou, e representa, um passo à frente substantivo, vistas as dificuldades teóricas levadas em conta e vencidas. Não vejo onde possa haver conformismo nesse empreendimento, comprometido com a crítica das formas artísticas e também das estruturas sociais.

Uma vez que Antonio Candido explicou, no prefácio, haver adotado em seu livro o ângulo dos primeiros românticos, era quase inevitável que alguém assinalasse o atraso ou a parcialidade de seu ponto de vista. Contudo, como notamos a propósito do Arcadismo, o autor analisou criticamente os preconceitos da perspectiva que, por outro lado, julgou interessante tomar. Digamos que ele, socialista e internacionalista, amigo da liberdade das artes, além de nascido cem anos mais tarde, encara com simpatia o empenho patriótico e formador daquela geração, cuja força e pertinência reconhece, sem lhe desconhecer as limitações. Por um lado, enquanto tarefa, considera que a etapa da formação está concluída e que seu prisma já não tem razão de ser: a literatura brasileira existe e a rarefação da vida colonial foi vencida. Não obstante, em outro âmbito, a formação do país independente e integrado não se completou, e é certo que algo do déficit se transmitiu e se transmite à esfera literária, onde a falta de organicidade, se foi superada em certo sentido, em outro continua viva. Esta posição distanciada, mas não por completo, que de fato existe no livro em relação ao movimento da formação, representa um modo real e apropriado de consciência histórica. Com estas observações entramos para o significado contemporâneo da ideia da *Formação*.

Voltando atrás, em que consiste então o processo formativo? Usando os termos do autor, trata-se da constituição progressiva de um sistema literário, composto de autores, obras e públicos interligados, idealmente na escala da própria nação, a qual também vai se constituindo no processo. O adensamento da referência mútua, em luta contra a rarefação e as segregações coloniais, era sentido como participação na tarefa de construção cultural da pátria. A dimensão *civilizatória* desse esforço integrador — que busca superar a nossa "inorganicidade", para falar como Caio Prado Jr. — é patente. A tarefa se completa quando, por um lado, o conjunto da vida nacional estiver incorporado, e quando, por outro, a cultura contemporânea estiver assimilada em formas e temas. Do ponto de vista literário, a repolarização *nacional* do imaginário tem o seu momento bom quando entram em espelhamento mútuo e verificador as relações próprias ao país, já adensadas, e um complexo relevante de ideias e formas modernas. O valor da desalienação cultural e histórica implicada em movimentos dessa ordem é claro.

Vemos aqui uma das dimensões fortes do processo formativo, que torna literário, ou seja, traz para dentro da imaginação, o conjunto das formas sociais que organizam o território. Uma vez interiorizadas pela literatura, estas passam a ser objeto passível de figuração crítica e de discussão. É esclarecedor a respeito o bloco que trata da ficção romântica, no segundo volume da *Formação da literatura brasileira*, onde Antonio Candido assinala a *vocação extensiva* de nosso romance. De certo modo, este cumpria o papel que hoje cabe aos estudos sociais, num movimento de ampliação que só se aquieta depois de recobrir o país no seu todo. A expansão, no sentido da abrangência, se completa com o fim do Romantismo, mais ou menos por volta de 1870, quando começa a exploração em profundidade empreendida por Machado de Assis. Como Antonio Candido também explicou, esse romancista soube aproveitar de maneira consistente os acertos de seus predecessores, ao mesmo tempo que lhes evitava as estreitezas, o que permitiu — sem exclusão de outros fatores — que criasse a primeira grande obra da literatura brasileira do século XIX, e a primeira que de fato conta para a cultura moderna. Temos aqui um quase-protótipo do movimento formativo, com as suas estações sem grande valor literário, que entretanto permitem uma acumulação que em seguida faculta a viravolta crítica e o surgimento de um grande escritor, capaz de transmutar a elaboração local e precária em valor contemporâneo. Nesses termos, Machado de Assis é um ponto de fuga e de chegada do movimento de formação da literatura brasileira. Ao possibilitar a sua obra, despida de provincianismo e debilidades, o processo mostrava estar concluído. — Salvo engano, seria este o esquema da formação da literatura brasileira segundo Antonio Candido.

Quando o livro saiu, alinhou-se entre várias obras de perspectiva paralela e comparável, que buscaram acompanhar a formação do país em outros níveis. No campo progressista, os congêneres mais importantes e conhecidos eram os livros de Caio Prado Jr., Sérgio Buarque de Holanda e Celso Furtado. A comparação entre estas obras ainda está engatinhando, à espera de trabalhos de síntese. Muito sumariamente quero sugerir alguns contrastes. Para Caio

Prado Jr., a formação brasileira se completaria no momento em que fosse superada a nossa herança de inorganicidade social — o oposto da interligação com objetivos internos — trazida da Colônia. Este momento alto estaria, ou esteve, no futuro. Se passarmos a Sérgio Buarque de Holanda, encontraremos algo análogo. O país será moderno e estará formado quando superar a sua herança portuguesa, rural e autoritária, quando então teríamos um país democrático. Também aqui o ponto de chegada está mais adiante, na dependência das decisões do presente. Celso Furtado, por seu turno, dirá que a nação não se completa enquanto as alavancas do comando, principalmente as do comando econômico, não passarem para dentro do país. Ou seja, enquanto as decisões básicas que nos dizem respeito forem tomadas no estrangeiro, a nação continua incompleta. Como para os outros dois, a conclusão do processo encontra-se no futuro, que pareceu próximo à geração do autor, e agora parece remoto, como indica o título de um dos últimos livros dele mesmo: *Brasil: a construção interrompida* (1992).

Dei a vocês três exemplos em que o ponto de chegada da formação ainda está por ser alcançado, quando então haverá — ou haveria — uma virada decisiva para a vida nacional. O caminho para chegar lá é da ordem mais ou menos de uma revolução, ainda que não seja o mesmo para cada um dos autores. Ora, a formação da literatura nos termos de Antonio Candido difere bastante dessas construções, com as quais no entanto se aparenta. Primeira diferença, ela pôde se completar no passado, mais ou menos à volta de 1870, *antes da abolição da escravatura*. Digamos então que ela já está concluída no momento em que o Autor a expõe, ou por outra, que ele não escreve com o propósito militante de levá-la a bom termo. Segunda diferença, ao se completar ela não marcou uma transformação fundamental do país. Ou ainda, foi possível que o sistema literário do país se formasse sem que a escravidão — a principal das heranças coloniais — estivesse abolida.

O quadro se presta a reflexões sobre as liberdades e vinculações complicadas da literatura, a qual pode atingir organicidade sem que ocorra o mesmo com a sociedade a que ela corresponde. Vemos no livro de Antonio Candido que a elite brasileira, na sua parte interessada em letras, pôde alcançar um grau considerável de organização mental, a ponto de produzir obras-primas, sem que isso signifique que a sociedade da qual esta mesma elite se beneficia chegue a um grau de civilidade apreciável. Nesse sentido, trata-se de uma descrição do progresso à brasileira, com acumulação muito considerável no plano da elite, e sem maior transformação das iniquidades coloniais. Com a distância no tempo, pode-se também dizer que essa visão do acontecido, apresentada por Antonio Candido, resultou mais sóbria e realista que a dos outros autores de que falamos. É como se nos dissesse que de fato ocorreu um processo formativo no Brasil e que houve esferas — no caso, a literária — que se completaram de modo muitas vezes até admirável, sem que por isso o conjunto esteja em vias de se integrar. O esforço de formação é menos *salvador* do que parecia, talvez porque a nação seja algo menos coeso do que a palavra faz imaginar.

Na altura em que Antonio Candido escrevia, na década de 40 e 50, a sociedade brasileira lutava para se completar no plano econômico e social. O impulso formativo recebia o influxo materialista da industrialização em curso e tinha como aspiração e eventual ponto de chegada o país industrial, que se integra socialmente através da reforma agrária, superando o atraso material e a posição subalterna no concerto das nações. A vocação empenhada da intelectualidade, explicada no livro de Antonio Candido, vivia um momento substancioso. O nacionalismo desenvolvimentista, que tinha como adversários inevitáveis o latifúndio e o imperialismo, imprimia ao projeto de formação nacional uma dimensão dramática, de ruptura, que por momentos se avizinhava da ruptura de classes e da revolução socialista. Pois bem, esse sentimento da relevância prática e histórica do processo de estruturação está presente na concepção de Antonio Candido, onde entretanto a peculiaridade do objeto — a formação da literatura brasileira — faz ver as coisas e o seu curso em linha menos polarizada e triunfalista, ou mais cética. Digamos que os autores progressistas que historiavam a nossa formação econômica e social mostravam um movimento represado, que não se completara, e que transformaria o país se viesse a se completar. Ao passo que o livro que soube perceber o percurso efetivo da literatura nacional constatava um movimento que se completou e nem por isso transformou o Brasil. O sistema literário integrado funcionaria como uma antecipação de integrações futuras? Não demonstrava também que as elites podiam ir longe, sem necessidade de se fazerem acompanhar pelo restante do país? Serão ritmos desiguais, que nalgum momento convergirão para formar um uníssono? São discrepâncias que fazem duvidar da hipótese e até da necessidade — segundo o prisma — da convergência? Quais os ensinamentos a tirar dessas *constelações de resultados*, que sintetizam a experiência nacional e armam equações decisivas para o mundo contemporâneo? Seja como for, sob o signo do desenvolvimentismo, os obstáculos encontrados pela industrialização e pela reforma agrária, pelo cinema e pelo teatro, pela alfabetização de adultos e pela reforma universitária pipocavam e remetiam uns aos outros, sugerindo a noção de uma única e vasta formação nacional em curso.

Chegando aos dias de hoje, parece razoável dizer que o projeto de completar a sociedade brasileira não se extinguiu, mas ficou suspenso num clima de impotência, ditado pelos constrangimentos da mundialização. A expectativa de que nossa sociedade possa se reproduzir de maneira consistente no movimento geral da modernização capitalista está relegada ao plano das fantasias pias, não sendo mais assumida por ninguém. Por boa-fé, ceticismo ou cinismo, os governantes não escondem que nas circunstâncias a integração social não vai ocorrer. Vocês dirão se me engano, mas tenho a impressão de que tampouco a esquerda está se comprometendo a sério com a hipótese de uma integração acelerada da sociedade brasileira. Nesse quadro novo, como fica a própria ideia de formação? Vou só alinhar algumas perspectivas sumárias, para sugerir questões e discussões possíveis.

Uma é de que ela, que é também um ideal, perdeu o sentido, desqualificada pelo rumo da história. A nação não vai se formar, as suas partes vão se desligar umas das outras, o setor "avançado" da sociedade brasileira já se integrou à dinâmica mais moderna da ordem internacional e deixará cair o resto. Enfim, à vista da nação que não vai se integrar, o próprio processo formativo terá sido uma miragem que a bem do realismo é melhor abandonar. Entre o que prometia e o que cumpriu a distância é grande.

Outra perspectiva possível: suponhamos que a economia deixou de empurrar em direção da integração nacional e da formação de um todo relativamente autorregulado e autossuficiente (aliás, ela está empurrando em direção oposta). Se a pressão for esta, a única instância que continua dizendo que isso aqui é um todo e que é preciso lhe dar um futuro é a unidade cultural que mal ou bem se formou historicamente, e que na literatura se completou. Nessa linha, a cultura formada, que alcançou uma certa organicidade, funciona como um antídoto para a tendência dissociadora da economia. Contudo vocês não deixem de notar o idealismo dessa posição defensiva. Toda pessoa com algum tino materialista sabe que a economia está no comando e que o âmbito cultural sobretudo acompanha. Entretanto, é preciso reconhecer que nossa unidade cultural mais ou menos realizada é um elemento de antibarbárie, na medida em que diz que aqui se formou um todo, e que esse todo existe e faz parte interior de todos nós que nos ocupamos do assunto, e também de muitos outros que não se ocupam dele.

Outra hipótese ainda: despregado de um projeto econômico nacional, que deixou de existir em sentido forte, o desejo de formação fica esvaziado e sem dinâmica própria. Entretanto, nem por isso ele deixa de existir, sendo um elemento que pode ser utilizado no mercado das diferenças culturais, e até do turismo. A formação nacional pode ter deixado de ser uma perspectiva de realização substantiva, centrada numa certa autonomia político-econômica, mas pode não ter deixado de existir como feição histórica e de ser talvez um trunfo comercial em toda linha, no âmbito da comercialização internacional da cultura. Enfim, ao desligar-se do processo de autorrealização social e econômica do país, que incluía tarefas de relevância máxima para a humanidade, tais como a superação histórica das desigualdades coloniais, a formação não deixa de ser mercadoria. E ela pode inclusive, no momento presente, estar tendo um grande futuro nesse plano.

Há também o ponto de vista propriamente estético, interessante e difícil de formular. Outro dia, um amigo ficcionista e crítico me explicava que o âmbito formativo para ele já não tinha sentido. Os seus modelos literários lhe vinham de toda parte: da França, dos Estados Unidos, da Argentina, a mesmo título que do Brasil. É natural que seja assim, e é bom que todos escolhamos as influências à nossa maneira individual e com liberdade, sem constrangimento coletivo. Não obstante, é verdade também que esse sentimento de si e das coisas faz supor uma ordem de liberdade e de cidadania do mundo, e sobretudo uma sociedade mundial, que não existem. Se em lugar das influências literárias, que de fato estão como que à escolha, pensarmos na linguagem que usamos, comprometida — sob pena de pasteurização — com o tecido social da experiência, veremos que a mobilidade globalizada do ficcionista pode ser ilusória. A nova ordem mundial produz as suas cisões próprias, que se articulam com as antigas e se depositam na linguagem. De modo mudado, esta continua *local*, e até segunda ordem qualifica as aspirações dos intelectuais que gostariam de escrever como se não fossem daqui — restando naturalmente descobrir o que seja, agora, ser daqui.

No momento, o sistema literário nacional parece um repositório de forças em desagregação. Não digo isso com saudosismo, mas em espírito realista. O sistema passa a funcionar, ou pode funcionar, como algo real e construtivo na medida em que é um dos espaços onde podemos sentir o que está se decompondo. A contemplação da perda de uma força civilizatória não deixa de ser civilizatória a seu modo. Durante muito tempo tendemos a ver a inorganicidade, e a hipótese de sua superação, como um destino particular do Brasil. Agora ela e o naufrágio da hipótese superadora aparecem como o destino da maior parte da humanidade contemporânea, não sendo, nesse sentido, uma experiência secundária.

II

Discutindo com Alfredo Bosi

Ao acaso dos comentários, tenho a impressão de que o novo livro de Bosi está causando um discreto escândalo.[1] Aliás, com todo o respeito e muita amizade, devo dizer que aqui e ali também me escandalizou. Como os assuntos tratados são diversos, era natural que não faltasse ocasião para diferenças. Mas não são estas a causa daquela reação, que se deve a algo mais geral. Com efeito, o crítico não é católico para uso apenas particular, mas também nas concepções e na escrita, o que traz uma nota inesperada ao debate, habitualmente agnóstico. Se não me engano, o incômodo é semelhante àquele causado por declarações públicas de ateísmo, e, ultimamente, também de socialismo: por que não guardar para si as convicções sobre assuntos tão privados como Deus e a ordem social? Por outro lado, e lembrando o que somos, talvez fosse mais inteligente pensar que o estranhável, no caso, o indício de alheamento, sejam os próprios escandalizados. Todos sabemos que des-

1. Alfredo Bosi, *Dialética da colonização*, São Paulo, Companhia das Letras, 1992. As indicações de página referem-se a essa edição.

de o começo dos anos 60 o movimento das pessoas inconformadas com a desigualdade e a miséria na sociedade brasileira inclui um setor de católicos. Estes adiante resistiram à ditadura, e hoje participam das lutas pelo respeito aos Direitos Humanos, onde a sua atividade — à qual às vezes se juntam grupos protestantes e judeus — é vista com naturalidade. Isso sem falar na sua presença junto aos pobres nas comunidades de base. Noutras palavras, a esquerdização do catolicismo criou uma corrente político-moral nova, com valor cívico provado, e motivos e desempenho próprios, opostos à religião conservadora de praxe, e também ao clima por assim dizer dessensibilizado de nossos dias. Não é de admirar então que por sua vez ela inspire interpretações de conjunto da experiência nacional. Ora, sendo assim, como explicar que as leituras católicas da história e da cultura brasileira continuem a ser encaradas com pé atrás pelo público dito esclarecido, que entretanto vibra com a atuação destacada — suponhamos — de um jurista cristão na Comissão de Justiça e Paz, ou com os pronunciamentos avançados de um bispo? As novas afinidades, a nova química entre religião e justiça social, bem consubstanciadas na experiência brasileira dos últimos decênios, não se impuseram, nem sequer como problema, no âmbito das construções intelectuais mais exigentes — com prejuízo para estas, que ficaram aquém do que ocorre de fato. Longe de significar a vitória da razão, que em algum momento pode ter sido, a ausência do prisma católico no debate político-cultural é uma fraqueza deste, um sinal de representatividade precária. Nesse sentido substancial — sem mencionar as contribuições do *scholar* — o livro de Bosi, para quem o obscurantista-mor são as nossas elites, as cultas inclusive, deve ser saudado como um verdadeiro acontecimento, que vem tornar menos irreal a discussão.

A certa altura, a propósito da poesia sacra de Gregório de Matos, Bosi observa o caráter calculista e retorcido das especulações do poeta sobre a Graça Divina: Deus não deixará que se perca uma ovelha transviada, pois seria mau negócio para a Glória d'Ele. Notáveis pela acuidade, as objeções a essas contas são feitas do ângulo de uma exigência religiosa mais alta, de abandono e amor místico. A cultura católica do crítico o habilita a reconhecer mesquinharia (e vida?) onde o leitor leigo, sem intimidade com os meandros da devoção, só admira o engenho retórico. Por outro lado, o rigor espiritual que permitiu assinalar com vantagem para o conhecimento um ingrediente especioso e muito explicativo da poesia de Gregório é o mesmo que leva a considerá-la como inferior, o que, aliás, em princípio não seria necessário, desde que ela fosse vista como a figuração — incisiva e interessante — de uma atitude, e não como a atitude ela própria. Como ainda teremos ocasião de ver, o catolicismo de Bosi concentra-se na identificação, aprovação ou reprovação de atitudes, mais que na aventura objetiva a que estas se arriscam no interior da figuração artística. Há aí uma certa desdiferenciação das esferas que a civilização moderna separou, de sorte que a arte tende a ser tomada como manifestação direta, fora da refração estética. Note-se ainda que ao menos desde Nietzsche a análise contábil do endividamento dos homens com o Senhor faz parte do arsenal da crítica à religião, e não do aperfeiçoamento desta. Dom Casmurro, por exemplo, encara o céu como um banqueiro misericordioso, que saberá perdoar os milhares de padres-nossos prometidos mas não rezados por Bentinho. Escrevendo depois dessas desmistificações, Bosi naturalmente não as desconhece, mas as acata em espírito diverso, fazendo delas um fator de decantação, que obriga a uma religiosidade mais limpa, que transcenda os esquemas da troca.

O capítulo sobre Anchieta convida a observações análogas. Aqui Bosi aponta a distância entre os autos catequéticos do missionário e a lírica sacra do religioso. O espírito dos primeiros, destinados à conversão do gentio, ou seja, à destruição de seu mundo, é manipulativo e maniqueísta, com muito recurso aos pavores do inferno; ao passo que na segunda, onde o crente está entre iguais, domina a efusão mística, a relação pessoal e livre com um Deus humanizado. Bosi nota ainda que os autos adaptam formas medievais, arcaico-populares, enquanto a lírica depende de modos já modernos de devoção, o que sugere "a regressão da consciência culta europeia quando absorvida pela práxis da conquista e da colonização" (p. 93). A desarmonia drástica detectada no interior da produção literária e também da pessoa de Anchieta compõe uma figura histórica de alto interesse, expressiva da envergadura das questões envolvidas na colonização, muito longe das anedotas piedosas sobre o apóstolo dos índios e os primeiros passos das letras brasileiras. Dito isso, observe-se também aqui o peso que teve na definição e dramatização do problema a religiosidade do crítico, para quem o universalismo cristão é uma perspectiva real, de todos os momentos. Assim, as astúcias bastante terroristas da evangelização, estudadas no teatro anchietano, não são condenadas com distância, séculos depois e levado em conta o curso das coisas, mas no seu presente, à luz das "mensagens fundadoras e originais do cristianismo, como a igualdade de todos os homens e o mandamento do amor universal", que são "os traços progressistas virtuais do Evangelho" (p. 92). A essa luz absoluta, a inculcação jesuítica teria sido um erro, no sentido enfático da ideia. Ora, a desativação da consciência histórica choca o espírito laico, ao qual a alternativa entre manipulação e respeito da pessoa humana parecerá pouco real no âmbito de conquista, expansão da fé e colonização a que pertencia a catequese. Ainda assim e paradoxalmente, a superioridade do ensaio se prende às suas numerosas e boas reflexões historicizadoras, de intenção por assim dizer *negativa*, que têm por finalidade esclarecer as circunstâncias que *impediram* a palavra de Deus, sempre ressalvada, de se efetivar adequadamente no mundo. "O universalismo cristão, peculiar à mensagem evangélica dos primeiros séculos, precisa de condições especiais para manter sua coerência e pureza" (p. 93).

Assim, o catolicismo do livro nada tem de oficial, muito menos de apologético. Dá a impressão talvez de se encontrar na defensiva diante da antropologia e do marxismo, e na ofensiva em relação à Igreja e à literatura. Para ter ideia do rumo especial da sua exigência, da viravolta que ela representa, observe-se quanto Bosi concede aos descrentes, ou melhor, quantas objeções ao catolicismo histórico ele fez suas, além do ânimo de levar mais longe as mesmas objeções. O primeiro bloco de capítulos, dedicado ao Brasil Colônia, trata de quatro glórias nacionais e da Igreja, todos cristãos de grande envergadura. Pois bem, o conjunto se poderia resumir como a exposição dos fracassos de Anchieta, Gregório de Matos, Vieira e Antonil, por insuficiência ou conivência em face dos constrangimentos do sistema colonial. Do ponto de vista da historiografia brasileira, as conclusões, caucionadas por um juízo religioso, são de uma severidade inaudita. Já mencionamos a regressão da consciência em que incorreu Anchieta no afã de converter os índios. Por sua vez, a poesia de Gregório se diminuiu pela posição social retrógrada e destrutiva que lhe deu a pauta. O próprio padre Vieira, herói talvez do livro, não reuniu a força para vergar a realidade da Colônia ao sentimento cristão da vida, de sorte que a sua luta pela liberdade dos índios não se pôde prolongar na defesa dos negros. A esplêndida objetividade da prosa de Antonil, por fim, serviu para fetichizar, ou seja, para imprimir a aparência do natural e necessário às cruéis injunções da produção mercantil. Resumindo: o dinamismo econômico-social da colonização levou a melhor sobre os Evangelhos, mas não sobre a Igreja, que com mais ou menos conflito se acomodou ao movimento, passando a integrar a argamassa da dominação; as Letras, por seu turno, embora digam algo do custo humano do processo, não se podem separar das eventuais debilidades de seus autores, as quais no caso são o aspecto relevante. Diante desse quadro, e decidido a não defender o indefensável, Bosi toma o partido das "mensagens fundadoras", contra as conveniências ou necessidades materiais da mesma Igreja, bem como da sociedade em funcionamento. A opção pelo Espírito inclui a ruptura com o próprio aparato das distinções teológicas, a ponto de o crítico heterodoxamente preferir à religião com selo oficial a religiosidade dos oprimidos, tenha ela a forma que tiver, seja ou não cristã. Por outro lado, a despeito da feição absoluta, e portanto atemporal, o recurso aos Evangelhos acompanha tendências da atualidade, nas quais se inspira. A aplicação do mandamento do amor universal aos enfrentamentos entre civilizações nos séculos XVI e XVII pode representar uma aspiração anacrônica, mas assimila os pontos de vista anti-imperialistas e preservacionistas da antropologia contemporânea, horrorizada com os efeitos devastadores da mundialização do capital. Algo semelhante vale para a análise paramarxista da "práxis" dos missionários, onde a certa altura os jesuítas figuram como "intelectuais orgânicos da aculturação", experimentando nos índios uma "arte para massas" (p. 81). O caráter forçado dessa transposição da terminologia da luta de classes provavelmente é proposital: como na Teologia da Libertação, trata-se de trazer a análise marxista ao âmbito católico, para denunciar de dentro a aliança histórica da Igreja com o dinheiro e o poder, e sobretudo para dar perspectiva histórica e científica ao trabalho com as novas massas pobres em surgimento na América Latina. O pouco empenho na sondagem estética, enfim, coincide com a baixa atual do valor cognitivo da arte, uma baixa paradoxal, que vem junto com a rotinização inflacionária das ponderações formais, causada pela estetização mercantil do cotidiano. Na falta de uma noção mais exigente — por assim dizer evangélica — de forma artística, para que se aferrar a seu estudo?

Como indicam o título e as matérias, o livro de Bosi aspira a uma visão de conjunto da história do país, sob o signo da formação colonial e de suas extensões problemáticas no presente. Algo paralelo ao que em seu momento fizeram Caio Prado Jr., Sérgio

Buarque de Holanda e Celso Furtado. Cada um a seu modo, esses autores expuseram a herança negativa da Colônia, que incumbia à Nação transformar, sob pena de não se tornar independente ou moderna. A superação estaria em linha com tendências econômicas, psicossociais, políticas etc. Já na variante acrescentada por *Dialética da colonização*, o polo do progresso se prende a uma categoria de difícil definição, ora religiosa, ora jurídica, ora científica, mas sempre moral: é o *universalismo dos intuitos* — uma sublimação da igualdade e fraternidade cristã entre os homens — que irá se chocar contra a organização iníqua da economia. Note-se contudo que os mestres anteriores haviam escrito na órbita da Revolução de 30 e da industrialização, apostando na força integradora de algum tipo de desenvolvimento nacional em curso. Este promoveria ao mundo do salário e da cidadania a massa dos enquadrados nas formas econômico-sociais antigas. Ao passo que Bosi publica o seu livro em 1992, quando as novas formas de internacionalização do capital parecem ter alterado a perspectiva, ou, ainda, quando o nacionalismo desenvolvimentista, e, com ele, a miragem de uma integração nacional em patamar mais alto, humanamente defensável, parece ter perdido a credibilidade. A dialética entre Nação e Colônia — um tópico clássico do ensaísmo histórico brasileiro — é retomada agora, no momento em que perde a voltagem, o qual aliás seria um bom momento para repassá-la, desde que a parte das ilusões viesse ao primeiro plano. E de fato, se o arcabouço de passado colonial e presente nacional não mudou, o ânimo da construção é outro, pois falta o ponto de fuga da transformação efetiva. Jesuítas e índios *versus* bandeirantes e senhores de engenho, nos séculos XVI e XVII; o novo Liberalismo, da geração de Nabuco, *versus* interesses do café, na campanha da Abolição; o positivismo social dos republicanos gaúchos *versus* estreiteza das oligarquias paulistas e mineiras, durante a República Velha: nos três casos — os pontos altos, segundo Bosi, da nossa dialética da colonização — assistimos à arremetida de projetos *universalistas nacionais* de transformação social (com as ressalvas devidas ao caso das missões jesuíticas) contra o particularismo dos grandes negócios, que acaba prevalecendo. A conexão entre os episódios se faz pela via da simples repetição, e não pelo aprofundamento do conflito, que não se revela produtivo, não se transforma e não vai a parte alguma, o que naturalmente registra uma experiência histórica. Se houve alguma acumulação, foi na direção da expectativa decrescente, que não deixa de ser um resultado, pelo aprendizado implícito nas derrotas. Como é sabido, a história não desbancou só o projeto dos jesuítas, o liberalismo radical de Nabuco e a modernização varguista, mas sobretudo colocou em xeque o desenvolvimentismo e o socialismo. Algum tempo atrás pareceria patético trazer à primeira linha da argumentação social o universalismo cristão, visto o que ele tem de abstrato — ainda mais assim, despojado de dimensão eclesiástica. Mas se um escritor atento e refletido como Bosi se animou a colocá-lo no centro de um livro agora, não será porque pressente que a bancarrota das categorias anteriores, tão mais plausíveis sociologicamente, já lhe emprestou verossimilhança nova?

Todas essas questões se refletem na concepção de cultura e arte popular brasileiras, um dos eixos da obra. O ponto de partida de Bosi é a segregação cultural imposta pela colonização aos escravos e a boa parte dos homens livres, que viveram apartados do mundo contemporâneo e "sob o limiar da escrita" (p. 46). Nessas condições especiais não se mestiçaram só raças, costumes, técnicas etc., mas também os animismos indígenas, africanos e ibero-católicos, formando uma religiosidade que seria como que a alma do mundo colonial, no sentido genérico em que Marx afirmava que "a religião é a alma de um mundo sem alma" (p. 30). A tese é interessante, capital para a arquitetura do livro, que entretanto não a troca em miúdos. Seja como for, esse complexo cultural, solidamente preso às necessidades de sobrevivência dos dominados, mas também o avesso de uma exclusão social em escala histórica, não se desmanchou com a Independência — pois o século XIX brasileiro manteve o trabalho escravo e o essencial do sistema econômico anterior — e mais, chegou ao nosso tempo. Que fazer com esse legado, calamitoso para uns, admirável para outros? A resposta geral de Bosi manda respeitá-lo, sem preconceito elitista, dogmatismo religioso, manipulação comercial, oportunismo populista ou primitivismo de esteta de vanguarda, para só mencionar algumas distorções a que se contrapõe o verdadeiro sentimento cristão. Entretanto, ao longo dos exemplos lembrados e dos juízos de valor, podem-se adivinhar aspirações mais específicas. Num passo inesperado do livro, o único talvez onde a experiência estética dá as cartas, Bosi recorda uma cerimônia religiosa a que assistiu na periferia industrial de São Paulo, a poucos metros de uma rodovia de trânsito intenso. Um grupo de homens e mulheres pobres, de pé no chão e encharcados de pinga, se reunia para honrar o padroeiro. A certa altura, o capelão — que não é padre — entoa um hino em latim acaipirado, sendo seguido pelos presentes sem nenhuma hesitação, com muita arte e divisão de vozes. Eis o enigma: "[...] um coral de arrepiante beleza. [...] O que pensar dessa fusão de latim litúrgico medieval posto em prosódia e em música de viola caipira, e de sua resistência à ação pertinaz da Igreja Católica que, desde o Vaticano II, decretou o uso exclusivo do vernáculo como idioma próprio para toda sorte de celebração?" (p. 50). A comoção do episódio, que Bosi tácita e provocadoramente contrasta com as ambiguidades sociais e a utilidade nebulosa da beleza erudita (ou seja, da arte emancipada), liga-se à presença franca do culto, da dimensão comunitária e da resistência à desumanização trazida pelos tempos. Esta última pode até mesmo vir sob a feição paradoxal de medidas progressistas da Igreja. Considerando-se as afinidades do Autor, nada mais antidogmático, sem prejuízo de o arrepio comportar uma confirmação do valor da herança católica para os pobres. Pouco antes, o crítico fizera a distinção entre dois tipos de cultura popular: um primitivo, sem ligação com o mundo da escrita, e outro "de fronteira", não menos autêntico, que se produz pelo contato da vida popular com os códigos letrados. Exemplo ilustre do segundo tipo seriam as figuras do Aleijadinho. Entre parênteses, terá mesmo cabimento alinhar no campo popular esse escultor e arquiteto tão impregnado da tradição culta? Seja como for, tanto neste caso quanto no da cerimônia religiosa, o que importa a Bosi é o encontro produtivo, e sobretudo não destrutivo, entre as esferas iletrada e letrada, de sorte que a identidade popular não se apague ao assimilar a outra. O influxo inverso não chega a ser recomendado explicitamente, mas as suas razões se pressentem nas entrelinhas: a devoção comunitária e a intimidade animista com a natureza, próprias à cultura popular, poderiam infundir humanidade ao individualismo e ao racionalismo falso de nossa elite ilustrada.

Para os modernistas e os intelectuais de 1930, o destino das culturas tradicional e popular havia sido uma questão *nacional*, figurando na ordem do dia e dizendo respeito à feição futura do país. Observem-se os manifestos de Oswald, que meio na piada jogam com a visão de um caminho de progresso *sui generis*, onde os lados simpáticos de nossa informalidade pré-burguesa — devidos à herança colonial — se combinariam sem sacrifício à experimentação técnica e libertária da arte de vanguarda, criando um exemplo revolucionário para o mundo, uma sociedade ao mesmo tempo espontânea e avançada, isenta dos males da civilização do presente. E de fato, a poesia de Oswald deve a graça muitas vezes incrível à felicidade com que opera essa aliança. Por sua vez, impressionado com o ritmo peculiar da Amazônia e do Nordeste, que percorrera como "turista aprendiz", ou talvez como emissário autodesignado do autoconhecimento nacional, Mário de Andrade chega a imaginar uma evolução asiática para o Brasil, que teria mais a ganhar com as lentidões contemplativas do modelo hindu. Também a advertência de Blaise Cendrars aos brasileiros, tornada célebre pelo *Manifesto da poesia Pau-Brasil*, pertence a esse mesmo contexto de escolhas *à la carte* e definição nacional iminente: a locomotiva do progresso está a ponto de partir, mas ao menor descuido pode sair na direção oposta ao nosso destino. A causa última dessa excitação decisória esteve ao que tudo indica na industrialização que começava, pondo fim ao ciclo de produção de mercadorias por meio de trabalho forçado ou semiforçado, que viera da Colônia àqueles dias e sustentara um mundo particular. Conforme se tornavam desnecessárias à economia, as relações sociais e formas culturais de que se compunha a civilização colonial eram colocadas em disponibilidade e viravam objeto de ponderação estético-política. Ficava suscitada a questão de seu valor em circunstâncias modernas, ou mesmo do valor das próprias circunstâncias modernas. Naqueles anos, marcados pela crise da ordem liberal e capitalista, pelo fascismo e pela Revolução Soviética, os traços não burgueses decorrentes de séculos de segregação apareciam à imaginação sob prismas inesperados. Além de obstáculos ao progresso, figuravam também como inspiração e base presente para um futuro melhor, despido das alienações contemporâneas. Nesse sentido note-se a promessa de naturalidade e graça que a sujeição apenas parcial do povo ao dinheiro, à gramática normativa, a modalidades modernas do trabalho, ao Estado, à Igreja oficial etc. parecia encerrar para os modernistas. Enfim, cabia ao novo Brasil fazer o melhor proveito, em todos os planos, dessa colossal herança, de que poderia dispor com a liberdade que pensam ter quanto às relações antigas os que estão se envolvendo em relações novas. Mas voltemos ao livro de Bosi, que recapitula o essencial dessas questões por um ângulo católico, sensível ao vasto contingente humano intocado pela secularização. Também aqui a gênese colonial da cultura popular e de sua religiosidade é concebida a partir do sentimento nacional e em vista de possíveis opções religiosas, políticas e estéticas. Aliás, a própria consideração abrangente ou indiferenciada do âmbito popular é uma abstração comandada pelo ponto de vista nacional em espírito prático. Sob este aspecto, salvo engano meu, caberia perguntar se a *Dialética da colonização* não estaria reagindo na década de 90, quando a modernização se encontra no impasse, a problemas colocados pelos anos 20 e 30, quando ela deslanchava e o problema se propunha em termos diferentes. Esta pode ser a explicação para uma certa dualidade de enfoques, que faz que a cultura popular às vezes figure como *questão nacional*, com futuro aberto, e às vezes como fenômeno de *resistência*. Num caso a palavra está com os anos desenvolvimentistas, no outro com o pós-64.

Ou seja, decorrido mais de meio século de industrialização capitalista, que transformou tudo, não se completou e não integrou a nação, a pergunta atual já não diz respeito ao modo certo de incorporar a herança colonial, mas sim ao que efetivamente ela veio a ser. É verdade que a cultura gerada "sob o limiar da escrita" não desapareceu. Mas os seus portadores e a sociedade de que fazem parte estão mudados, e mais, a mudança não parece consubstanciar as noções e alternativas que acompanharam o começo do ciclo. A locomotiva do progresso partiu, a modernidade assumiu formas não canônicas, o país continua inconfundível, longe da temida descaracterização, e entretanto as expectativas de progresso social ligadas a estas evoluções fizeram água. Os pobres foram "liberados" da disciplina colonial, mas nem por isso a maioria chegou à condição proletária, inscrita no universo do salário, da cidadania e das letras, embora todos se tenham tornado consumidores, ao menos imaginários. Segundo a fórmula de um observador recente, são "sujeitos monetários sem dinheiro",[2] num quadro de que a contravenção e o gangsterismo fazem parte tão estrutural quanto o en-

2. Robert Kurz, *O colapso da modernização*, Rio de Janeiro, Paz e Terra, 1992, p. 195.

canto da cultura iletrada. Se passarmos ao polo das elites, a feição fixada pelos mesmos decênios de desenvolvimentismo tampouco se coaduna com a visão de Bosi. Onde estão os racionalistas arrogantes e secarrões, amigos da cultura erudita e fechados à devoção e ao animismo popular? A experiência aponta noutra direção, pois serão raras as iniciativas antissociais nos altos escalões da República que não venham amparadas em rezas. Sem prejuízo da graça e do alento utópico, o nosso fundo não burguês se mostrou apto, também, a servir de legitimação ao capitalismo sem lei nem cidadania trilhado no país. Assim, a oposição entre a estreiteza do racionalismo de elite e a humanidade da devoção popular não esclarece o emaranhado contemporâneo e não ajuda a tomar posição crítica diante dele, que precisa ser visto no seu movimento, ainda que este desconcerte.

Depois de reconhecer a contribuição de Gilberto Freyre e Sérgio Buarque, Bosi lhes objeta a idealização das relações coloniais, descritas pelos dois autores sob o signo da adaptação e de uma inesperada reciprocidade. A insistência por parte do primeiro no escasso orgulho racial do português, e na decorrente promiscuidade sexual e miscigenação, o leva a edulcorar a brutalidade reinante entre a casa-grande e a senzala. Assim como a minúcia com que o segundo estuda a assimilação das técnicas indígenas pelos paulistas faria imaginar algum equilíbrio nessas relações, obscurecendo "o uso e abuso do nativo e do africano pelo português. [...] Deve o estudioso brasileiro competir com outros povos irmãos para saber quem foi *melhor* colonizado? Não me parece que o conhecimento justo do processo avance por meio desse jogo inconsciente e muitas vezes ingênuo de comparações que necessariamente favoreçam o *nosso* colonizador" (p. 29). A ironia, discreta mas enérgica, se alimenta de um horizonte ideológico posterior, ligado às lutas de libertação nacional nos anos 60 e 70, que fundiu o anti-imperialismo à revisão histórica da Conquista e à antipatia geral pela expansão europeia, descobrimentos e colonização inclusive — ressalvado, no caso de Bosi, o desempenho de uma parte dos jesuítas. Com o passar do tempo, firmada essa noção unitária e acusadora do processo da colonização, ficou patente naquelas passagens clássicas das letras brasileiras a virtualidade ideológica, maior num caso, menor no outro, da empatia com o colonizador. Contudo, sem prejuízo de os brasileiros termos traços índios ou negros (ou italianos ou judeus), já não somos os índios e africanos da primeira época, de modo que há também ingenuidade e mitificação em considerar o colonizador como o *outro*, com quem nós, povos colonizados, não temos parte. Observe-se ainda que o acento na unilateralidade bárbara da ação colonizadora tem valor de conhecimento só até certo ponto. No seu momento, a ousadia de Gilberto Freyre e Sérgio Buarque consistiu justamente em pesquisar e salientar a influência do colonizado sobre o colonizador, um ângulo insólito, além de negado ideologicamente, que forçava o reconhecimento da dívida racial e cultural contraída pelo opressor junto aos oprimidos, cuja presença na vida nacional saía enormemente valorizada.[3] Bosi observa bem que esse elogio da mestiçagem em sentido amplo vem junto com certa defesa da colonização portuguesa em relação às demais. Contudo, não se trata no caso apenas de ideologia, mas também de especificação histórica, em face da qual a afirmativa genérica do caráter violento e injusto da relação faz figura abstrata, embora crítica. De fato, sem prejuízo da desumanidade, o imbricamento de colonizador e colonizado tem dinamismo próprio, a que o foco na injustiça dá acesso apenas parcial. Tanto é assim que logo adiante o próprio Bosi, querendo distinguir a evangelização jesuítica da ação dos puritanos na Nova

3. Antonio Candido, "O significado de *Raízes do Brasil*", introdução à quinta edição do livro de Sérgio Buarque de Holanda, Rio de Janeiro, José Olympio, 1968. Ainda de Antonio Candido, "Aquele Gilberto", in *Recortes*, São Paulo, Companhia das Letras, 1993.

Inglaterra, apela para exatamente os mesmos esquemas. Invoca o catolicismo português, comparativamente mais arcaico e tangível, cheio de imagens e figuras intercessoras, que a despeito da assimetria fundamental da situação, garantida em última análise pelas armas, permitiu aos padres uma catequese menos áspera, a construção de uma "ponte praticável, com mãos de ida e volta" entre a sua cultura e a dos índios (pp. 65, 72, 73).

Muito da ressonância e algo dos problemas do livro têm a ver com a sua composição. No bloco central encontram-se ensaios de objeto bem circunscrito e corte acadêmico severo, ligados a momentos representativos da história cultural e social do país, vindo da Colônia a 1930. Os autores e escritos analisados alinham-se no âmbito culto, ou também do mando, no caso de se tratar de política, mesmo quando são inconformistas. Flanqueando esse bloco, redigidas noutro espírito, a introdução e as conclusões circulam no tempo, variam o registro retórico, trocam facilmente de tópico, e sobretudo põem na pauta a cultura popular, que funciona como o polo oposto, social e moralmente, ao primeiro. Esta última não chega a ser estudada em sentido próprio, mas a sua presença, carregada de emoção, produz um questionamento difuso de tudo o mais, um reenquadramento tangível, de efeito sibilino. A exposição aqui é menos sistemática e se movimenta entre erudição, crônica de coisas vistas e ouvidas, análise, convicções, decepções, perspectivas etc., sob o signo de aspirações contemporâneas. Entre a sua mobilidade e a diversidade dos temas no bloco central — onde são estudados, um por vez, tópicos literários, religiosos, sociais, políticos — há uma correspondência oblíqua, com virtualidades infinitas: ambas são disciplinadas pela experiência histórica a que reagem e que é o seu objeto alusivo. Daí o caráter de meditação nacional que já as primeiras resenhas da obra lhe reconheceram ao colocá-la na família de *Casa-grande & senzala* e *Raízes do Brasil*. Assim, com mais ênfase até do que as teses ou reflexões, a construção do livro ela mesma deixa entender que a cultura oficial deve explicações ao sofrimento e heroísmo da vida popular, *em cujo destino a nação está em jogo*. Como é fácil de entender, essa constelação mergulha umas nas outras as questões artísticas, religiosas e sociais, emprestando ao conjunto a sua vibração especial, que um trabalho limitado a um daqueles domínios dificilmente atinge. Por outro lado, não vamos esquecer que a sociedade moderna se construiu através da separação dos âmbitos, cada qual entregue à sua lógica interna, e que a promiscuidade deles não deixa de configurar uma regressão. Digamos talvez que a parte do esbulho e da dominação social direta na sociedade brasileira, atropelando na prática aquela diferenciação de esferas, induz à fusão reflexiva correspondente, quase como um desespero. Mas observe-se igualmente o paradoxo muito de nosso tempo e da feição "urgente" da América Latina: a conjugação de estética, religião, moral e política, operada por Bosi, num movimento em que resistência e desdiferenciação ou redução não se distinguem, atende por sua vez à aspiração moderna e até vanguardista de ignorar a separação entre arte e vida e de deixar para trás, verdade que sob dominante estética, aquelas separações clássicas da ordem burguesa. Aliás, também neste ponto a *Dialética da colonização* se filia ao ensaísmo de 30, comprometido com a experiência nacional, animado de liberdade modernista diante dos gêneros, e anterior à especialização universitária. Mas ainda aqui estamos em 90, e sem desconhecer que Bosi é o historiador da literatura mais equipado de minha geração, essa forma não acadêmica de fato acaba impondo traços regressivos em relação aos termos e ao nível do debate atual, inesperados num livro tão pesquisado e estudioso. Um crítico exigente pode sentir, por exemplo, que as análises literárias deveriam ir mais longe, sem consideração do argumento religioso ou social a ser exposto, e a mesma coisa vale, se não me engano, para o analista político, o historiador e o sociólogo. Ao tomar os seus dados e esquemas sem fixar o estado atual das questões em discussão e sem passar pelo detalhe e pela necessidade interna dos raciocínios contrários ou rivais, Bosi compõe um painel a que do ponto de vista do processo organizado e autocrítico do conhecimento falta algo da complicação labiríntica real, ficando um tanto direto e arbitrário. Certamente ele, que leu tudo e é aberto, escolheu essa via por objetar à desumanidade das especializações, à indiscrição dos debates e ao fetichismo da parafernália científica, bem como à irrelevância da agitação acadêmica em geral, irrisória diante das questões tremendas do país. Mas o problema fica de pé.

Voltemos entretanto à posição ocupada pela cultura popular na construção do livro, que tem nela o ponto melindroso, estratégico para o seu sentimento da história. Como Bosi é lacônico a respeito, a explicitação corre o risco de forçar a nota. No essencial, digamos que não só ele recusa a hierarquia entre alta cultura e cultura popular, como sugere a superioridade da segunda, o que entre conhecedores da primeira era raro — antes de se tornar frequente, sob a pressão igualadora do mercado, a que se somou a pressão mais ou menos política e muito influente das minorias sobre o currículo tradicional das universidades norte-americanas. Bosi naturalmente não desconhece o comercialismo da mídia, nem o atual debate sobre o cânon literário, que entretanto não são os seus interlocutores do coração. A sua verdadeira referência está no período histórico anterior, quando a elite tinha presunções espirituais específicas, de cuja arrogância e caráter ilusório aquela hierarquia, que se trata de afrontar, seria a expressão de classe. Em linha com isso, a sua explicação do valor da cultura popular se concentra nos aspectos que, do ponto de vista de nossos maiores, sequiosos de mostrar civilização, e também de tripudiar, deveriam parecer causa de inferioridade. Posta no quadro da colonização, a cultura popular é concebida como a resistência, a extraordinária capacidade de se sobrepor a tudo o que existe de pior e de mais destrutivo, a saber, as façanhas dos patriarcas fundadores da nova ordem no território: destribalização violenta, escravidão, pobreza, segregação, a que o ulterior desenvolvimento do capitalismo daria continuidade a seu modo. Levadas a sério, essas convicções trazem consigo uma hipótese teórica de enorme alcance, bem como um programa de trabalho que a verifique. Na trilha da boa citação de Marx, segundo a qual a religião seria a alma de um mundo sem alma, trata-se de identificar e colher na cultura popular não apenas a marca traumática, em si mesma uma verdade e uma acusação, *como também o conhecimento e a superação espiritual do mundo moderno* — nada menos —, datado dos Descobrimentos. A fibra e as respostas provadas na luta pela sobrevivência teriam composto, no campo dos esmagados, um complexo cultural de valor humano melhor que o seu correlato no outro polo, este ligado — mesmo que criticamente — à liberdade de vistas (impiedade?) facultada pela dominação. Mas a cultura popular, tomada no seu processo efetivo, será mesmo isso? A cisão colonizadora enfeará somente o hemisfério social superior, sem truncar a expressão dos prejudicados principais, embaixo? Qual a verossimilhança dessas certezas, tão contrárias a tudo? São elas em todo caso que emprestam ao livro a combatividade silenciosa, ainda que Bosi quase não as procure consubstanciar, preferindo deixá-las a meia distância entre a tese histórica, passível de apreciação empírica, e o artigo de fé. Sem colocar a questão na sua generalidade, ele em certo momento louva a abertura generosa própria à cultura popular, "que nada refuga por princípio, tudo assimila e refaz por necessidade", sem preconceito de cor, classe, nação ou tempo (p. 55). Ora, "é justamente este sincretismo democrático que falta às vezes aos estilos consumados da cultura erudita, sobretudo quando se codificaram no interior de instituições fechadas e autorreprodutoras" (p. 56). A despeito da formulação restrita, o propósito de generalizar está claro. O preconceito e a rigidez ficam do lado erudito, visto em seguida sob o signo de academismo e esnobismo, ao passo que as virtudes da razão — salvo o ceticismo — se encontram no campo popular, *paradoxalmente associadas à ausência de letras*. A exclusão cultural dos pobres, instalada com a escravidão e reafirmada mais adiante em condições de trabalho semiforçado, aquém da cidadania, não é encarada somente pelo aspecto da privação, mas também como ambiente positivo, ao abrigo da civilização secularizada e individualista criada pela ordem burguesa, em relação à qual ela detém pertinência crítica. Assim, o sentido comunitário, a confiança na providência divina e o materialismo animista que acompanham a arte e o cotidiano do povo não seriam *resíduos* a superar, nem *regressões*, como quer a Ilustração antipopular, mas respostas profundas à falsa racionalidade moderna. Embora gerada em condições de opressão e segregação colonial, essa cultura estaria se contrapondo à nossa república de mentira, também ela segregadora — e Bosi talvez dissesse que no limite toda república é mentira (ainda que para os efeitos práticos ele seja republicano enérgico). Sem dúvida, a posição impressiona pelo desejo de uma sociedade sem as taras da nossa, o que não exclui a possibilidade de se tratar de um preconceito invertido. As suas dificuldades aparecem bem quando lembramos o esquema marxista, onde as dificuldades tampouco faltam: aqui, simplificando muito, as condições de fábrica a que os trabalhadores são sujeitados pelo capital funcionariam como a escola do mundo moderno, ensinando às suas vítimas a disciplina e a ciência necessárias para que um dia o pudessem gerir em proveito de todos. Não foi o que aconteceu, mas a ideia não é incompreensível. Ora, a cultura pela qual se interessa Bosi é de outra ordem, essencialmente tradicionalista, e assimilar e aceitar os ensinamentos da história contemporânea seria, para ela, o mesmo que desaparecer. Isso não lhe diminui a dignidade, talvez a aumente, mas torna problemática a posição de portadora de esperança geral que ela ocupa na arquitetura do livro — uma esperança decrescente, quase sem futuro segundo o próprio autor (p. 383), no que aliás, à esquerda, ela não está sozinha. Do ponto de vista da política implícita, note-se que o suporte característico daquela cultura é o povo rústico e semirrústico, e não o operário de fábrica, especializado, sindicalizado etc., nem muito menos o cidadão. Por isso, a sua promoção seria considerada retrógrada por alguns, nos momentos de industrialização forte, quando a condição proletária pareceria estar se generalizando. Mas também aqui houve história, e hoje, quando o que se generaliza é o desemprego, o trabalho informal e a pobreza, e a hipótese de uma nação majoritariamente proletária parece afastada pela nova feição do capital, é a hipótese marxista que se esfuma, ao passo que outras relações meio à margem do capital e da lei — entre as quais o amor ao próximo? — readquirem perspectiva no tempo. A propósito, na sua caracterização do sistema cultural contemporâneo, é clara a preferência de Bosi pela atividade não institucional, seja a dos pobres, seja a dos intelectuais desvinculados. Isso por oposição aos que trabalham na universidade e na mídia, atrelados aos interesses de dominação correspondentes (p. 309). Seria a expressão teórica de uma aliança possível ou já em curso entre os novos militantes católicos, movidos mais pela fé que pela Igreja, e os novos pobres, deixados à margem pelo capital e desatendidos pelo Estado?

A contribuição propriamente acadêmica do livro está nos capítulos centrais, que estudam a guerra entre a economia de cunho colonial e algumas tentativas de "universalização do humano" (p. 148). Estas últimas são examinadas ora no plano das ideias, ora no plano artístico. Ao leitor nutrido de agnosticismo e materialismo, a mencionada colisão histórica pode parecer abstrata e pouco verossímil. Já o leitor católico talvez se surpreenda com a presença maciça do interesse econômico numa obra voltada para o espírito, sentindo aí a pressão do marxismo. E de fato, na bibliografia brasileira quase não existe livro sobre literatura e ideias em que a economia tenha posição de tanto peso. Assim, para os séculos da Colônia, o embate gira em torno da mão de obra indígena e se dá entre "uma frente econômica predatória" (o açúcar do Nordeste e os bandeirantes de

São Paulo) e uma ordem religiosa militante, empenhada em "transplantar para o Novo Mundo um culto universalista — *Ide pregar a boa nova a todos os povos* [...]" (p. 379). No século XIX, ainda em função da mão de obra, é o liberalismo escravocrata do café e do açúcar que se opõe ao liberalismo de publicistas e poetas, favoráveis à Abolição. No século XX, enfim, o particularismo escandaloso da República Velha, governada pelos interesses cafeeiros, desperta a oposição dos republicanos gaúchos, unidos no "positivismo social", que lhes permite conceber "o Estado-Nação como um sistema ainda a construir" (p. 381). Entre parênteses fique notado, pela viravolta que representa, o triste papel que os homens de prol de São Paulo e o seu espírito de empresa desempenham em todas as etapas desse roteiro... Mas voltemos aos mencionados pares conflitivos, cuja resultante é uma de duas: seja que as ideias e obras literárias *reagem*, seja que *se curvam* às grandes linhas da desumanidade econômico-social do tempo, *na qual têm a sua interlocutora direta*. Uma objeção possível diria que Bosi moderniza indevidamente as contradições ao trazer a órbita econômico-social à consciência imediata e clara dos envolvidos. Por outro lado, talvez não haja livro na crítica brasileira em que o alcance prático do espírito, bem como de seus fracassos, tenha tanta saliência, o que deve ser saudado. Nas páginas finais, em busca de conclusões, o autor recapitula e resume aqueles enfrentamentos, para lhes fixar o denominador comum. Nos três períodos, o pensamento localista, "espelho dos cálculos do aqui e agora", colado à conveniência do negócio colonial, está em luta com "projetos que visam a transformação da sociedade recorrendo a discursos originados em outros contextos, mas forrados de argumentos universais" (p. 382). A distribuição dos acentos está clara: de um lado a empresa, o imediatismo e a iniquidade, e do outro a cultura, a memória e a universalização; ou ainda, a oposição à desumanidade colonial não se alimenta das contradições desta, mas de ideias buscadas em países e tempos distantes. Essa observação, que mereceria estar mais especificada, vale pelo espírito antiprovinciano e pelo propósito de mobilizar contra a escravidão e sucedâneos os conhecimentos e as tradições da humanidade, em especial os Evangelhos (mas não esqueçamos que a mobilização destes em sentido oposto, apologético, também está sempre ocorrendo). Que pensar dessa tentativa de tipificar o conflito colonial e lhe encontrar a *constante*? Acredito não me enganar achando que a composição do livro — e o título — empurram noutra direção menos estática. De fato, terminada a leitura, Bosi como que nos ficou devendo a interpretação sintética da *sequência* que ele mesmo armou e cujos três tempos formariam a dialética da colonização. Digamos então que a obra se constrói sobre alternativas históricas explícitas, dispostas cronologicamente, que certa dose de terminologia e estilo expositivo marxistas fariam imaginar sob o signo da contradição em movimento, o qual entretanto não se aplica. O âmago dos conflitos é atemporal, e seus polos são estranhos uns aos outros, não se engendrando reciprocamente. Os negócios são particularistas e não produzem universalidade, ao passo que a cultura só é particularista por pressão externa e concessão. Em lugar de dialética, com a sua parte de lógica interna, inconsciência, produtividade, inerência recíproca e interação dos âmbitos, assistimos a uma espécie de queda de braço entre o espírito e a economia. As armas da inconformidade nascem fora, e não dentro da disputa material, cujo sentido nefasto é fixo e inequívoco: a humanidade reside nos símbolos, na religião, na memória, e não na empresa econômica, que é o contrário dela. Na associação de marxismo e cristianismo ensaiada por Bosi, a economia, que o crítico materialista trouxe à frente, com vistas à superação do dualismo habitual, é objeto da condenação moral do crítico católico, ficando reiterado o alheamento — espiritualista? — entre as esferas. Este pode refletir um preconceito religioso antigo, ou, também, registrar a experiência histórica recente, a impotência diante do avanço maciço da mercantilização na área da cultura, que parece não permitir brecha. Não deixa de ser atual essa associação a seco e sem saída entre o reconhecimento e a rejeição do primado da economia...

O estudo sobre Gregório de Matos é um momento alto do livro. A correspondência entre a organização profunda da obra e a posição de classe do poeta, em crise histórica, está sistematizada com abrangência nova. Trata-se de uma tese forte, dessas que abrem perspectivas e põem em questão as leituras correntes. No ponto de partida está o famoso soneto à Bahia, que lamenta a decadência trazida pela "máquina mercante" ao "antigo estado" de abundância, do poeta como da cidade. Em que consistiu a mudança? Para responder, Bosi recorre à história, no que se poderia chamar um exercício de filologia sociológico-econômica. Observa então que Gregório vem da pequena nobreza luso-baiana, proprietária de engenhos, muito privilegiada pelas leis metropolitanas, para a qual a progressiva subordinação de Portugal à Inglaterra, a partir de 1640, significou um golpe. Desaparecia o amparo oficial irrestrito, que sustava até mesmo a execução das dívidas dos senhores do açúcar, ao passo que a relativa abertura do porto melhorava a situação das companhias estrangeiras, dos comerciantes reinóis, bem como dos poucos engenhos maiores, pertencentes possivelmente à nobreza da terra, "caramurus" na designação pejorativa da sátira. Acresce que Gregório é Doutor em Leis em Coimbra e literato consumado, somando ao "berço fidalgo" "o exercício de profissão liberal prestigiada" ("Cabia-lhe um quinhão do aparelho administrativo"), além de cultivar a autoidealização do letrado barroco, animado de desprezo estamental por comércio e trabalho físico, ou seja, o que é quase o mesmo, por judeus e cristãos-novos, ou pelo sangue africano e pela mistura com este (pp. 99-100). A ser exata a caracterização, o "antigo estado" — de saudosa memória — que a "máquina mercante" estava subvertendo se poderia definir pela prerrogativa incontrastada do sangue nobre português, em detrimento de estrangeiros, negociantes, trabalhadores, brasileiros enriquecidos ou com pretensões de grandeza, que deveriam todos conhecer o seu lugar, como aliás fugiam a seu lugar os que mesclavam sangue branco e africano. A nobreza postergada pela nova força do dinheiro na Colônia: esta a desordem de que se ressentia o poeta e que seria o objeto de sua sátira, estritamente passadista. O leitor vá aos textos e veja com os próprios olhos quanta coisa difusa e turva ganha clareza através desse prisma, obtido por meio da especificação social dos interesses. Em relação às interpretações correntes, note-se que ficam em dificuldade: a) a figura do poeta protonacionalista, já que as presunções dos brasileiros, bugres com desejos de aristocracia, são alvo de ridículo sistemático; a própria incorporação do vocabulário e da sonoridade local, com seu pitoresco aparentemente simpático à mestiçagem, vale como sátira à "língua torpe" do país; b) a figura do poeta libertário, já que a licença dos costumes vem articulada com distância e abjeção social, sobretudo o meretrício das negras e mulatas; que pensar das reclamações — satíricas? — contra os empecilhos legais que os brancos de bem encontram para matar os seus escravos? c) o poeta carnavalizador, à Bakhtin, pois na poesia erótica de Gregório o registro chulo e o registro nobre não dizem respeito às mesmas damas, a que irreverentemente tomariam ora do ângulo oficial, ora do outro; aplicam-se, isso sim, a realidades sociais distintas — um às pobres negras, o outro a senhoras níveas e inalcançáveis —, servindo à consolidação da iniquidade social, e não à sua relativização; d) o primeiro exemplo de "antropofagia" artística brasileira, uma vez que o primitivismo ufanista e transformador que anima a ideia oswaldiana não tem afinidade com a personagem do poeta e jurista ultradouto, cioso do sangue luso, que não aceita ser confundido com o populacho em cuja companhia se compraz. Noutras palavras, por trás da irreverência satírica está o ressentimento de um ponto de vista de classe particularmente conservador, o que para o leitor de hoje, mais ou menos progressista, vem como uma surpresa. Assim, a reconstrução de um tal prisma ajuda a perceber linhas inesperadas e muito elucidativas na obra do grande poeta, constituindo portanto uma intervenção crítica de primeira ordem. Por outro lado, invertendo a corrente, não haveria na diversidade e no dinamismo da poesia de Gregório nada de imprevisto, nenhum indício novo sobre aquela mesma posição, ou, com mais amplitude, sobre a correspondente experiência histórica? O ensaio de Bosi é parco no capítulo, cujo desenvolvimento pediria a exploração *estética* dos poemas, ou seja, o interesse pelas razões formais de sua força, bem como a suspensão do primado das intenções, ideológicas como tudo o mais. Reconhecido o sistema de precedências e prevenções que animou a imaginação literária nas circunstâncias, não seria preciso vê-lo no seu *resultado artístico*, deliberado ou não, acompanhar-lhe a produtividade, as transformações e o destino intratexto? As exigências que governam um belo poema só expressariam as premissas do autor, sem transformá-las? Se Bosi não vai por aí, não é naturalmente porque lhe faltem os recursos da análise, mas porque o seu foco é outro: para ele os motivos contam mais. Novamente o problema se prende ao uso católico do marxismo. A acuidade deste para o interesse econômico e o antagonismo social serve à caracterização *pejorativa* dos particularismos de classe e de sua desumanidade, no caso a feição estamental dos rancores de Gregório, em contraste com o universalismo cristão. O marxismo é indispensável a Bosi porque lhe oferece uma explicação moderna da maldade dos homens, mais que da enrascada infernal em que estes foram se metendo. Assim, fica sem uso o que talvez seja o principal, a isenção dialética no trato daqueles mesmos antagonismos, a qual os consideraria como momentos por assim dizer de uma "história natural" (por oposição a uma história consciente), que em boa parte corre à revelia de seus sujeitos, e cujas consequências, gostemos ou não, são as condições do presente, onde aliás o seu significado pode ser o contrário do original. As intenções, inclusive as melhores, e sem esquecer as piores, são ingredientes *entre outros* do enigma prático e intelectual proposto pelos *resultados*, no plano social como no das letras, de cujo exame tão exato e livre quanto possível dependem as boas percepções da atualidade.[4] Entre parênteses, e a bem da complexidade real das coisas, veja-se ainda que a disposição de espírito que faz que Bosi aposte pouco na exploração estética é a mesma que lhe permite identificar com segurança os componentes menos simpáticos da poesia de farra grossa de Gregório, com o que ajuda a compreensão desta, mais talvez que a indiscriminada voga atual da transgressão, a cujo esteticismo por sua vez não falta inocência.

Como se relacionam liberalismo e escravidão ao longo do século XIX brasileiro? Bosi dedica ao tema um ensaio pormenorizado, em que historia os diversos funcionamentos daquele rótulo ideológico, segundo estivesse associado aos interesses de escravatura, emancipação ou imigrantismo. Um dos objetivos é desfazer a impressão de "impasse", "o travo de *nonsense*" que costuma acompanhar aquela combinação, em aparência contraditória: "mas como é possível um liberalismo escravocrata?" (p. 196). Como trabalhei sobre o assunto por meu lado, de uma perspectiva contrária nesse ponto, o argumento me interessou especialmente. Em linha com Bosi, nunca imaginei que o liberalismo não tivesse funções no Brasil escravista; mas acho de fato que o cumprimento destas vem acompanhado de um travo virtual ou efetivo de inadequação, no que aliás não faço mais

4. Aqui e ali, sem mencionar nomes, Bosi indica as diferenças entre a sua interpretação de Gregório e as demais. Como o leitor logo nota, há no ar um debate virtual sobre o assunto, que valeria a pena ativar. O laconismo do crítico a respeito frustra um pouco, pois o confronto com os pontos de vista de Augusto e Haroldo de Campos, José Miguel Wisnik, Luiz Koshiba (uma boa tese de mestrado em História, na USP, que infelizmente não está em livro), Teixeira Gomes e João Hansen, tão diversos entre si, seria uma bela oportunidade intelectual. Na questão da nobreza de sangue, Bosi deixou passar o estudo de Rocha Peres, ao que parece o único documentado, segundo o qual o avô do poeta era um mestre de obras português que não sabia assinar o nome. Se for assim, Gregório estaria no caso de suas próprias sátiras à nobreza falsificada, as quais não perdem em qualidade por causa disso.

que repetir o lugar-comum dos contemporâneos, queixosos da feição artificial de que se revestiria a modernidade no país. A divergência é cheia de implicações e vale um debate. É indiscutível que o liberalismo econômico e a sua ênfase na propriedade podem calhar bem à defesa da escravidão. Nesse sentido, conclui Bosi, trata-se de uma ideologia que, embora engendrada na Europa do século anterior, não introduz nada de "excêntrico, deslocado ou postiço" na linguagem de nossos políticos empenhados em legitimar o cativeiro (p. 202). Ou seja, o que é funcional não é postiço, e vice-versa, o que à primeira vista parece plausível, mas pode não ser. Noutro passo, na mesma direção, Bosi observa que a partir do século XVI, com a formação de um sistema mundial, o lugar de origem das ideias passa a importar pouco. Agora o que vale é lhes acompanhar a difusão e analisar os "contextos específicos" que as solicitaram e adaptaram (p. 381). A legitimação já não decorre de certidão de nascimento, mas da "*filtragem*" operada pelo dispositivo dos interesses locais, a qual separa o aproveitável do estranho, ou, voltando aos termos anteriores, o funcional do "excêntrico, deslocado ou postiço" (que aliás já não teria como existir, pois nalguma medida sempre teria passado por alguma instância de seleção). O avanço intelectual envolvido na passagem de um critério de origem a outro de ajustamento se impõe de imediato. Entretanto, a quem se dirigem essas explicações? Em primeiro lugar aos defensores de uma vida intelectual estritamente autóctone, ou ainda aos inimigos da cultura alienígena, com sua noção muito irreal do movimento das ideias. Em segundo, aos iludidos pelo liberalismo econômico, que erradamente pensam haver neste alguma coisa que não se ajusta ao escravismo, com o que até certo ponto estariam protegendo a grande ideologia moderna da propriedade contra o juízo de desumanidade radical. Assim, ao mostrar que o liberalismo foi coado pelo filtro de um interesse de classe execrável, ao qual serviu bem — o que é verdade —, Bosi julga haver dissipado a ilusão, ou melhor, a ideologia de desconcerto e *nonsense* que acompanhou a sua associação com a escravatura. A meu ver este segundo passo joga a criança com a água do banho. A começar pelo propósito mesmo do raciocínio. A mencionada convicção da excentricidade e do deslocamento local das ideias modernas não é uma invenção dos historiadores do século XX, cuja supressão nos pudesse devolver uma visão mais exata das coisas. Pelo contrário, sem prejuízo do caráter ideológico, aquele sentimento de despropósito é justamente o fenômeno que se deveria explicar em sua necessidade histórica, pois foi uma presença notória no Brasil oitocentista, e estava por assim dizer inscrito nas coisas, tanto que a maioria dos exemplos lembrados por Bosi para provar a funcionalidade escravista do liberalismo serve igualmente para abonar a feição desconjuntada da mesma combinação. Tomem-se como exemplo as simpatias britânicas do ilustre Bernardo Pereira de Vasconcelos, que por um lado não o impedem de promover o tráfico negreiro (o aspecto funcional do liberalismo), mas por outro fazem que ele pareça monstruoso a um bom inglês como o reverendo Walsh (o aspecto grotesco nas circunstâncias) (p. 202). A oposição entre funcionalidade e disparate, postulada por Bosi, não era real no caso, e um aspecto não suprimia o outro... Desse ângulo, desmanchar a sensação de desconcerto, formulada um sem-número de vezes pelos homens do tempo, seria como fugir ao assunto, ou melhor, à boa questão, que justamente manda explicar por que, apesar de adaptado, o liberalismo e demais instituições modernas tinham conotação absurda no país. Salvo engano, a explicação tem a ver com o modo retrógrado pelo qual o Brasil rompeu o estatuto colonial e entrou para o concerto das nações independentes. Tratava-se de incorporar as instituições e ideias necessárias à construção da jovem pátria, mas isso sem quebra da ordenação social e econômica formada na Colônia, tráfico negreiro e trabalho escravo inclusive, ordenação sobre a qual repousariam a liberdade e a prosperidade nas novas circunstâncias. Tanto a funcionalidade de classe como o aspecto desengonçado desse acoplamento saltam aos olhos. Assim, por ajustadas que estivessem à situação, que as filtrou, as ideias e teorias novas não tinham como não fazer também figura escandalosa, desviada do canônico (o progresso europeu). Pelo visto, embora existindo, o ajustamento não abolia nem esgotava a questão, que supõe a existência de outro polo exterior, que o ajustamento não apaga. Voltemos entretanto à noção de "filtragem", por meio da qual Bosi quer acompanhar o movimento das ideias no mundo moderno. Ela tem méritos claros, como o ganho em organicidade em relação a modelos mecânicos ou aleatórios da difusão do pensamento. Em especial as ligações muito assimétricas entre países ricos e pobres, adiantados e atrasados, centrais e periféricos, passam a ser olhadas com mais humanidade, e mais acerto, pois em lugar da imposição direta e unilateral somos levados a notar a eficácia, mesmo involuntária, da constituição interna da parte fraca, que nunca é totalmente passiva. Isso posto, a metáfora do filtro tem também implicações menos realistas quanto à cena contemporânea. A sua inspiração profunda, que manda resgatar a iniciativa e produtividade dos oprimidos, tem como outra face um esquema simples, polarizado entre unidades e o que não são elas. Pensando um pouco, nos daremos conta de que os "contextos específicos" através dos quais a filtragem opera funcionam como instâncias finais. Em consequência multiplicam-se os âmbitos restritos de reprocessamento de ideias — se é possível dizer assim —, exteriores uns aos outros e mal ou bem iguais em eficácia e direito. De tal sorte, vindo ao exemplo brasileiro, que a acepção europeia do liberalismo não pesaria sobre a nossa, que só devido a engano passaria por inadequada. Ora, esse arquipélago de âmbitos independentes difere muito do que a observação ensina sobre o espaço das ideias e da vida prática em nosso tempo, estruturado por condições e antagonismos globais, sem cuja presença as diferenças locais ou nacionais não se entendem, e aquém de cuja complexidade — mesmo que apenas indicada — as questões ideológicas não se discutem razoavelmente. O mal-estar brasileiro em relação às ideias modernas, de que o sentimento de inadequação do liberalismo é uma instância, pertence a essa esfera dos efeitos globais, de incompatibilidade e copresença de pontos de vista engendrados no interior e em diferentes lugares de um sistema transnacional, que a noção de filtragem, com o seu viés localista, tende a desconhecer. O próprio Bosi encontrou o problema ao lembrar a explicação de Marx sobre a *plantation* norte-americana, cujos proprietários são ditos capitalistas a despeito do trabalho escravo, pois se trata de "anomalias no interior de um mercado mundial assentado sobre o trabalho livre" (pp. 22-3). A propriedade escrava seguramente estava aclimatada, mas nem por isso deixava de ser uma *anomalia* — o equivalente de nosso *nonsense* liberal-escravista — em face do mercado mundial, sob cuja luz ela deve ser vista, e vice-versa. Não custa lembrar o capítulo célebre em que Marx comenta os ensinamentos que a escravidão colonial encerra para a compreensão do caráter também ele *forçado* do trabalho livre na metrópole, destacando as revelações da anomalia sobre a norma, ou da periferia sobre o centro.[5] Como é sabido, na metrópole a expropriação prévia dos trabalhadores os reduziu a força de trabalho e os colocou na dependência do capital para sobreviver, o que tornava dispensável a coação física, sem a qual nas condições de imensidão territorial americana a ninguém ocorreria aceitar os termos do capital, ou seja, aquele mesmo trabalho livre. Assim, longe de ser um traço inconsequente, a discrepância entre a feição local das relações sociais e a sua norma contemporânea, mesmo remota, pertence estrutural e objetivamente à dialética global do sistema, à qual dá acesso, devendo ser estudada, e não descartada, ainda quando os mecanismos de filtragem a abafem ao máximo.

Como o leitor notou, o livro de Bosi não deixa indiferente. Se fui fiel à minha intenção, as objeções que tratei de formular terão

5. K. Marx, "A teoria moderna da colonização", in *O capital*, vol. I, cap. 25.

sido outras tantas saudações à sua insatisfação decidida e exposta. Esta foge tanto ao esquadro que a sua audácia corre o risco de não ser identificada devidamente. Com efeito, depois de anos de pseudorradicalidade artística, de subversão cultural em abstrato, especialmente a da linguagem, que agora se tornou ideologia literária geral, é como se não tivéssemos antena e palavras para identificar um esforço de reorientação de fato em curso. A virada do catolicismo, a tentativa de lhe incorporar a inspiração marxista e de explicitar as consequências culturais da nova atitude são verdadeiros partos. Divergências à parte, é uma alegria saber que esse livro vai causar uma agitação considerável nas salas de aula do país: que pensar da dualidade religiosa de Anchieta e da catequese dos índios? e de Vieira, que lutou pela liberdade dos mesmos índios, mas admitiu e até recomendou a escravização de africanos? a compreensão aguda que Antonil tinha das necessidades econômicas fez dele um traidor do cristianismo? As questões refletem uma interpenetração de crítica literária, pesquisa histórica e empenho moral-político que é nova e faz parte da peculiaridade dessa obra. No centro de tudo, a reafirmação do universalismo cristão nas condições da América Latina de hoje, de olhos postos no espaço social que o outro universalismo, o do capital e da cidadania, parece incapaz de preencher. É claro que para quem não seja religioso o mandamento do amor ao próximo parece um fundamento frágil. Mas o mandamento capitalista segundo o qual todos devemos passar a vida vendendo e comprando sem descanso não parece também muito convincente. Um marciano, mesmo sem o ponto de vista de uma humanidade *naturaliter christiana*, teria a impressão de que se trata do sacrifício exigido por uma religião absurda.

Um seminário de Marx

A história mundial não existiu sempre; a história, como história mundial, é um resultado.
Karl Marx, "Introdução",
Fundamentos da crítica à economia política

O marxismo está em baixa e passa por ser uma ladainha. Entretanto, acho difícil não reconhecer que alguns dos argumentos mais inovadores e menos ideológicos do debate brasileiro dependem dele, com a sua ênfase no interesse material e nas divisões da sociedade. Será mesmo o caso de esquecer — ou calar — o nexo entre lógica econômica, alienação, antagonismos de classe e desigualdades internacionais? E será certo que a vida do espírito fica mais relevante sem essas referências?

Como tive a sorte de participar de um momento de marxismo crítico, me pareceu que seria interessante contar alguma coisa a respeito. Me refiro a um grupo que se organizou em São Paulo, a partir de 1958, na Faculdade de Filosofia, para estudar *O capital*. O grupo deu vários professores bons, que escreveram livros de qualidade, e agora viu um de seus membros virar presidente da República. Naturalmente não imagino que o marxismo nem muito menos o nosso seminário tenham chegado ao poder. Mas mal ou bem é possível reconstituir um caminho que levou da Faculdade de Filosofia da rua Maria Antônia e daquele grupo de estudos à projeção nacional e ao governo do país. Embora propício a deduções amalucadas, é um tema que merece reflexão.

Qual a origem do seminário? Como tudo que é antediluviano, ela é nebulosa e há mais de uma versão a respeito. Giannotti conta que na França, quando bolsista, frequentou o grupo *Socialisme ou Barbarie*, onde ouviu as exposições de Claude Lefort sobre a burocratização da União Soviética. De volta ao Brasil, em 1958, propôs à sua roda de amigos, jovens assistentes de esquerda, que estudassem o assunto. Fernando Novais achou que era melhor dispensar intermediários e ler *O capital* de uma vez. A anedota mostra a combinação heterodoxa e adiantada, em formação na época, de interesse universitário pelo marxismo e distância crítica em relação à URSS.

Quando o seminário começou a se reunir, as figuras constantes eram Giannotti, Fernando Novais, Paul Singer, Octavio Ianni, Ruth e Fernando H. Cardoso. Com estatuto de aprendiz, apareciam também alguns estudantes mais metidos: Bento Prado, Weffort, Michael Löwy, Gabriel Bolaffi e eu. A composição era multidisciplinar, de acordo com a natureza do assunto, e estavam representadas a filosofia, a história, a economia, a sociologia e a antropologia. Vivíamos voltados para a universidade, mas nos reuníamos fora dela, para estudar com mais proveito, a salvo da compartimentação e dos estorvos próprios à instituição. O ambiente era de camaradagem, muita animação, e também de rivalidade. Durante um bom tempo a primeira prevaleceu. A discussão e a crítica eram enérgicas, uns metiam o bedelho no trabalho dos outros, havia temas compartilhados e disputados, de sorte que o processo tinha uma certa nota coletiva, com pouca margem para a propriedade privada de ideias. A cada encontro se explicavam e discutiam mais ou menos vinte páginas do livro. As reuniões se faziam de quinze em quinze dias, em tardes de sábado, com rodízio de expositor e casa, e uma comilança no final. Havia bastante desigualdade de posses entre os participantes, patente nas moradas respectivas, que iam do abastado e confortável ao sobradinho geminado e modesto. Não perguntei a opinião dos demais, mas lembro a diferença como um traço de união, a que não faltava alguma coisa poética. Em vez de atrapalhar, contribuía para nos dar o sentimento da primazia do interesse intelectual e político. A fórmula deu certo e a geração seguinte montou um seminário de composição mais ou menos paralela, em 1963. Depois o costume entrou para o movimento estudantil, já no âmbito da resistência à ditadura de 64. Note-se que na época os círculos de leitura de Marx se multiplicaram em todo o mundo, uma "coincidência" que vale a pena examinar.

Com a morte de Stalin, em 1953, a divulgação das realidades inaceitáveis da União Soviética e da vida interna dos partidos comunistas ganhou em amplitude, também entre adeptos e simpatizantes. A incongruência com as aspirações libertárias e o espírito crítico do socialismo ficara irrecusável. Nesse quadro, a volta a Marx representava um esforço de autorretificação da esquerda, bem como de reinserção na linha de frente da aventura intelectual. Afrontava o direito de exclusividade, o monopólio exegético que os partidos comunistas haviam conferido a si mesmos em relação à obra de seus clássicos, da qual davam uma versão de catecismo, inepta e regressiva. À distância, o seminário paulistano sobre *O capital* fazia parte dessa contestação, como aliás indica a inspiração lefortiana inicial. Com efeito, a crítica ao marxismo vulgar, bem como às barbaridades conceituais do PCB, era um de seus pontos de honra. Mas é fato igualmente que os descalabros da URSS, em fim de contas o desafio essencial para uma esquerda à altura do tempo, não ocupavam o primeiro plano em nossa imaginação. A aposta no rigor e na superioridade intelectual de Marx, embora suscitada pelo atoleiro histórico do comunismo, era redefinida nos termos da agenda local, de superação do atraso por meio da industrialização, o que não deixava de ser abstrato e acanhado em relação ao curso efetivo do mundo. Voltaremos ao assunto.

A outra referência internacional foi a Revolução Cubana, em 1959. Também ela desmentia o marxismo oficial, pois não foi feita por operários, não foi dirigida pelo Partido Comunista e não respeitou a sequência de etapas prevista na teoria. A sua grande repercussão quebrou a redoma localista em que vivia a imaginação latino-americana, a qual se deu conta, com fervor, de que era parte da cena contemporânea e de sua transformação, e até portadora de utopia. A incrível aventura dos revolucionários, em particular a figura ardente de Guevara, parecia mudar a noção do possível; emprestava um sentido novo à iniciativa pessoal, à independência de espírito, ao próprio patriotismo, e também à coragem física, que mais adiante passariam por provações tremendas.

O contexto nacional, esquerda à parte, era formado pelo desenvolvimentismo de Juscelino, com o seu propósito de avançar cinquenta anos em cinco. Três décadas depois, lembrando o período, Celso Furtado observa que naqueles anos pareceu possível uma arrancada recuperadora, que tirasse a diferença que nos separava dos países adiantados. As indústrias novas em folha, propagandeadas nos semanários ilustrados e noticiários de cinema, os automóveis nacionais rodando na rua, o imenso canteiro de obras em Brasília, inspecionado pelo presidente sempre risonho, que para a ocasião botava na cabeça um capacete operário, o povo pobre e esperançado chegando de toda parte, uma arquitetura que passava por ser a mais moderna do mundo, pitadas de anti-imperialismo combinadas a negociatas do arco da velha, isso tudo eram mudanças portentosas, animadas por uma irresponsabilidade também ela sem limites. O país sacudia o atraso, ao menos na sua forma tradicional, mas é claro que nem remotamente se guiava por uma noção exigente de progresso. Era inevitável, nas circunstâncias, que outras acepções mais estritas do interesse nacional, da luta de classes, da probidade administrativa etc. começassem a assombrar o ambiente, para bem e para mal.

Isso posto, o contexto imediato do seminário não era a esquerda nem a nação, mas a Faculdade de Filosofia. Em seus departamentos mais vivos, ajudada pelo impulso inicial dos professores estrangeiros, esta fugia às rotinas atrasadas e buscava um nível que fosse para valer, isto é, referido ao padrão contemporâneo de pesquisa e debate. Nova no ambiente, a natureza organizada e técnica do trabalho universitário tendia a desbancar as formas anteriores de produção intelectual. Tratava-se de um empenho formador, coletivo, patriótico sem patriotada, convergente com o ânimo progressista do país, de que entretanto se distinguia por não viver em contato com o mundo dos negócios nem com as vantagens do oficialismo. Daí uma certa atmosfera provinciana, séria, simpaticamente pequeno-burguesa, bem mais adiantada aliás que o clima de corte que marcava a *intelligentsia* encostada no desenvolvimentismo governamental (ver *Terra em transe*, de Glauber Rocha). Por outro lado, vinha também daí a consequência nas ideias, já que estas corriam num mundo à parte, que pouco sofria o confronto das correlações de força reais, pelas quais tínhamos franca antipatia.

Quando os jovens professores se puseram a estudar *O capital*, pensavam mexer com a Faculdade. Queriam promover um ponto de vista mais crítico, e também uma concepção científica superior, ainda que meio esotérica. O Brasil entrava por um processo de radicalização, e a reflexão sobre a dialética e a luta de classes parecia sintonizar com a realidade, ao contrário das outras grandes teorias sociais, mais voltadas para a ordem e o equilíbrio do que para a transformação. Entretanto, a consequência principal do seminário pode ter sido a inversa: através dele, a Faculdade é que iria influir de forma decisiva sobre o marxismo local.

Grosso modo, este havia existido como artigo de fé do Partido Comunista e áreas assemelhadas, ou, ainda, como referência filosófica de espíritos esclarecidos, impressionados com a resistência soviética ao nazismo e opostos aos privilégios da oligarquia brasileira. Nesse sentido, aliás muito positivo, o marxismo era uma presença doutrinária à antiga, apoiada no cotidiano e bebida em manuais, sem prejuízo da intenção progressista e das constelações modernas a que se referia. Além da bitola stalinista, contudo, a própria opção revolucionária e popular, bem como a perseguição policial correspondente — fontes naturais de autoridade —, tinham contribuído para confiná-lo num universo intelectual precário, afastado da normalidade dos estudos e desprovido de relações aprofundadas com a cultura do país. Tanto é assim que os seus melhores resultados, até onde enxergo, ocorreram onde menos se espera. Encontram-se esparsos na obra de poetas e ensaístas com outra formação, de inserção cultural e histórica mais densa, como por exemplo Oswald e Mário de Andrade, que lhe sofreram a influência e aos quais o foco materialista no drama das classes, no interesse econômico e nas implicações da técnica sugeriu formulações modernas. O caso de exceção foi Caio Prado Jr., em cuja pessoa inesperada o prisma marxista se articulou criticamente à acumulação intelectual de uma grande família do café e da política, produzindo uma obra superior, alheia ao primarismo e assentada no conhecimento sóbrio das realidades locais. Pois bem, a ligação deliberada da leitura de *O capital* ao motor da pesquisa universitária iria modificar o quadro e deixar a cultura marxista anterior em situação difícil. No essencial, o desnível indicava regimes diferentes de reflexão social, dos quais um se estava tornando anacrônico. Os aspectos modernos da Faculdade, que era uma instituição especializada, de estudiosos profissionais, deixavam patentes os lados arcaicos e amadorísticos das lideranças do campo popular. Como é óbvio, são mudanças históricas objetivas, que nada dizem do valor das pessoas, e aliás é certo que a institucionalização da inteligência tem por sua vez um preço alto em alienação e embotamento. Seja como for, a ideia de uma esquerda marxista sem chavão, à altura da pesquisa universitária contemporânea, aberta para a realidade, sem cadáveres no armário e sem autoritarismos a ocultar, era nova.

A intensidade intelectual do seminário devia muito às intervenções lógico-metodológicas de Giannotti, cujo teor exigente, exaltado e obscuro, além de sempre voltado para o progresso da ciência, causava excitação. A própria ala dos cientistas sociais se tinha compenetrado da missão fiscalizadora do filósofo, de quem esperávamos o esclarecimento decisivo, a observação que nos permitiria subir a outro plano, ou escapar à trivialidade. Superstições à parte, a vontade de dar um grande passo à frente, e o sentimento de que isso seria possível, estavam no ar. Por Giannotti e Bento Prado interpostos, o estudo de Marx tinha extensões filosóficas, que nutriam a nossa insatisfação com a vulgata comunista, além de fazerem contrapeso aos manuais americanos de metodologia empírica, que não deixávamos também de consumir. Apesar de desajeitada, a tensão entre esses extremos foi uma força do grupo, que não abria mão do propósito de explicar alguma coisa de real, e nesse sentido nunca foi apenas doutrinário.

Entretanto, se não me engano, a inovação mais marcante foi outra, também devida a Giannotti, que na sua estada na França havia aprendido que os grandes textos se devem explicar com paciência, palavra por palavra, argumento por argumento, em vista de lhes entender a arquitetura. Paulo Arantes chamou a atenção para a ironia do caso, em que a teoria mais crítica da sociedade contemporânea adquiria autoridade e eficácia entre nós através de sua associação à técnica da *explication de texte*, mais ou menos obrigatória no secundário europeu.[1] Contudo, observe-se que no Brasil, a não ser pela literatura de uns poucos escritores, Machado de Assis à frente, a ideia da consistência integral de um texto não existia, de

1. Paulo E. Arantes, *Um departamento francês de ultramar*, São Paulo, Paz e Terra, 1994, cap. 5.

modo que a militância do filósofo trazia um claro progresso. Além disso é certo que os escritos de Marx, e em particular as páginas iniciais de *O capital*, exigem um grau excepcional de atenção. Note-se enfim que o aprendizado da leitura cerrada e metódica atendia às necessidades universitárias de iniciação e diferenciação. Tanto que estava em curso um movimento paralelo nos estudos literários, onde também se ensinava a ler "de outra maneira", diferente da comum. Sem alarde e com resultados admiráveis, cada um a seu modo, Augusto Meyer, Anatol Rosenfeld e Antonio Candido praticavam o *close reading* havia algum tempo. Na mesma época, Afrânio Coutinho fazia uma ruidosa campanha pelo *New Criticism*, ao passo que os concretistas proclamavam a sua "responsabilidade integral perante a linguagem".[2] Em suma, a leitura dos textos e a explicação da sociedade se tecnificavam, de modo ora despropositado, ora esclarecedor, mas sempre aumentando o desnível com os não especialistas. Era a vez dos universitários que chegava.

Enquanto isso no Rio de Janeiro o ISEB ligava a dialética e a luta de classes ao desenvolvimentismo. A instituição era oficial, incluía vários antigos integralistas, não se fechava aos comunistas, e entrava num processo de radicalização espetacular. Menos que o insólito da mistura, os nossos olhos estritos notavam o caráter mais nacionalista que socialista da pregação: tratava-se de um quadro claro de inconsequência, para o qual torcíamos o nariz. Não há dúvida de que a falta de rigor existia, e que em 64 foi preciso pagar por ela. Mas é certo também que o ISEB respondia ao acirramento social em curso, por vezes de maneira inventiva e memorável, ao passo que as nossas objeções pouco saíam do plano trancado das posições de princípio. Atrás da antipatia é possível que estivessem, além da

2. Augusto de Campos, Décio Pignatari, Haroldo de Campos, "Plano piloto para poesia concreta" (1958), in *Teoria da poesia concreta*, São Paulo, Ed. Invenção, 1965, p. 156.

oposição teórica, o complexo provinciano dos paulistas, e, de modo geral, as diferenças entre Rio e São Paulo. Como é sabido, a vida intelectual carioca evoluía em torno de redações de jornal, editoras, partidos políticos, ministérios, ou seja, organismos com repercussão nacional e saída fluente para o debate público (sem falar em praias, boemia e mundanidades); bem o contrário da nossa escola da rua Maria Antônia, ambiciosa e caipira, sofrendo da falta de eco nacional e tendo como bandeira o padrão científico, por oposição à ideologia. Além disso é possível que a aposta marxista "pura", voltada para a dinâmica autônoma da luta de classes, tivesse mais verossimilhança no quadro do capitalismo paulista. Ao passo que no Rio, com as brechas e verbas oferecidas à esquerda pela promiscuidade do nacional-populismo, não havia como dizer não ao Estado, cuja ambiguidade no conflito em parte era efetiva. No essencial, entretanto, a facilidade com que em 64 a direita iria desbaratar a esquerda, em aparência tão aguerrida, demonstrou o infundado das alianças desta, acabando por dar razão aos paulistas.[3]

Dito isso, a contribuição específica do seminário veio por outro lado. Os jovens professores tinham pela frente o trabalho da tese e o desafio de firmar o bom nome da dialética no terreno da ciência. De modo geral escolheram assunto brasileiro, alinhados com a opção pelos de baixo que era própria à escola, onde se desenvolviam pesquisas sobre o negro, o caipira, o imigrante, o folclore, a religião popular. Comentando o deslocamento ideológico dos anos 30 e 40, a que a Faculdade se filiava, Antonio Candido apontou a novidade democrática e antioligárquica de um tal elenco de temas.[4] Este o quadro em que a ruminação intensa de *O capital* e do *18 Brumário*,

3. Leia-se a respeito a reconstituição interessante de Daniel Pécaut, *Os intelectuais e a política no Brasil*, São Paulo, Ática, 1990.

4. Antonio Candido, "Entrevista", in *Brigada ligeira e outros estudos*, São Paulo, Unesp, 1992, pp. 233-5.

ajudada pela leitura dos recém-publicados *História e consciência de classe*, de Lukács, e *Questão de método*, de Sartre, dois clássicos do marxismo heterodoxo, iria se mostrar produtiva. O fato é que a certa altura despontou no seminário uma ideia que não é exagero chamar uma intuição nova do Brasil, a qual organizou os principais trabalhos do grupo e teve repercussão considerável. Sumariamente, a novidade consistiu em juntar o que andava separado, ou melhor, em articular a peculiaridade sociológica e política do país à história contemporânea do capital, cuja órbita era de outra ordem. Com a parcialidade do estudante que aproveitou apenas uma parte do que ouvia e lia, exponho em seguida os argumentos que mais contaram para mim.

O passo à frente está indicado no título do doutoramento de F. H. Cardoso, *Capitalismo e escravidão no Brasil meridional* (1962). A ousadia do livro, que estuda o Rio Grande do Sul oitocentista, estava no relacionamento complicado entre aqueles dois termos assimétricos, nem opostos nem próximos. Não se tratava de categorias complementares, à maneira da oposição entre casa-grande e senzala, cuja reunião compõe um todo sociológico; nem se tratava da culminação de um antagonismo global, à maneira, imaginemos, de "Escravismo e abolição". O que o livro investiga em pormenor são as conexões efetivas entre capitalismo e escravidão numa área periférica do país, área com certa autonomia, mas dependente do que se passava nos âmbitos centrais e na vizinha Argentina, onde vigorava o trabalho assalariado. Antes que o Senhor, ou a Liberdade, o *outro* da escravidão é o capitalismo, e este de modo muito relativo, já que é também a causa dela. De entrada ficavam relativizadas pela história as polarizações abstratas entre escravidão e liberdade, entre os correspondentes tipos sociológicos, ou a identificação ideológica entre liberdade e capitalismo. Se em última análise o capitalismo é incompatível com a escravidão, e acaba por liquidá-la, por momentos ele também precisou, para desenvolver-se, desenvolvê-la e até implantá-la. De sorte que nem ele é tão avançado, nem ela tão atrasada. Assim, *a escravidão podia ter parte com o progresso*, e não era apenas um vexame residual. É claro que não se tratava aqui de elogiá-la, mas de olhar com imparcialidade dialética os paradoxos do movimento histórico, ou, ainda, as ilusões de uma concepção linear do progresso. Sem que a ponta polêmica estivesse explicitada, tratava-se de uma especificação importante e estratégica do curso da história, pois punha em evidência a ingenuidade dos progressismos correntes. No campo da esquerda, em especial, desmentia o itinerário de etapas obrigatórias — com ponto de partida no comunismo primitivo, passando por escravismo, feudalismo e capitalismo, para chegar a bom porto no socialismo — em que o Partido Comunista fundava a sua política "científica".

O caminho fora aberto por Caio Prado Jr., que na esteira aliás de Marx explicara a escravidão colonial como um fenômeno *moderno*, ligado à expansão comercial europeia, estranho portanto àquela sucessão de etapas canônicas. Isso posto, o argumento de Caio tratava ainda de nossa pré-história. Já na monografia de F. H. Cardoso estamos em pleno Brasil independente, cujos movimentos nos dizem respeito direto. Usando terminologia posterior, mas cujo fundamento descritivo já se encontra aqui, o que temos é que o progresso nacional *repõe*, isto é, reproduz e até amplia as inaceitáveis relações sociais da Colônia. E pior ainda, quando enfim suprime a escravidão, não é para integrar o negro como cidadão à sociedade livre, mas para enredá-lo em formas velhas e novas de inferioridade, sujeição pessoal e pobreza, nas quais se reproduzem outros aspectos da herança colonial, que teima em não se dissolver e parece continuar com um grande futuro pela frente, o qual é preciso reconhecer, ainda uma vez, como fundado na evolução *moderna* da economia.

As implicações desses encadeamentos são numerosas. Para o que interessa aqui, retenhamos algumas: a) a história (do capital? da liberdade? da alienação? do país? do Rio Grande?) procede por avanços e recuos combinados; b) contudo ela avança, tanto que o capitalismo acaba obrigando à Abolição; c) ao avançar, ela não cumpre as promessas formadas no âmbito do conflito anterior; d) chegado o momento, o avanço tem a realidade de uma tarefa ineludível, em cujo cumprimento no entanto há espaço para uma certa liberdade e invenção políticas, bem como para o surgimento de desumanidades novas; e) as taras da sociedade brasileira, objetivadas em sua estrutura sociológica ou de classes, não devem ser concebidas como *resquícios* do passado colonial, nem como *desvios* do padrão moderno (coisa que entretanto elas também são), mas como partes integrantes da atualidade em movimento, como *resultados* funcionais ou disfuncionais da economia contemporânea, a qual excede os limites do país. Contra as miragens ideológicas, cabe à crítica elucidar as relações de toda ordem, em especial as regressões, de que se compõe o progresso (aliás progresso de quem?).

A implicação mais inovadora, contudo, refere-se à *aplicação* de categorias sociais europeias (sem exclusão das marxistas) ao Brasil e às demais ex-colônias, um procedimento que leva ao equívoco, ao mesmo tempo que é inevitável e indispensável. Fique de lado a crítica ao uso chapado de receitas, sempre justa, mas tão válida no Velho Mundo quanto entre nós. A dificuldade de que tratamos aqui é mais específica: nos países saídos da colonização, o conjunto de categorias históricas plasmadas pela experiência intraeuropeia passa a funcionar num espaço com travejamento sociológico diferente, *diverso mas não alheio*, em que aquelas categorias nem se aplicam com propriedade, nem podem deixar de se aplicar, ou melhor, giram em falso mas são a referência obrigatória, ou, ainda, tendem a um certo formalismo. Um espaço *diverso*, porque a colonização não criava sociedades semelhantes à metrópole, nem a ulterior divisão internacional do trabalho igualava as nações. Mas um espaço *de mesma ordem*, porque também ele é comandado pela dinâmica abrangente do capital, cujos desdobramentos lhe dão a regra e definem a pauta. À distância, essa meia vigência das coordenadas europeias — uma configuração desconcertante e *sui generis*, que requer malícia diferencial por parte do observador — é um efeito consistente da gravitação do mundo moderno, ou do desenvolvimento desigual e combinado do capitalismo, para usar a expressão clássica. Já na perspectiva das ex-colônias, mais ou menos melhoristas pela força do ponto de partida, esperançosas e empenhadas na generalização local dos benefícios do progresso, a articulação inevitável de modernidade e desagregação colonial aparece como *anomalia pátria*, uma originalidade nos momentos de otimismo, uma diferença vergonhosa nos demais, mas sempre um desvio do padrão *civilizado*. Um dos melhores capítulos de *Capitalismo e escravidão* estuda os dilemas da racionalização de uma economia escravista. É claro que nesse contexto as ideias de razão e produtividade, discutidas com minúcia, aparecem a uma luz crua. O deslocamento meio macabro entretanto não as desqualifica, nem ele é sem relevância. Muito pelo contrário, então como hoje, as inadequações desse tipo abrem janelas para o lado escuro mas decisivo da história contemporânea, o lado global, dos resultados involuntários, crescidos "atrás das costas" dos principais interessados. Às apalpadelas, havia consciência no seminário de que sem crítica e invenção categorial — ou seja, sem a superação da condição mental passiva, de consumidores crédulos do progresso das nações adiantadas (e também das atrasadas) — não seria possível dar boa conta da tarefa histórico-sociológica posta em nossos países. Noutras palavras, faria parte de uma inspiração marxista consequente um certo deslocamento da própria problemática clássica do marxismo, obrigando a pensar a experiência histórica com a própria cabeça, sem sujeição às construções consagradas que nos serviam de modelo, incluídas aí as de Marx.

Essa ordem de questões iria encontrar o seu tratamento maduro na tese de Fernando Novais sobre *Portugal e Brasil na crise do Antigo Sistema Colonial (1777-1808)*. O livro, concebido nos anos do seminário e terminado muito tempo depois, é a obra-prima do grupo. Como indica o título, a exposição vai do todo à parte e vice-versa, com domínio notável sobre a matéria nos dois planos. Contra o preceito corrente, que manda situar a história local no seu contexto mais amplo, cuja compreensão entretanto não está em jogo por sua vez, Novais busca ver os âmbitos um no outro e em movimento. Assim, as reformas portuguesas no Brasil, que naturalmente visavam preservar a posição da Metrópole, são observadas também como outros tantos passos involuntários na direção da crise e da destruição do Antigo Sistema Colonial no seu conjunto, a bem da Revolução Industrial na Inglaterra. Um encadeamento propriamente dialético. A exposição em vários planos, muito precisa e concatenada, é um trabalho de alta relojoaria, sem nenhum favor. Também aqui o marxismo rigoroso mas não dogmático punha em dificuldade as ideias feitas, dos outros e as suas próprias. Entre estas, como se sabe, está a que afirma o primado da produção sobre a circulação, ou por outra, que manda fundar a compreensão histórica nas relações de produção locais. Pois bem, acompanhando a dinâmica de conjunto do capitalismo mercantil, Novais chega à conclusão heterodoxa, além de contraintuitiva, de que a escravidão moderna é uma imposição do tráfico negreiro, e não o contrário. Digamos por fim que a interpenetração da história local e global alcançada nesse livro não descreve apenas a gravitação daquele tempo, como também responde a uma intuição do nosso.

Uma das melhores contribuições do seminário não veio de dentro dele senão indiretamente. Espero não forçar a realidade achando que *Homens livres na ordem escravocrata* (1964), de Maria Sylvia de Carvalho Franco, embora elaborado fora do grupo, respira o seu mesmo clima crítico, ideológico e bibliográfico. Passando por alto as diferenças, há complementaridade de fundo com *Capi-*

talismo e escravidão. Este último livro surpreendia ao integrar o trabalho escravo aos cálculos e à reprodução da sociedade moderna. Analogamente, Maria Sylvia salientava o vínculo de estrutura entre a categoria mais relegada e confinada do país — os homens pobres do interior — e a configuração da riqueza e do poder mais avançados, tal como se haviam desenvolvido na civilização do café. Embora *Capitalismo e escravidão* pesquisasse a economia do charque no Rio Grande do Sul e *Homens livres* tivesse como documentação de base os processos-crime da comarca de Guaratinguetá, as grandes linhas argumentativas das duas monografias pedem uma leitura de síntese, pois se referem a dimensões interligadas, gerais e decisivas da sociedade brasileira no conjunto. A sujeição violenta em que se encontra o escravo, bem como a relação de dependência à qual o homem livre e pobre na ordem escravista não pode fugir, ambas têm como antagonista, no polo oposto, a camada de homens que a propriedade insere no mundo do cálculo econômico. Fernando Henrique havia analisado os impasses cruéis da racionalização produtiva no escravismo. Em espírito similar, Maria Sylvia observa que os donos da terra tratam os seus moradores e dependentes ora como apadrinhados, com os quais têm obrigações morais, ora como estranhos, sem direito a morada ou proteção (ou seja, a terra em que moram de favor pode ser vendida). Essa última mudança de atitude, em que o mundo vem abaixo para um dos lados, ocorre arbitrariamente, sem satisfações a dar, conforme a variação dos interesses econômicos ou outros da outra parte. Assim, ainda que nas duas monografias a simpatia dos autores fique com os oprimidos, cujas chances analisam, o resultado substantivo vai na direção contrária, sublinhando a margem de manobra que a peculiar estrutura do processo brasileiro faculta à propriedade, a qual segundo a conveniência toca os seus negócios por meio de escravidão, trabalho livre, relações paternalistas ou indiferença moderna. Longe de ser apenas um emparedamento no passado, esse leque de "opções" mostrava-se uma bem explorada prerrogativa social no interior da cena contemporânea. Noutras palavras, ao aprofundar a análise de classe, o seminário especificava a imensa e desconcertante liberdade de movimentos da riqueza em face dos oprimidos no país (o que não deixava de ser um resultado paradoxal para um grupo de estudos marxistas).

Como se sabe, as perguntas que dirigimos ao passado têm fundamento no presente. Se fizermos abstração da matéria específica que as três teses pesquisaram (a qual entretanto lhes conferia a nova seriedade universitária), o seu conjunto como que indica a mão invisível da história contemporânea, ou melhor, indica a obra que se estava esboçando através de nós todos e que até agora não chegou ao papel com a plenitude desejável. Tratava-se de entender a funcionalidade e a crise das formas "atrasadas" de trabalho, das relações "arcaicas" de clientelismo, das condutas "irracionais" da classe dominante, bem como da inserção global e subordinada de nossa economia, tudo em nossos dias. O estímulo vinha da radicalização desenvolvimentista, a que a universidade respondia de modo oblíquo: por que a Abolição, além de não levar à Liberdade, não criou um operariado à maneira clássica? como imaginar a passagem da estreiteza das relações de dependência pessoal à abertura nacional e internacional da consciência de classe? como se processam internamente, no bojo das aspirações emancipatórias e dentro da correlação de forças local, as grandes transformações da atualidade, que de emancipatórias podem não ter muito? Embora fosse a inspiração de todos, é preciso convir que o horizonte socialista não se desenhava com firmeza nos fatos, nem ganhava corpo na figura que esses trabalhos isentos de demagogia compunham. Passando por cima da convicção dos autores, a pesquisa acadêmica radical ia delineando um quadro irresolvido, de difícil interpretação, que ainda vale a pena interrogar.

A relevância contemporânea e extra-acadêmica desses pontos de vista apareceu no livro seguinte de F. H. Cardoso, *Empresário industrial e desenvolvimento econômico*, sempre uma tese universitária, mas já a meio caminho da intervenção política. O parágrafo final, redigido às vésperas e sob a pressão do desfecho de 64, concluía por uma alternativa inesperada para a esquerda. No que dependesse da burguesia industrial, que era quem pesava mais na balança, o rumo estava tomado: "satisfeita já com a condição de sócio menor do capitalismo ocidental e de guarda avançada da agricultura", ela renunciara a tentar "a hegemonia plena da sociedade". A incógnita, se houvesse, vinha do campo oposto. Qual seria "a reação das massas urbanas e dos grupos populares"? Teriam capacidade de organização e decisão "para levar mais adiante a modernização política e o processo de desenvolvimento econômico do país"? "No limite a pergunta será então, subcapitalismo ou socialismo?" Só Deus sabe o que teria sido esse socialismo, mas o prognóstico, no que diz respeito ao subcapitalismo, não só fugia à voz corrente como se mostrou exato. A alternativa contrariava de frente as formulações do Partido Comunista, que se haviam transformado no clima geral da esquerda e justificavam as alianças em que esta acreditava. Sempre aplicando definições remotas, o PC afiançava — no jargão do tempo — o interesse anti-imperialista da burguesia nacional, que por isso mesmo seria aliada da classe operária na luta pela industrialização do país, ao passo que o latifúndio e os americanos formavam o bloco oposto ao progresso. Nessa perspectiva, não haveria industrialização sem vitória sobre o imperialismo, ou, por outra, a vitória deste confinaria o país em sua feição agrícola. Ora, como se sabe, esse conjunto de teses foi duramente desmentido pela história. No aperto, a burguesia nacional preferiu a direita e os americanos ao operariado nacionalista, que por sua vez, em parte ao menos, também preferia as firmas estrangeiras. E o mais importante: contrariando a previsão dos progressistas, ao golpe conservador seguiu-se um poderoso surto industrial — que entretanto não cumpriu nenhuma das promessas políticas e civilizatórias que se costuma associar ao desenvolvimento econômico. Fernando Henrique acertara em toda linha, também neste ponto: tratava-se de um "subcapitalismo", ávido de avanços econômicos e sem compromisso com a integração social do país. A impopularidade da tese não impedia que a sua justeza fosse reconhecida à boca pequena, e suponho que a ascendência intelectual e política de seu autor no interior da esquerda tenha crescido a partir daí.

Outro fator de autoridade esteve na crítica frontal às concepções despolitizadas do subdesenvolvimento então propagadas pelo *establishment* americano. Contra os esquemas abstratos em voga nos Estados Unidos, que propunham a questão em termos *inocentes*, de *variáveis econômicas* bem ou mal combinadas, tratava-se de identificar os *interesses* envolvidos, sem os quais aquelas variáveis permaneciam letra morta. Em lugar do rearranjo de fatores econômicos isolados, operado de preferência no vácuo, ou das genéricas escalas de transição do *tradicional* ao *moderno*, entrava em foco, com evidente vantagem intelectual, o campo efetivo da luta pelo desenvolvimento. Um campo histórico, pautado pelas grandes coordenadas do tempo: capitalismo dos monopólios, imperialismo, competição internacional, descolonização, enfrentamento entre capitalismo e socialismo, configurações específicas da luta de classes. Talvez se possa dizer que naqueles anos tumultuosos, de culminação e crise do nacionalismo desenvolvimentista, o qual trouxe à cena a massa dos excluídos e os prometia integrar (ilusão ou não), a experiência da história empurrou uma parte da intelectualidade a se desapequenar. A teoria social desenvolvida nas universidades dos países hegemônicos passava a ser examinada com olhos críticos, a validade geral de seus consensos sociológicos e econômicos deixara de ser ponto pacífico, e mesmo o seu lado mediocremente apologético foi notado. Com isso, a discussão do subdesenvolvimento adquiriu uma representatividade contemporânea inédita, que abria perspectivas ao pensamento de oposição também no mundo desenvolvido. A circulação mundial da obra de Celso Furtado e da Teoria da Dependência, sem falar no destaque alcançado por artistas latino-americanos no período, dão testemunho desse interesse acrescido. Com altos e baixos, a floração do marxismo e da dialética no continente expressava e formulava esta repolarização dos pontos de vista, que impregnou de história e contradição a questão dita técnica da luta contra o atraso.

Do ângulo acadêmico, mas também político, a novidade estava em associar a visão marxista da industrialização brasileira a uma enquete sobre o que pensavam e faziam os empresários. O marxismo defrontava-se com fatos que lhe dizem respeito, ao passo que os industriais eram postos diante de sua responsabilidade histórica, vista esta no quadro vasto da industrialização retardatária, do progresso e da integração (ou desintegração) nacionais, do confronto entre capitalismo e socialismo — sem esquecer a opção pelo golpe militar iminente, uma data destacada no calendário da Guerra Fria. Sem favor, a pesquisa universitária deixava de ser remota. A busca da ligação viva e contraditória entre as contingências locais e o andamento global da história contemporânea atendia a um ideal de dialética. Noutro plano, respondia também a uma aspiração peculiar do debate brasileiro, sempre isolado da atualidade pelas feições singulares e "arcaicas" do país, e sempre necessitado, por isso mesmo, de um trabalho crítico de *desprovincianização*, que permita entendê-lo no presente.

O percurso e a conclusão do *Empresário industrial* formavam a síntese atualista dos resultados do seminário. Conforme o livro trata de mostrar, o trajeto em direção ao desenvolvimento não é o mesmo nos países desenvolvidos e nos subdesenvolvidos, embora aqueles sirvam de modelo para estes. O que não quer dizer que os últimos não se desenvolvam, mas que o seu desenvolvimento corre noutros trilhos, encontra problemas diferentes e é levado adiante por categorias sociais que tampouco são as mesmas. Assim, a sua burguesia nacional não corresponde ao conceito de burguesia nacional, idem para a sua classe trabalhadora. A própria noção de racionalidade econômica não coincide, e só os doutrinários ou os sociólogos não sabiam que um empresário weberiano estrito no Brasil se daria mal e seria um exemplo de irracionalidade. Segundo os espíritos ofuscados pelo modelo canônico, essas diferenças inviabilizariam o desenvolvimento. Não assim o espírito dialético, afeito a ver o mesmo no outro. Na verdade, é no interior daquelas diferenças tão heterodoxas que o desenvolvimento vai se dando, até que em 64 a crise chame à ordem do dia a redefinição da sociedade, que deveria dar substância social e civilizadora às promessas do crescimento, quando então — chegada a hora da verdade — a classe dominante atalha as aspirações populares e sai pela brecha do subcapitalismo, que a nova configuração da economia internacional lhe abria. Em suma, com o progresso as anomalias da sociedade brasileira se reproduziam noutro patamar, em lugar de se dissolverem. De outro ângulo, essas anomalias são o arranjo sociológico-político em cima do qual se processa a inserção do país na economia internacional, e nada mais *normal* do que elas, portanto. Noutros termos ainda, o desenvolvimento dos países subdesenvolvidos não leva ao desenvolvimento senão em aparência, pois assim como, chegado o momento, estes repõem o seu travejamento social "arcaico", o capitalismo visto no todo e em plena ação modernizante também repõe a situação subdesenvolvida, que nesse sentido faz parte do travejamento arcaico da própria sociedade contemporânea, de cujo *desenvolvimento* então seria o caso de duvidar. Noutras palavras, estavam errados tanto os descrentes como os crédulos. O pioneirismo do quadro — em cujas cores paradoxais carreguei um pouco — era grande, levando Florestan Fernandes a escrever na orelha do livro que "de fato, só os cientistas sociais dos 'países subdesenvolvidos' possuem condições para resolver problemas metodológicos ou teóricos mal formulados pelos autores clássicos". O próprio autor da monografia terá sentido a novidade e o risco de sua posição, pois termina a nota introdutória lembrando o Galileu de Brecht, que a certa altura, pensando em si mesmo, na ciência e na Inquisição, faz o elogio dos copernicanos: "O mundo inteiro estava contra eles, e eles tinham razão". Quando um pouco adiante Giannotti redigiu a sua crítica ao marxismo tão influente de Althusser, na qual se opunha, com notável independência, ao esvaziamento positivista das categorias sociais, suponho que obedecesse a um sentimento dessa mesma ordem, de valia da experiência histórica feita.[5]

Dependência e desenvolvimento na América Latina foi escrito depois do golpe, no Chile, e já não pertence à época do seminário. Não tenho os conhecimentos para um bom comentário de suas relações com a teoria econômica cepalina, nem da repercussão que alcançou, evidentemente muito grande. Seu programa de especificações históricas, sociológicas e econômicas, assim como o sistema das variações de país a país, que aponta para um todo em movimento, fazem a novidade e a força do livro. Espero não errar, contudo, notando que em parte se trata da generalização e do ajuste, para o continente, dos pontos de vista do *Empresário industrial*. Lá estão as singularidades dos arranjos sociológicos nacionais, sempre subdesenvolvidos e carregados de história, funcionando como suportes da inserção contemporânea da economia. São eles a travação do caráter dependente, ou "sub", de seus países, que nem por isso ficam excluídos do desenvolvimento capitalista, que se proces-

5. "Contra Althusser", *Teoria e Prática*, 3, São Paulo, 1968; retomado em J. A. Giannotti, *Exercícios de filosofia*, São Paulo, Brasiliense, 1975.

sa de forma *sui generis* através daqueles mesmos arranjos (a reposição do atraso), ou de sua reformulação (o atraso reposto de modo novo). Ainda uma vez tratava-se de mostrar que as categorias econômicas não andam sozinhas e que a subordinação dos subdesenvolvidos não dispensava uma correia de transmissão interna, acessível à luta política (este o momento combativo). E que as transformações do capitalismo central mudam os termos do enfrentamento de classes nos países periféricos, abrindo saídas imprevistas no quadro do conflito cristalizado anteriormente, que passa a girar em falso, enquanto a nova solução recria outra modalidade de atraso (este o momento de dura constatação).

Para concluir com um pouco de pimenta, saltando mais de vinte anos, acho possível enxergar uma configuração análoga na eleição presidencial de 1994. Para Lula e o Partido dos Trabalhadores a disputa dava-se em termos nacionais *internos*, tendo de um lado o Brasil carcomido e conservador, enfeitado pela conversa fiada tecnocrática, e do outro o Brasil social, do progresso e da integração dos excluídos. Ao passo que FHC apostava na incidência da mutação econômica global, que valorizava a estabilidade doméstica, convidava o eleitorado a participar das novidades materiais e organizativas do mundo contemporâneo, e declarava matéria vencida os conflitos sociais armados no período anterior. À vista do resultado, mais uma vez a evolução geral do capitalismo desarmava o enfrentamento interno, de conteúdo sociológico claro, e dava espaço à recondução, ainda que relativa, do bloco do poder. Tudo em linha com as análises já clássicas do próprio sociólogo, as quais entretanto, em ocasiões prévias, se haviam destinado a abrir os olhos da esquerda, ao passo que agora levavam à presidência o seu autor em pessoa, à frente de uma coligação partidária de centro-direita.[6]

6. Para uma análise crítica do percurso, ver José Luís Fiori, "Os moedeiros falsos", *Mais!*, *Folha de S.Paulo*, 3 jul. 1994, pp. 6-7.

O significado histórico dessa vitória está em aberto e não é o assunto de meu depoimento — a não ser muito indiretamente, pelo viés de sua ligação com as conclusões do grupo, armadas no estudo do Brasil escravista. Com efeito, a constatação da margem de liberdade absurda e antissocial de que a classe dominante — fortalecida pelo seu canal com o *progresso* do mundo externo — dispõe no país, foi um dos resultados a que a contragosto chegavam os nossos estudos marxistas.

Agora, com trinta anos de distância, como fica o seminário? Já disse o bem que penso de suas contribuições para a interpretação do Brasil. Não obstante, visto de meu ângulo de hoje, o marxismo do grupo deixava a desejar nalguns aspectos, que talvez sejam sempre o mesmo. *Não houve muito interesse pela crítica de Marx ao fetichismo da mercadoria.* Como correspondia àqueles anos de desenvolvimentismo, o foco estava nos impasses da industrialização brasileira, que podiam até empurrar na direção de uma ruptura socialista, mas não levavam à crítica aprofundada da sociedade que o capitalismo criou e de que aqueles impasses formam parte. Era lógico aliás que houvesse uma dose de conformismo embutida no projeto basicamente nacional, ou até continental, de tirar a diferença e superar o atraso, já que no caso os países adiantados (embora não as suas teorias sociológicas) tinham de ser dados como parâmetro e como bons. A parte da lógica da mercadoria na própria produção e normalização da barbárie pouco entrava em linha de conta e ficou como o bloco menos oportuno da obra de Marx. Pelas mesmas razões faltou ao seminário compreensão para a importância dos frankfurtianos, cujo marxismo sombrio, mais impregnado de realidade que os demais, havia assimilado e articulado uma apreciação plena das experiências do nazismo, do comunismo stalinista e do *american way of life*, encarado sem complacências. Daí também uma possível inocência do grupo em relação ao lado degradante da mercantilização e industrialização da cultura, consideradas sem maiores restrições. E daí, finalmente, uma certa indiferença em relação ao valor de conhecimento da arte moderna, incluída a brasileira, a cuja visão negativa e problematizadora do mundo atual não se atribuía importância. O preço literário e cultural pago por esse último descaso, aliás um subproduto perverso da luta pela afirmação da universidade, foi alto, pois fez que os achados fortes do seminário não se aliassem produtivamente ao potencial crítico espalhado nas letras e na cultura ambiente, ficando confinados ao código e ao território acadêmico, dizendo e rendendo menos do que poderiam. Para contraste basta pensar nas relações da prosa de Gilberto Freyre e Sérgio Buarque com a cultura modernista, às quais se prende o estatuto tão especial de suas obras. Penso não exagerar achando que no essencial a intuição histórico-sociológica do seminário não fica devendo à desses mestres, embora seja evidente que, pela falta da elaboração de um instrumento literário à altura, entroncado nas Letras contemporâneas, as obras respectivas não ocupem um lugar de mesma ordem. Visando mais alto, por fim, me parece certo que a clara visualização do subdesenvolvimento e de suas articulações tem alcance histórico-mundial, capaz de sustentar, suponhamos, algo como as *Minima moralia* referentes ao que é sem dúvida uma das feições-chave do destino contemporâneo. Fica a sugestão, mas a ideia talvez não pudesse mesmo se realizar em nosso meio, já que em última análise estávamos — e estamos — engajados em encontrar a solução para o país, *pois o Brasil tem que ter saída*. Ora, alguém imagina Marx escrevendo *O capital* para salvar a Alemanha? Assim, o nosso seminário em fim de contas permanecia pautado pela estreiteza da *problemática nacional*, ou seja, pela tarefa de superar o nosso atraso relativo, sempre anteposta à atualidade. Ficava devendo outro passo, que enfrentasse — na plenitude complicada e contraditória de suas dimensões presentes, que são transnacionais — as relações de definição e implicação recíproca entre atraso, progresso e produção de mercadorias, termos e realidades que se têm de entender como a precariedade e a crítica uns dos outros, sem o que a ratoeira não se desarma.

A contribuição de John Gledson

Os estudos de John Gledson sobre Machado de Assis inovam muito e em várias frentes. Na bonita orelha — amigamente enciumada — que escreveu para *Machado de Assis: ficção e história*, Alexandre Eulalio chamava a atenção para a intensidade intelectual dos ensaios que estava apresentando.[1] De fato, cada um deles traz uma tese inédita, exposta com clareza e energia, apoiada em pesquisa e argumentos, compondo um livro enxuto, que faz diferença.

O principal de sua contribuição talvez se possa resumir nos pontos seguintes. a) Descoberta literária de *Casa velha*, romance breve a que a crítica não havia dado maior atenção; Gledson lhe assinala a qualidade artística notável, a densidade histórico-sociológica da dramaturgia, a intenção de alegoria política nacional, bem como a posição de elo faltante na evolução do romance machadiano, cuja coerência essa obra permite avaliar melhor.

b) Detalhamento das relações, muito mencionadas, mas pouco estudadas, entre os trabalhos do cronista e do romancista. Gledson

1. John Gledson, *Machado de Assis: ficção e história*, Rio de Janeiro, Paz e Terra, 1986.

guarda distância do virtuosismo entediado que dá o tom à crônica, e faz questão de examinar de perto a matéria tratada. Graças a isso, nota que a celebrada arte machadiana de ligar tudo a tudo, ou nada a nada, é também uma arte do despistamento, da descontextualização escarninha. Disfarçado nos meandros digressivos corre o fio da crítica social, muito mais metódica e devastadora do que se supunha, mudando o sentido à frivolidade da prosa. Assim, ficamos sabendo que a razão de ser de blocos inteiros da crônica, sem prejuízo da diversidade dos tópicos, é o acompanhamento sarcástico das proclamações e dos raciocínios de que se cercava o processo que levou à Abolição e à República. Pelo visto, Machado desenvolveu uma ideia especial das possibilidades do gênero, com lugar para reptos intrincados à inteligência do leitor, ideia na qual ficou sem sucessores.

Seguindo a elaboração do *Quincas Borba*, conforme ia sendo publicado em folhetins, e fazendo a comparação com a edição final, em livro, Gledson encontra procedimentos análogos, o mesmo tipo de agressão encoberta, mas com intenção de bomba. Por exemplo, observa que o maluco destinado a alegorizar o Brasil inicialmente se chamava Rubião (rubiácea) José de Castro, isto é, Café Fulano de Tal, ao passo que na versão definitiva, posterior à proclamação da República, ele passava a se chamar Pedro Rubião de Alvarenga, muito próximo de Pedro de Alcântara, o nome civil do Imperador, com a rubiácea de permeio.

c) A novidade mais sensacional do livro, contudo, está na releitura do *Memorial de Aires*, habitualmente considerado pela crítica um romance acima das baixezas do mundo, a obra da reconciliação de Machado com a vida, a morte e o amor conjugal. Gledson faz a pergunta certa: não haverá nexo entre a música algo adocicada dos sentimentos domésticos e as numerosas anedotas referentes à Abolição, anedotas cuja lógica é preciso identificar? A resposta que encontra mostra um Machado mais acerbo do que nunca, pois a doçura das emoções requintadamente confinadas à esfera privada é outra face da indiferença de nossa elite pelos seus escravos, que a Abolição, numa autêntica traição histórica, abandonava à sua sorte. A frase que passa por ser o suprassumo da sabedoria do Machado conselheiral — "Não há alegria pública que valha uma boa alegria particular" — fulge a uma luz odiosa e nova, que a transforma em grande literatura.

Machado de Assis: impostura e realismo, publicado agora pela Companhia das Letras, é a tradução de *The Deceptive Realism of Machado de Assis*, saído na Inglaterra em 1984. Trata-se de uma *dissenting interpretation of "Dom Casmurro"*, como diz o subtítulo inglês. Também aqui o teor de inovação é alto.

Na esteira de Helen Caldwell e Silviano Santiago, Gledson nota a natureza sintomática das inconsistências do narrador, cuja boa-fé fica posta em dúvida: sob pena de ingenuidade, a narrativa tem de ser encarada com pé-atrás, como a versão talvez facciosa de uma das figuras do drama.[2] O passo adiante está na acepção em que esta possível parcialidade vem tomada. Em lugar de elemento de psicologia individual, ela é vista no interior do sistema social composto pelas personagens, como expressão de um de seus polos, e inteligível somente através da relação deste com os demais. As consequências, para o entendimento do romance, são profundas. a) O narrador sem credibilidade não funciona como quebra do universo realista, mas como parte dele. b) Nada do que é dito se deve entender tal qual, já que o contexto social muda o sentido aos termos. c) Esta redefinição vai longe e acarreta uma surpreendente inversão valorativa: o ingênuo Bentinho, a santa senhora sua mãe e o pitoresco agregado da família aparecem como figuras do autoritarismo paternalista, desagradáveis e muitas vezes sinistras, ao passo que a feição inquietante de Capitu pode não passar de preconceito de classe, de proje-

2. Ver Helen Caldwell, *The Brazilian Othello of Machado de Assis*, Berkeley, University of California Press, 1960, e Silviano Santiago, "A retórica da verossimilhança", in *Uma literatura nos trópicos*, São Paulo, Perspectiva, 1978.

ção de quem não tolera condutas independentes, sobretudo por parte dos socialmente inferiores.

Uma vez estabelecido o tipo social do narrador, a natureza histórica de suas relações com as demais personagens também ressalta. Em especial os amores com Capitu aparecem sob o signo das tensões entre proprietários e dependentes, muito próprias à sociedade brasileira. Com esse passo, Gledson não aponta apenas o fundo realista e nacional do livro, como indica uma ponte, a continuidade temática entre *Dom Casmurro* e os romances machadianos da fase imatura, os quais também giram em torno destas realidades. A persistência e consistência do trabalho machadiano ao longo de trinta anos surge de forma impressionante.

Dando um balanço, digamos que Gledson renovou de modo completo e convincente a leitura de dois livros capitais da literatura brasileira, a que acrescentou um terceiro, que quase não constava da lista. Modificou também a visão que se tinha da oficina machadiana. Isso sem mencionar as contribuições muito substantivas à leitura de *Quincas Borba* e *Esaú e Jacó*. Trata-se assim de uma intervenção crítica marcante e considerável, que situa o autor na primeira linha dos estudos brasileiros recentes.

Isso posto, é interessante observar que as suas descobertas se fizeram à margem das modas críticas, e em parte na contracorrente delas, por senso da particularidade histórica do objeto. A este respeito não custa lembrar que alguns, entre os quais me incluo, pensam — sem nacionalismo nem xenofobia — que o método da *aplicação direta* de conceituações prestigiosas, europeias ou americanas, esterilizou uma fatia assustadora de nosso ensaísmo nos últimos vinte anos (o oposto da pretensa liberdade antropófoga). Gledson, diferentemente, trata de armar um *problema* literário, no caso o complexo machadiano de assuntos, pontos de vista, procedimentos artísticos e circunstâncias nacionais, uns em atrito produtivo com os outros. Para descrever um tal complexo com exatidão, é preciso estudar em várias frentes, que vão da análise de texto à pesquisa histórica, literária e extraliterária. As noções que resultam são concebidas sob medida para a peculiaridade e historicidade do objeto, para as contradições que o movimentam, nos antípodas das terminologias sistemáticas destinadas ao estudo da literatura *em geral*. Essa educação do crítico pelo assunto alcança até a linguagem, e o leitor notará como os meandros do universo machadiano, inclusive os penosos, plasmam o vocabulário, as noções e a frase de Gledson. Uma das razões, aliás, do incrível desencontro entre a nossa tradição crítica e o romancista esteve, com as exceções sabidas, na falta de instrumento propriamente *literário* para parafrasear e analisar uma experiência tão intrincada e turva, difícil, entre outras razões, por ser pouco lisonjeira para nós.

Deixamos para o fim o achado interessante — e problemático — dos "enredos politicamente significativos". Num escritor meticuloso como Machado não podem ser casuais as muitas alusões a episódios e protagonistas históricos, nem a ocorrência frequente de datas. Buscando-lhes a razão de ser, Gledson notou: a) a existência, como elemento de estrutura, de uma periodização refletida da história nacional; b) um funcionamento simbólico de cenas e personagens da vida privada, que, mediante indicações calculadas, parecem ter equivalente na arena política, a que pela feição entretanto não pertencem; c) a natureza às vezes enigmática dessas alegorias, como que exigindo a decifração de um melindroso segredo pátrio.

Basta lembrar *Casa velha* para reconhecer o bem-fundado dessas suposições. Com efeito, Lalau nasce em 1822, no ano da Independência, fica órfã em 31, no ano da Abdicação, e, sendo uma pobre agregada, quase casa com um filho da oligarquia em 39, entre alusões à rebelião na província e à anarquia do período regencial. O descalabro não chega a se completar porque o rapaz, submetido a toda sorte de pressões, consente em casar dentro de sua classe, à época da Maioridade, pondo fim à turbulência. As datas são incontestavelmente tomadas à história nacional, de que a moça deve significar algum aspecto — mas qual? Passando a indicações mais escuras, em *Dom Casmurro* há uma alusão enfática e misteriosa ao Gabinete Rio Branco, em coincidência com o afogamento do amigo Escobar, desastre capital na degringolada espiritual de Bentinho. Gledson aponta o paralelo possível com a instabilidade oligárquica, talvez inaugurada com a Lei do Ventre Livre, obra daquele gabinete. Pode ser, sobretudo porque senão — como lembra o próprio Gledson a propósito de outro paralelo semelhante — ficaríamos sem explicação alguma para a insistência em março de 71: "Nunca me esqueceu o mês e o ano".[3]

Assim, a intenção de criar enredos que digam respeito não só à problemática social do país, mas também à sua história *política*, parece bem consubstanciada. Ela casa aliás com a continuidade, deslocada para um plano crítico e superior, que Machado buscava dar ao nacionalismo romântico. Todavia, *intenções não são o mesmo que resultados artísticos*, e se Gledson convence plenamente quanto às primeiras, persuade menos, até onde posso ver, no tocante aos segundos. Neste aspecto cabe uma divergência com o seu ponto de vista crítico, o qual dá mais peso à intenção do escritor que à configuração da obra.

Com efeito, não há como duvidar dos paralelismos que Gledson descobre, nem do propósito organizador que os anima: entre os episódios da vida privada e as datas significativas da política nacional há correspondência deliberada. Entretanto, se refletirmos sobre o rendimento literário dessa construção machadiana, estaremos diante de um problema. A vivacidade e o destemor de Lalau, por exemplo, seriam atributos dos anos da Regência? Inversamente, os traços próprios à política do período esclareceriam o caráter da mocinha? Talvez sim, talvez não, pois a densidade dos pontos em comum é insuficiente — salvo melhor juízo — para disciplinar

3. Machado de Assis, *Dom Casmurro*, cap. CXXII.

a interpretação ou para excluir a interpretação arbitrária. Em comparação, observe-se a eficácia da articulação sociológica, bem explicada por Gledson: aquelas mesmas qualidades de Lalau adquirem outra vibração quando as vemos como os atributos de uma agregada no quadro de uma grande família patriarcal. Neste sentido, diríamos que *Casa velha* explora admiravelmente uma constelação de classe, ao mesmo tempo que procura, com menos sorte, alegorizar a evolução política do país.

Tratando-se de um escritor da força de Machado, o eventual desacerto artístico merece reflexão. Quando buscava prender as suas fábulas aos pontos de inflexão da história nacional, o romancista seguia a inspiração do Realismo europeu, ou, por outra, tentava confeccionar algo semelhante no Brasil. Independência, Abdicação, Regência, Maioridade, Conciliação, Gabinete Rio Branco etc. seriam os nossos equivalentes da periodização da história francesa pós-revolucionária, cujas etapas, muito nítidas e contrastantes, facultaram aos escritores daquele país uma experiência e uma representação inéditas da historicidade do presente, incluído aí o âmbito privado. Stendhal queria demonstrar que algo tão eterno como o amor não era a mesma coisa antes e depois da Revolução. Para Balzac, o senso das contradições contemporâneas e de sua profundidade histórica, mesmo ou sobretudo a propósito de ninharias, era a faculdade artística moderna por excelência. Baudelaire tinha o projeto de pôr datas ao seu desespero. Ora, como é notório, não faltava a Machado o sentimento do tempo e da diferença que este faz. Entretanto, e apesar das muitas datas, o dinamismo histórico da literatura francesa não existe em sua obra.

As razões da dificuldade podem ser interessantes, vamos arriscar algumas. Os estudantes sabem, e Gledson observa, que os livros obrigatórios sobre o nosso século XIX, como *Um estadista do Império*, de Nabuco, ou *Do Império à República*, de Sérgio Buarque de Holanda, são difíceis de assimilar: o leitor não grava a sucessão dos ministérios, conhecidos pelo seu dia de nomeação ou pelo nome de seu organizador, geralmente um título de nobreza que já não diz nada. Ficamos como o criado espanhol no *Quincas Borba*, que diante das estatuetas dos dois Napoleões afirma com altivez que "*no me dicen nada esos dos pícaros*". Aliás, a pesquisa e o método expositivo de Gledson respondem a esse alheamento, que procuram sanar, fornecendo à leitura a informação de época necessária. Um tal sumiço do passado, ou, por outra, a ausência da história na consciência presente e na autojustificação dos brasileiros é uma peculiaridade cultural que vale ela mesma um estudo, além de deixar no vazio as alusões sibilinas de Machado a ocasiões nacionais. Para sentir a diferença, basta uma visita sumária aos vizinhos Paraguai e Argentina, com seu debate histórico acalorado, pormenorizado e iludido.

Contudo, não é só a nossa ignorância que bloqueia a vibração das datas no romance machadiano. A incrível estabilidade das relações — ou injustiças — de base do país contribui de modo decisivo para conferir alguma coisa irrisória às datas magnas que registram as mudanças em nossa política. Desse ângulo, o contraste com as periodizações francesas, as quais refletem embates em que está em jogo o ser-ou-não-ser da ordem social contemporânea, é muito eloquente. O próprio Machado foi se dando conta disso e acabou fixando a *irrelevância* das datas políticas como sendo o dado decisivo de nosso ritmo histórico, num bom exemplo de dialética entre experiência social e forma. A leitura que Gledson faz da valorização deliberada e engenhosa do tédio em *Esaú e Jacó* é interessante a esse respeito. São indicações, enfim, dos contratempos objetivos que encontrava e precisou contornar um romancista que queria configurar a experiência histórica do país, em sintonia com os mais exigentes mestres europeus. Mesmo noções tão "universais" quanto as de período ou dia memorável diferem muito segundo o processo em que estão inseridas, como cabe aos escritores descobrir, sob pena de fazerem má literatura.

Altos e baixos da atualidade de Brecht[1]

"Não há quem possa com as crises!
Inexoráveis pairam
Sobre nós as leis da economia, essas desconhecidas.
Em tremendos ciclos retornam
As catástrofes da natureza!"

B. Brecht,
A Santa Joana dos Matadouros (1928-31)

"As regras da economia global são como a lei da gravidade. Não são regras americanas."

Bill Clinton a Boris Ieltsin, por ocasião de um encontro de cúpula em Moscou, *O Estado de S. Paulo*, 3 set. 1998

Com a licença de vocês, vou fazer o papel de advogado do diabo. Quero começar explicando o ponto de vista segundo o qual Brecht hoje não tem atualidade nenhuma. Pode ser um bom ponto de partida para testar a atualidade dele, que gostava de dialética e talvez aprovasse esse encaminhamento da discussão.

A sua marca registrada, como todos aqui sabem, é a preferência estético-política pelo teatro "narrativo", bem como a crítica, também estético-política, ao teatro "dramático". Em linha com essa posição, Brecht contrapõe o ator que encara o seu papel com dis-

1. Comentário feito em seguida a uma leitura pública de *A Santa Joana dos Matadouros*, organizada pela Companhia do Latão.

tanciamento, como se o estivesse narrando de fora, na terceira pessoa, ao ator que se identifica a ele na primeira pessoa do singular, procurando vivê-lo dramaticamente, em carne e osso.

De um lado fica a encenação anti-ilusionista que, em lugar de esconder, põe à mostra os procedimentos da teatralização. O público em consequência se dá conta do caráter construído das figuras e, por extensão, do caráter construído da realidade que elas imitam e interpretam. Ao sublinhar a parte do fingimento na conduta teatral, a parte da coisa *feita*, Brecht quer ensinar que também as condutas da vida comum têm algo de representação, ou por outra, que também fora do teatro os papéis e a peça poderiam ser diferentes. Trata-se de entender, em suma, que na realidade como no teatro os funcionamentos são *sociais* e, portanto, mudáveis. Do outro lado da divisória, enquanto isso, ficaria o teatro historicamente obsoleto, o teatro dito "aristotélico", que através da catarse, da purgação dos afetos, ajuda os homens a reencontrar o equilíbrio diante da natureza eterna e imutável das coisas humanas.

Para exemplificar, vou ler o prólogo de *A exceção e a regra*, onde esses tópicos estão em resumo. O ator-narrador fala aos escolares a que a peça se destina (um público não comercial, conforme a preferência de Brecht):

> Logo mais contaremos
> A história de uma viagem empreendida
> Por um explorador e dois explorados.
> Vocês olhem bem para o comportamento deles:
> Notem que, apesar de familiar, ele é estranho
> Inexplicável, apesar de comum
> Incompreensível, embora seja a regra.
> Mesmo as ações mínimas, simples em aparência
> Observem-nas com desconfiança! Questionem a necessidade
> Sobretudo do que é habitual!

Pedimos que por favor não achem
Natural o que muito se repete!
Pois em tempos como este, de sangrenta desorientação
De arbítrio planejado, de desordem induzida
De humanidade desumanizada, nada seja dito natural
Para que nada seja dito imutável.

Vocês veem aí, balizada pela relação entre explorador e explorados, a reunião dos temas que mencionei um minuto atrás. Examinadas com atenção as coisas, sem o anestésico da ilusão, o familiar vai se revelar estranho, o mais comum pode ser difícil de explicar, e a regra, que é aquilo a que estamos habituados, pode ser incompreensível. E está aí, sob a pressão do caráter nefasto de nosso tempo, a exigência de que sejamos (as crianças e nós) desconfiados, de que não consideremos nada como sendo natural, isso para que tudo seja passível de mudança. A postura didática e o verso prosaico, em que entre outras coisas devemos reconhecer uma *radicalização vanguardista*, têm parte essencial no dispositivo literário de Brecht. O escritor buscava formas frias de entusiasmo e de ênfase, para responder à altura, como artista, às circunstâncias da luta de classes. A vizinhança do catecismo naturalmente é um risco.

Em chave extrateatral esses assuntos podem ser aproximados da ideia marxista da "desnaturalização", de que vocês ouviram falar. Ao contrário dos economistas, que viam na divisão da sociedade em classes a expressão acabada da natureza humana, Marx a explicava como uma formação histórica, que surgira a certa altura e desapareceria noutra. Seja dito entre parênteses que o autor de *O capital* considerava esse resultado crítico um de seus motivos de orgulho. Voltando a Brecht, a célebre exigência de que a cena represente o mundo enquanto transformável participa do mesmo espírito. Se a considerarmos apenas como um lembrete do caráter histórico das relações humanas, sempre mudadiças, ela hoje estaria banalizada.

Mas se reconhecermos a ênfase no *transformável*, com sua recusa tácita do presente de exploração, estaremos diante de um imperativo mais difícil, para o qual a inteligência da historicidade não pode ser dita real senão ao atender às necessidades da intervenção modificadora. A oportunidade do mandamento e a dificuldade de cumpri-lo saltam aos olhos.

Pois bem, esse conjunto de convicções políticas, teses estéticas e procedimentos literários que formam a textura da arte de Brecht foi duramente afetado pela história recente. Não há como desconhecer os tempos mudados. Quem tem idade para lembrar o clima cultural brasileiro de antes de 64, ou antes de 68 — que foi quando o golpe da direita atingiu de fato os intelectuais —, sabe que essas posições despertavam uma emoção e agitação consideráveis. Quando um ator dizia, como vocês ouviram na *Santa Joana*, que a injustiça de classe não é uma fatalidade natural, como a chuva, e que portanto ela pode ser combatida, o efeito de revelação e até de galvanização era incrível. A unanimidade ficava ainda mais forte se ao contrário, por cegueira, ou por conivência com a opressão, a personagem afirmasse que a injustiça é sim uma fatalidade da natureza, como a chuva, e que portanto não adianta lutar contra ela. Ao que parece, a recusa da força hipnótica do conformismo e do palco não deixava também de hipnotizar... Assim, uma vez que entendêssemos que a injustiça é social, e não natural, a dificuldade como que ficava superada e a transformação do mundo estava ao alcance da mão. Passado o tempo, essa facilidade, para não dizer credulidade, parece desconcertante por sua vez.

Como as próprias palavras sugerem, a dominação que deve a solidez ao costume, à repetição constante e às aparências de naturalidade é do tipo pré-moderno. A luta da dúvida contra o obscurantismo, fora e dentro de nós mesmos, é uma figura clássica da emancipação burguesa, que tinha como adversário a autoridade feudal e sua caução religiosa. É claro que o antiobscurantismo de Brecht já não pertence a esse período, do qual entretanto não se desprende inteiramente. É como se algo da naturalidade e do prestígio feudais se houvesse transmitido ao capital, e algo do fatalismo conformado dos servos subsistisse na classe operária, fazendo que o combate ao imobilismo dos poderes de ontem permanecesse na ordem do dia. Quanto à ordem capitalista de hoje, cujo cimento há muito tempo não é a veneração de costumes antigos, sabemos que o passo da ingenuidade à esperteza do cada um por si não basta para superá-la. Digamos que ao desnaturalizar a sujeição e os seus automatismos, ao lhes historicizar a eternidade, o gesto teatral brechtiano invocava um espaço de liberdade em que o mundo figurava como transformável *em abstrato*. Uma vez que os oprimidos detectassem o estranhável no familiar, o irracional no comum e o descabido na regra, a reordenação compreensível e aceitável da sociedade ficava a um passo. Esse o contexto, se não me engano, para entender a pompa em surdina que cerca a técnica do distanciamento, em especial a sua pretensão revolucionária.

Nalgumas partes da Europa, a Primeira Guerra Mundial varreu a superstição da ordem e da autoridade, aquela mesma que em princípio seria o alvo da crítica desnaturalizadora. Os anos seguintes assistiram a outros cataclismos igualmente "antinaturais", além de inéditos, que agravaram o abalo. A lista é conhecida: Revolução Russa, hiperinflação, Crise de 29, desemprego e subida do nazismo. A síntese do mundo contemporâneo que se encontra no prólogo de *A exceção e a regra*, que é de 1930, dá notícia do novo quadro. Vivemos um tempo "de sangrenta desorientação/ De arbítrio planejado, de desordem induzida/ De humanidade desumanizada [...]". Para que esse estado de coisas não seja dito imutável, o ator mestre-escola pede encarecidamente às crianças que duvidem... do habitual, do familiar, do simples. Pois bem, vocês me dirão se estou enganado, mas acho que entre a síntese de época e os conselhos a respeito há um certo desajuste, *que é uma insuficiência objetiva...*

O mundo nos dois casos não é o mesmo, os momentos não coincidem. A sangrenta desorientação, o arbítrio planejado e a desordem induzida não são habituais, familiares ou simples, e nesse sentido os conselhos contrários a sua aceitação inocente chovem no molhado. Ou por outra, será mesmo verdade que a sociedade a caminho do fascismo, caracterizada por caos, complô, ação direta, manipulação etc., pareceria *natural*? E reside mesmo aí, nessa ilusão de naturalidade, o bloqueio que aprisiona os explorados em sua condição, fechando-lhes a saída em direção de uma sociedade justa? Note-se que nem por isso a postura distanciada e pedagógica de Brecht perde a força poética. Voltaremos ao assunto.

Em 1948, pouco depois de terminada a Segunda Guerra Mundial, Brecht tratou de se integrar ao recomeço da vida na Zona de Ocupação Soviética, que mais tarde seria a República Democrática Alemã. Fugia ao macarthismo nos Estados Unidos, que já o tinha na mira, e buscava participar na construção do socialismo, a respeito da qual vinha cheio de ideias próprias, nada convencionais. Como considerar essa associação, carregada aliás de reservas recíprocas, entre o luminar da vanguarda e o novo estado? Este último, sem prejuízo de ser um regime policial, bem como uma imposição e um satélite da União Soviética, pretendia realizar uma aspiração histórica da humanidade. O intrincado verdadeiramente tenebroso da situação desaconselha o juízo pouco informado, como no caso seria o meu. O leitor dos *Diários de trabalho* e dos poemas daquela quadra entretanto sente, a par da força literária e da disposição crítica muito viva, às vezes estonteante, os momentos de ranço oficialista e os prenúncios de mumificação. Com a morte do escritor, em 1956, a consagração mundial dispara. Segundo as circunstâncias, prevalece o estímulo do mais inovador dos artistas da esquerda, ou a exploração de seu prestígio com finalidade apologética.

O teatro brechtiano entrou para a vida cultural de São Paulo na mesma segunda metade dos anos 50. Inicialmente como parte da militância atualizadora a que se dedicavam as boas companhias profissionais, que traziam ao palco os autores discutidos da época: Tennessee Williams, Arthur Miller, Jean-Paul Sartre e outros. Era natural que chegasse a vez de Brecht, recomendado pela glória europeia crescente. A sua assimilação contudo foi mais difícil. Não tanto por ser um autor comunista, pois vários dos escritores admirados do país haviam sido ou continuavam sendo militantes, simpatizantes ou críticos interessados do comunismo. Até onde vejo, o que o tornava um corpo estranho era a radicalidade da inovação artística. No seu caso não bastava aceitar ou rejeitar um conjunto de posições mais ou menos ousadas, postas em cena à maneira convencional. A nova proposta incluía um pacote de atitudes e procedimentos inéditos, cujo bê-á-bá era preciso aprender. As implicações de ordem geral, que se desejavam revolucionárias em relação à cultura burguesa no seu todo, por ora ficavam na penumbra. As dificuldades iam do elementar, da compreensão do que pudesse ser o tal "efeito de estranhamento", até a inevitável contradição com interesses criados: as companhias giravam em torno de atores famosos, que queriam saber se a sua arte de arrebatar a plateia agora ia para o lixo, ou por outra, se a nova técnica não matava a emoção. Lembro da genuína perplexidade nos ensaios de *A alma boa de Setsuan* (1958), onde Maria Della Costa e Sandro Polloni pediam esclarecimentos a Anatol Rosenfeld, que começava a assumir com brio o seu papel de explicador de Brecht.

A modernização dos palcos paulistanos na década de 50, que foi um progresso notório, havia dependido da contribuição dos encenadores estrangeiros, além de passar por um novo profissionalismo, pelo bom preparo dos atores, pela atualização do repertório e, visto o conjunto, pela dignificação burguesa da vida teatral. Nas estreias do Teatro Brasileiro de Comédia respirava-se distinção de classe, como aliás nos concertos da Cultura Artística, onde se apresentavam músicos de reputação internacional em clima de fruição civilizada e casacos de pele. Enquanto isso, a tendência no plano nacional era outra, imprimindo um conteúdo diferente à noção de progresso. Entrava em movimento a radicalização do populismo desenvolvimentista, que iria desembocar em anos de pré-revolução — ou seja, de questionamento cotidiano da intolerável estrutura de classes do país — e no desfecho militar de 64. Em lugar da *atualização* cultural, cujo termo de referência eram os palcos americanos e europeus de qualidade, vinha a interrogação dos nexos de classe internos, cujo atraso vexaminoso, em que nos reconhecíamos como parte do Terceiro Mundo, era tomado como problema e elemento necessário de uma solução válida, nacional e *moderna*. Durante um animado espaço de tempo, que não ia durar, o compromisso com a promoção histórica do povo trabalhador primou, como critério de modernidade, sobre o anseio de atualização das classes ilustradas.

A cultura viva dava uma clara guinada à esquerda: trocava de aliança de classe, de faixa etária e, com elas, de critério de relevância. Um pouco na realidade e muito na imaginação, mudavam os produtores, a plateia, o assunto, o programa, a técnica e as simpatias internacionais, agora fixadas na Revolução Cubana, obra também ela do inconformismo de gente que não chegara aos 30. A nova geração teatral, de formação menos acabada que a outra, estava próxima do movimento universitário e de sua rápida politização. Buscava contato com a luta operária e camponesa organizada, *com a música popular*, e compartilhava o modo de vida precário e pré-adulto dos estudantes, que não raro eram pobres eles mesmos. O relativo prejuízo em especialização artística, bem como uma certa desclassificação social, no contexto faziam figura de prenúncio do socialismo. Desrespeitavam a fronteira cultural entre as classes e estavam em sintonia com a nova feição do movimento popular. O guarda-chuva do nacionalismo populista propiciava o contato entre setores progressistas da elite, os trabalhadores organizados e a franja esquerdizada da classe média, em especial os estudantes e a intelectualidade jovem: para efeitos ideológicos, essa liga meio demagógica e meio explosiva agora era o povo. A inserção aguda e crítica do esforço cultural mais do que compensava o refinamento artístico do decênio prévio, em fim de contas bastante convencional. A impregnação das artes do espetáculo pela tarefa histórica de dar voz às desigualdades nacionais teve importância imensa, que até hoje não se esgotou.[2]

As vocações requeridas pela nova conjuntura eram do tipo *agit-prop*. Havia antecedentes ilustres na fase de choque do Modernismo de 22, afinidade que no entanto custou a se tornar consciente e produtiva. As alternativas em debate, que estavam por toda parte e, ainda que precariamente, tinham envergadura histórica e enraizamento prático, desestabilizavam as compartimentações correntes da vida do espírito. O momento pedia inteligência política, invenção de formas, agilidade organizativa, disposição para o enfrentamento, além de irreverência na utilização da cultura consagrada e capacidade para tratar em pé de igualdade os recursos da arte erudita e da tradição popular. Esse o caldo de cultura militantista em que o rigor artístico e ideológico de Brecht, o seu compromisso sistematizado com a revolução, mais adivinhados que conhecidos, até por dificuldades de língua, iriam ganhar vida. Depois de décadas, tratava-se da ressurreição no Terceiro Mundo do artista consequente dos anos 20 e 30, que concebera a sua arte vanguardista e combativa na atmosfera ainda atual das revoluções russa e alemã, pressentindo aliás a clandestinidade antifascista que viria em seguida. Na verdade, nada mais distante dos espetáculos impecáveis mas inatuais com que agora nos anos 50 o *Berliner Ensemble*, sob a direção do próprio Mestre, conquistara uma certa hegemonia no teatro europeu.

2. Para uma exposição mais detalhada, Roberto Schwarz, "Cultura e política, 1964-1969", in *O pai de família*, Rio de Janeiro, Paz e Terra, 1978.

A funcionalidade do espírito brechtiano para a esquerda terceiro-mundista é fácil de entender. A vinculação das Letras a um programa de experimentação coletiva e em toda linha, seja artística, política, filosófica, científica ou organizatória, assim como a recusa do realismo socialista, respondiam a impulsos reformadores reais. Em meio a comunistas ortodoxos e heterodoxos, católicos de esquerda, populistas anti-imperialistas, artistas de vanguarda e libertários em geral, e a despeito da falta de informação, Brecht se tornava algo como um superego difuso: o dramaturgo cujas inovações tinham como referência a reflexão independente sobre a luta de classes era um ideal, e de fato propunha um eixo novo. Aliás, o senso de realidade e o espectro largo de sua experimentação mudavam a qualidade do próprio experimentalismo, ao qual conferiam uma nota diferente, livrando de literatice o modernismo literário. Isso dito, vale a pena mencionar, para refletir a respeito, os desencontros que Brecht ocasionava, já que os anos 20 não eram os anos 60, nem a Alemanha era o Brasil.

Como sabem os tradutores, a linguagem nua dos interesses e das contradições de classe, que imprime a nitidez *sui generis* à literatura brechtiana, não tem equivalente no imaginário brasileiro, pautado pelas relações de favor e pelas saídas da malandragem. A inteligência de vida que está sedimentada em nossa fala popular tem sentido crítico específico, diferente da gíria proletária berlinense, educada e afiada pelo enfrentamento de classe. Conforme um descompasso análogo entre as respectivas ordens do dia, o nosso zé-ninguém precisava ainda se transformar em cidadão respeitável, com nome próprio; ao passo que para Brecht a superação do mundo capitalista, assim como a disciplina da guerra de classes, dependiam da lógica do coletivo e da crítica à mitologia burguesa do indivíduo avulso. Em suma, as constelações históricas não eram iguais, embora a questão de fundo — a crise na dominação do capital — fosse a mesma, assegurando o denominador comum. Entre parênteses, algo daquela aspiração brechtiana ao anonimato superador talvez se encontrasse, entre nós, na poesia política de

Carlos Drummond de Andrade, que também desejou anular o pequeno-burguês dentro de si. Como aliás a codificação linguística da oposição entre as classes era um programa de João Cabral de Melo Neto.

O desajuste principal, contudo, se prendia à própria ideia do distanciamento. Este devia abrir um campo entre o indivíduo e seus funcionamentos sociais, de modo a dar margem à consciência crítica, tornando patentes a estrutura absurda da sociedade, a lógica de classe do processo e o irrisório da luta individual. Ora, a dimensão nacionalista do desenvolvimentismo requeria, pelo contrário, uma boa dose daquela identificação mistificadora que o distanciamento brechtiano, fruto em parte da crítica de esquerda às chacinas patrióticas da Primeira Guerra Mundial, desmanchava. Ficou famosa a solução de compromisso desenvolvida na época pelo Teatro de Arena, brilhante sob muitos aspectos, além de representativa em sua inconsequência: no centro, um herói popular e nacionalista, a quem o ator e o público se identificavam com fervor; à volta, os anti-heróis da classe dominante, a que os recursos brechtianos da desidentificação e análise, com a correspondente cabeça fria, emprestavam o brilho e a verdade que, por uma ironia da arte, ficavam fazendo falta ao outro, o qual contudo devia nos servir de modelo.[3]

A ninguém ocorria seguir à risca os ensinamentos de Brecht, que no entanto funcionavam como um desafio, vindo de regiões mais exigentes da reflexão estética e política. O acento no raciocínio claro, na exploração de classe e no raio X das ideologias baratas tornava intragável a gelatina do nacionalismo populista, além de contrastar com o fraco teor político da literatura brasileira em geral. Sem que se possa falar de filiação estrita, eram posições que os artistas em busca de consequência, e parte dos espectadores, iam reconhecendo

3. Os paradoxos do Teatro de Arena foram analisados no calor da hora, com simpatia e acuidade, por Anatol Rosenfeld: "Heróis e coringas", in *O mito e o herói no moderno teatro brasileiro*, São Paulo, Perspectiva, 1982.

como suas. Naturalmente o historiador da literatura pode perguntar pela importância de Brecht para *Revolução na América do Sul*, a peça tosca e muito inovadora de Boal, ou para *A mais-valia vai acabar, seu Edgar*, uma farsa didática de Oduvaldo Vianna Filho, na qual se expunha o bê-á-bá da exploração econômica. Mas a questão ficaria melhor e mais materialista se fosse colocada ao contrário. A verdade é que o ascenso político da massa trabalhadora e dos conflitos próprios à sociedade industrial tornavam caduco o quadro estreito do drama burguês e levavam a jovem dramaturgia a reinventar a roda, isto é, a lógica do teatro narrativo — com resultado tão vivo quanto precário. Nesse contexto, o trabalho brechtiano tinha muito a oferecer.[4]

Se não me engano, a principal ajuda consistiu em elevar bruscamente o patamar da ambição, numa área até então de pouco arrojo. As perspectivas que o novo tipo de teatro político abria à canção — e vice-versa — podem dar uma ideia do salto. Como se sabe, o *song* brechtiano tinha parte com a experimentação teatral de ponta, era composto por músicos de vanguarda, a letra era obra de um grande poeta, e o conjunto integrava um momento alto de questionamento da ordem burguesa. Sem intenção de desmerecer ninguém, era uma constelação que não se encontrava no Brasil, salvo, até certo ponto, para o último termo. Este, no entanto, como que foi suficiente para sugerir os demais, embora sem os suprir... Os nossos grupos teatrais não vinham de uma formação literária forte, e algo parecido valia, até onde sei, para os músicos a que se associaram. Contudo, inspirados na radicalização histórica em curso, que abria um canal decisivo entre a experimentação artística e a transformação do mundo contemporâneo, os espetáculos do Teatro de Arena, do CPC, do Oficina, do TUSP e certamente outros mais ganharam altura. Uma vez alimentada pelo sentimento agudo da atualidade, à qual era preciso respon-

4. Para uma visão abrangente e articulada do processo, ver Iná Camargo Costa, *A hora do teatro épico no Brasil*, Rio de Janeiro, Paz e Terra, 1996.

der com os meios disponíveis, a relativa limitação cultural e de meios trocava de sinal e dava um incrível espetáculo de autossuperação acelerada, em que para bem e para mal pulsava a hora histórica. A lucidez quanto ao despreparo estético e político, naquele momento de iniciativas e improvisações notáveis, sempre a meio caminho entre o genial e a estudantada, conta entre os traços memoráveis da época.

Voltando à canção, naquelas circunstâncias o envolvimento do teatro com a música popular faria uma diferença de peso. Para o teatro, porque a tentativa de combinar a sua linguagem, de circuito restrito, a outra de imensa aceitação, com processo produtivo e enraizamento de classe muito diferente, alterava tudo. Para a canção, porque o teatro político e experimental se dirige, em nome da liberdade, à fração desperta da contraelite do país, em oposição ao rebanho dos consumidores. Essa postura (ou pretensão) de vanguarda traz algo insubstituível. É verdade que as combinações deliberadas entre samba, ânimo experimental e conquistas da poesia modernista, que forçavam várias divisórias sociais e culturais, vinham de um momento anterior e não haviam começado com o teatro. Formavam parte brilhante da modernização brasileira, com os seus episódios de descompartimentação e realinhamento de classe, onde graças à imaginação e ao trabalho artístico ficavam superadas, de modo produtivo e prometedor, as notórias fraturas que inviabilizavam o país. Dito isso, o horizonte da revolução, encenado pelo teatro, introduzia nesse processo um ponto de fuga radical. A representatividade peculiar de compositores-cantores como Caetano Veloso e Chico Buarque, ou, noutra esfera, o cineasta Glauber Rocha, deve algo à irradiação daquele momento, quando se ligaram como força histórica os processos da arte popular, o experimentalismo estético e a encenação política.[5]

5. Esses vários cruzamentos aparecem com riqueza nos escritos de Caetano Veloso, *Alegria, alegria*, Rio de Janeiro, Pedra Q Ronca, s. d., e *Verdade tropical*, São Paulo, Companhia das Letras, 1997.

Algo paralelo ocorreu em relação ao teatro de revista, cuja trivialidade popularesca era recusada pelo teatro sério, que buscava a atualização cultural. Ora, o teatro com referência brechtiana, cético no que se refere à seriedade do teatro sério, tratou de reatar com a dimensão irreverente do primeiro, sobretudo com a sua forma solta, as canções intercaladas e a malícia geral, em que enxergava apoios para o distanciamento crítico e recursos para uma arte antiburguesa.

Em 1964, o golpe de força da direita truncou, sem encontrar aliás grande resistência, o vasto processo democrático a que o novo teatro procurava responder. Como é sabido, a repressão ao movimento operário e camponês não teve complacência, ao passo que a censura, destinada a paralisar os estudantes e a intelectualidade de oposição, se provou contornável. Assim, em pouco tempo a esquerda voltava a marcar presença e até a predominar no movimento cultural, só que agora atuando em âmbito socialmente confinado, pautado pela bilheteria e distante dos destinatários populares, que no período anterior haviam conferido transcendência — em sentido próprio — à sua produção. Por um acaso infeliz, ou melhor, por força da vitória da direita, a nova geração teatral alcançava a plenitude artística, de que a questão revolucionária fazia parte, no momento em que as condições históricas favoráveis a seu projeto haviam desaparecido. Depois de ter sido um movimento efetivo da intelectualidade de esquerda, a ida estético-política ao povo refluía para a condição de experimento glorioso e interrompido, que continuaria alimentando a imaginação de muitos, ao mesmo tempo que, noutro plano, se transformava em matéria de êxito no mercado cultural. Como não podia deixar de ser, o triunfo em cena daquela mesma esquerda que, na rua, fora batida quase sem luta, iria trazer e elaborar as marcas do que sucedera, levando a rumos imprevistos, entre muitas outras coisas, a própria experimentação brechtiana. Por exemplo, a utilização dos procedimentos narrativos, concebida originalmente para propiciar a distância crítica, nalguns momentos via-se transformada por

Boal e Glauber no seu contrário, em veículo de emoções nacionais, "de epopeia", para fazer contrapeso à derrota política. Estava de volta a identificação compensadora de que Brecht desejara livrar a cultura. Paralelamente, no teatro de Zé Celso os efeitos de distanciamento adquiriam um timbre equívoco, mais da ordem da dissociação que do esclarecimento, em que autodenúncia feroz (o impulso crítico) e autocomplacência descarada (a desqualificação da crítica, uma vez que os seus portadores haviam sido derrotados) alternavam e se confundiam, encenando uma espécie de colapso histérico e histórico da razão. São pontos de chegada substanciosos, por vezes impressionantes, em que se condensaram impasses de nosso destino recente.

Em 1968, através do Ato Institucional nº 5, a ditadura estendeu à oposição de classe média e alta, bem como ao campo da cultura, a repressão que até aquele momento havia reservado ao movimento popular. Ao sujeitar ao terror a sua própria base social, perdia o que lhe restava de critério e alcançava um patamar superior de barbárie. Na sua parte crítica, a vida intelectual ficava sem dimensão pública possível. Contudo, proibir não é refutar, e nesse sentido a inspiração brechtiana, como aliás o debate geral da esquerda, saíam de cena mas não perdiam a razão de ser. Até pelo contrário, a repressão era como que o atestado vivo de sua atualidade. A surpresa viria mais adiante, ao longo dos anos 70, quando a abertura política deu espaço à retomada das posições anteriores — *mas estas já não convenciam.* Devido à ditadura, o debate político ficara na geladeira enquanto o mundo e o país mudavam. Ora, por mais que a nossa crítica literária diga o contrário, os procedimentos artísticos têm pressupostos que não são artísticos eles próprios: a derrocada do comunismo, que havia começado, bem como as novas feições do capitalismo, afetavam a técnica teatral de Brecht na sua credibilidade. Entrávamos no mundo de agora.

A explicitação do artifício artístico foi um procedimento geral das vanguardas, decididas a rasgar o véu sacralizador e naturalizante da forma orgânica. Para uns, tratava-se de atacar a parte da reverência apassivadora na atitude estética. Para outros, de desautomatizar a atenção de leitores ou espectadores, embotada pelo hábito. Para outros ainda, de salientar o aspecto material do trabalho dos artistas, para alinhá-lo no bloco do progresso, com as outras formas de produção profana. Todas essas dimensões existiam no procedimento brechtiano, onde entretanto elas mudavam de alcance, ao se verem inscritas diretamente na virada geral da história contemporânea, do capitalismo ao comunismo. O vínculo entre o experimentalismo acintoso e a luta pela transformação política da sociedade conferia à literatura de Brecht um tipo peculiar de pertinência, para não dizer autoridade. Pelas mesmas razões, ela ficaria mais vulnerável que outras ao desmentido que a história infligiu a suas expectativas.

Esquematicamente, a transformação brechtiana do teatro — concebida nos anos 20 — pressupunha que estivesse em curso a *superação* do capitalismo pelo comunismo, ou, em faixa paralela, o seu *travestimento* pelo fascismo. Dirigidos contra este último, os procedimentos anti-ilusionistas ensinavam a sobriedade mental *anti-kitsch*, capaz de lhe denunciar as imposturas. Quanto ao capitalismo, a posição distanciadora punha em relevo a sua irracionalidade *obsoleta*, que os trabalhadores — ou seja, a revolução — iriam superar. Ora, como hoje é do conhecimento geral, a experiência histórica feita em nome do comunismo se afastou imensamente dos propósitos iniciais e levou a pior no confronto com a ordem do capital. Há diferentes explicações para a derrota, mas, sejam quais forem, ficou difícil imaginar que no campo do "socialismo real" se estivesse gestando uma sociedade de tipo superior. As revelações a respeito, vindas no bojo do colapso, espantaram até os bem informados. Assim, a clarividência e a dianteira histórica *presumidas* no procedimento brechtiano ficavam sem apoio no andamento real das coisas, transformando em ilusão a superioridade crítica. O distanciamento fazia fosforescer a face caduca do mundo capitalista, mas não habilitava por si só a visualizar o esperado sistema de vida melhor — cuja feição voltava a ser desconhecida. Digamos então que, hoje como ontem, o caráter absurdo e devastador do capitalismo se impõe como uma evidência, a qual contudo está historicamente presa a outra, à revelação da dinâmica regressiva das sociedades que romperam com o padrão burguês na tentativa de superá-lo. Isso não torna insuperável esse padrão, mas mostra que não é suficiente sair dele para criar outra ordem superior. Diferentemente do que a esquerda supunha, a passagem da crítica à superação mostrou não ser automática, nem óbvia. Na circunstância, o componente didático do distanciamento brechtiano ficava sem ter o que ensinar, ao menos diretamente, e mudava de sentido. Uma encenação à altura do que a contragosto todos aprendemos tem de levar em conta esse horizonte difícil, sob pena de transformar em *kitsch* de segundo grau a gesticulação da sobriedade.

Pensando no público em que se inspiravam as suas inovações, e que elas por sua vez estilizavam, Brecht se refere a "uma assembleia de transformadores do mundo" — uma companhia peculiar, de caráter proletário, amiga sobretudo da insatisfação bem formulada, do espírito crítico e de propostas subversivamente materialistas e práticas.[6] Se não for uma ilusão retrospectiva, esse espectador sob medida para o teatro político existiu durante um curto período, nuns poucos lugares, ligado a condições especiais, que merecem reflexão.[7] Era o resultado da confluência entre os "teatros livres" —

6. Bertolt Brecht, *Arbeitsjournal*, Frankfurt/M., Suhrkamp, 1974, vol. 1, p. 270.

7. Comentando as condições de existência de um verdadeiro teatro político, Brecht anota com parcimônia sardônica: "Depois da Primeira Guerra Mundial, havia teatro em quatro países: o primeiro passara por um cataclismo social completo; o segundo, por um cataclismo pela metade; o terceiro, por 1/4; o último, por 1/8. — O terceiro era a Tcheco-Eslováquia, e o quarto a América, depois da grande crise". Não é preciso dizer que o primeiro havia sido a Rússia, e o segundo a Alemanha. Id., ibid., p. 315.

um experimento importante, filiado à literatura naturalista, no qual a contribuição voluntária dos associados afastava da cena as considerações mercantis e o ponto de vista oficial — e o avanço histórico das organizações operárias autônomas. Como bem observa Iná Camargo Costa, essa aliança configurava, parcialmente, uma apropriação popular dos meios de produção cultural.[8] Logo adiante, entretanto, com a imposição do interesse nacional soviético no interior do movimento dos trabalhadores, o quadro passava a ser outro. A dimensão crítica do distanciamento brechtiano deixava de ter o vento da história a seu favor, em especial no campo socialista, e se tornava um exercício de estilo ou, também, de nostalgia de épocas gloriosas — recém-encerradas, antes quase de começarem, o que não as impede de existirem como o momento canônico da revolução. Para fechar o círculo, lembremos que na URSS dos anos 70 a "mania de consertar o mundo" veio a ser o nome próprio da doença mental dos dissidentes, cuja cura exigia internamento psiquiátrico. Trabalhando na República Democrática Alemã, não seria estranho que um operário de linha brechtiana se opusesse à inculcação ideológica "habitual mas incompreensível", para em seguida preferir o capitalismo e acabar na cadeia. O alinhamento automático entre distanciamento e socialismo havia muito tempo era ideologia.

Quando foi derrubado, em 1964, o governo Goulart levantava bandeiras sociais avançadas. O golpe militar em defesa de "tradição, família e propriedade" confirmava uma vez mais a distribuição clássica de papéis, que nos países desenvolvidos saíra da ordem do dia: a esquerda queria mudar a sociedade, ao passo que a direita se aferrava ao passado. Com as diferenças do caso, esse havia sido o próprio horizonte inicial das vanguardas históricas, horizonte que dava sinais de persistir no Terceiro Mundo, onde o dispositivo lite-

8. Iná Camargo Costa, *Sinta o drama*, Petrópolis, Vozes, 1998, pp. 19-26; Anatol Rosenfeld, *Teatro alemão*, São Paulo, Brasiliense, 1968, pp. 120-3.

rário de Brecht reencontrava a justeza antiga. Assim, o programa de desnaturalização das convenções teatrais parecia parte e símbolo de outra viravolta mais transcendente, alinhando com a superação socialista da ordem burguesa, *incapaz de evoluir.*

Pois bem, passados dez ou quinze anos, quando o arrastado processo de abertura política permitiu que as reflexões estéticas e históricas voltassem a comunicar entre si, constatou-se que os anos de ditadura não haviam sido propriamente conservadores — sem prejuízo de seu horror. Além do salto dado pela indústria e por sua internacionalização, que mudavam muito as coisas, houve nos anos do "milagre econômico" uma considerável liberação dos costumes sexuais, a relativa rotinização do uso de drogas, a incorporação de uma parte dos pobres ao consumo de massas, por precário que fosse, bem como o grande avanço da mercantilização na área da cultura, com a correspondente dessacralização dessa última. A ditadura foi antipopular, mas não tradicionalista, nem desdenhava cálculos maquiavélicos, antitradicionais a seu modo. É possível, por exemplo, que "liberalizasse" em áreas tabu, até então desvinculadas da política, ao mesmo tempo que suprimia, mediante policialismo e terror, as liberdades públicas essenciais. Caetano Veloso assinalou o problema de outro ângulo, ao observar que a poesia tropicalista teve como pano de fundo a coincidência entre o auge da contracultura e o pior período autoritário.[9]

Seja como for, a recuperação capitalista de aspirações libertárias, próprias até então à tradição antiburguesa, começara também no Brasil, desativando em vários pontos o sistema de alternativas em que se inspira o engajamento socialista. A certeza da esquerda, segundo a qual o partido do movimento era ela própria, ao passo que seu adversário seria *conservador* e *passadista*, perdia o pé na realidade (e se mantinha viva ao preço de as palavras ficarem sem sentido). A vitória do capital só não era tão completa quanto nos

9. Caetano Veloso, *Verdade tropical*, op. cit., p. 363.

países do centro porque entre as forças que obrigaram à abertura política estava o novo sindicalismo independente, que em seguida daria base ao Partido dos Trabalhadores. Durante alguns anos, atípicos à vista do que se passava no mundo "adiantado", o antagonismo entre trabalho organizado e capital pareceu comandar a cena brasileira à maneira clássica, prevista pela esquerda. A ideia de progresso não se esgotava em mera mudança e permanecia vinculada, como a um pré-requisito evidente, à superação mais ou menos programada de iniquidades históricas — até que também aqui o sindicalismo perdesse a iniciativa, batido pela nova preponderância que a mundialização, e a concomitante ameaça de crise, conferiam ao capital. Este se impunha através da quase fatalidade e do quase automatismo de seu curso de mudanças aceleradas, que saía caro não acompanhar (mais caro para uns que para outros), ao passo que os estragos decorrentes já não encontram correspondência plausível na noção de progresso, mas tampouco na de passadismo. A esfera supranacional das decisões de investimento, na qual dívidas social-históricas têm pouca entrada, reserva a seus representantes o uso como que exclusivo da fala com relevância, ou com acesso a financiamento, o que dá no mesmo. As queixas sinceras que os procuradores do capital mundializado e *progressista* opõem ao *conservadorismo impatriótico* dos sindicatos e demais defensores da nacionalidade, sempre derrotados, expressam o novo sistema de ilusões e a nova correlação de forças. O questionamento do capital parece já não estar a cargo dos trabalhadores, mas das contradições dele próprio, que evolui sem adversário de peso equivalente. O ímpeto da inovação, bastante às cegas e num ritmo de feira tecnológica, em que a desnaturalização adquire algo desmesurado, de calamidade da natureza, está com o dinheiro. Em comparação, nada mais *comedido* que a dessacralização brechtiana da desigualdade social.

Embora se considerasse criador e teórico de um teatro novo,

Brecht insistia na antiguidade do teatro épico. Este fora praticado por chineses e japoneses, por elisabetanos e espanhóis do *Siglo de Oro*, sem esquecer os autos medievais e o didatismo dos padres jesuítas. Assim, as técnicas da representação anti-ilusionista não eram originais, ou melhor, elas se tornavam modernas em sentido forte só quando retomadas — como foram — no horizonte revolucionário à volta da Primeira Guerra Mundial, com seu movimento operário, antiburguês e anticapitalista, que fazia a diferença. Nessas circunstâncias, umas poucas sociedades — talvez se devesse dizer cidades — se dotaram de um *teatro político*. Tratava-se de um instituto peculiar, que tinha como premissa um movimento popular poderoso, emancipador, capaz de se defender contra os adversários, além de se interessar pelo livre exame de suas questões vitais, com vistas em transformações práticas. Para assinalar o incomum dessa criação, Brecht lembra que a maioria das grandes nações não se inclinava a examinar os seus problemas no palco, e que Londres, Paris, Tóquio e Roma mantinham os seus teatros com finalidades completamente outras, ficando à margem da inovação.[10] — Mas voltemos à afinidade entre a revolução social e o pacote dos procedimentos anti-ilusionistas. A encenação que a par da matéria substantiva busca e discute a si mesma em todos os planos, incluídas as suas condições materiais, como que desnaturalizando as relações entre esses aspectos, é um análogo da sociedade em vias de esclarecer e transformar os próprios fundamentos. Com mais ou menos consciência, o cultivo modernista da autorreferência alude a essa virtualidade prometeica, autocriadora, que lhe empresta a vibração *radical*. A clareza política de Brecht a respeito ajuda a ver o vínculo de origem, ao mesmo tempo que faz refletir sobre os rumos da ul-

10. Ver "O teatro épico pode ser feito em qualquer lugar?" (Sobre uma dramaturgia não aristotélica), e "Teoria política da desfamiliarização" (Nova técnica da arte dramática), *Gesammelte Werke*, vol. VII, Frankfurt/M., Suhrkamp, 1967, pp. 272 e 358.

terior dissociação. A inviabilidade desse teatro crítico nos países fascistas e, a partir de certo momento, na URSS, dispensa comentários. Mais oportuno hoje é considerar as redefinições ocorridas em nossa própria sociedade, em que até segunda ordem o ponto de vista da mercadoria adquiriu uma primazia inédita.

É fácil notar o uso que a publicidade tem feito dos resultados mais sensacionais da arte de vanguarda, entre eles os recursos do ator brechtiano. O ganho em inteligência representado pelo distanciamento, concebido outrora para estimular a crítica e liberar a escolha social, troca de sinal sobre o novo fundo de consumismo generalizado, ajudando, suponhamos, a promover uma marca de sapólio. Vocês estão lembrados do excelente ator que faz a propaganda de televisão da palhinha Bom Bril. O distanciamento não só deixou de distanciar, como pelo contrário vivifica e torna palatável a nossa semicapitulação, a consciência de que entre as marcas concorrentes de sapólio pode não haver grande diferença, e de que no entanto nos realizamos "escolhendo". Noutro plano, como se observa na abertura de qualquer noticiário de TV, também o foco brechtiano na infraestrutura material da ideologia — na inclusão didática dos bastidores na cena de primeiro plano — trocou de sentido, funcionando como apoio à autoridade do capital, e não como crítica. As câmaras e os operadores filmam outras câmaras e outros operadores, que filmam o estúdio, o logotipo gigante e os apresentadores. Aí está, para não ser ignorado, o aparato industrial-mercantil por trás das mentiras e das informações ineptas que ouviremos em seguida, de cuja seriedade o volume impressionante da tecnologia, do trabalho e do dinheiro envolvidos, que certamente merecem crédito, não permitem duvidar. Assim, o próprio materialismo da autorreferência brechtiana parece comportar utilizações apologéticas. Depois de haver sido um chamado à emancipação, a insistência no caráter social e não-natural da engrenagem que nos condiciona passou a funcionar, paradoxalmente, em parte talvez por uma questão de tamanho, como um dissuasivo.[11]

Noutras palavras, o distanciamento artístico parece desvitalizado pelas circunstâncias: que mais quer o materialista, se há mercadorias à escolha e se a engrenagem mercantil integra a todos? Essa objeção, que tem (ou teve?) o apoio do dia a dia nos países em que o salário e a previdência social integraram a classe trabalhadora, está por trás da transformação de Brecht em clássico, quer dizer, em genial escritor de outras eras. No Brasil, onde mais uma vez vivemos um momento de *atualização*, ou seja, de modernidade definida pelo padrão mundializado, que é o dos países de que dependemos, não tivemos dúvida em achar que estamos no mesmo caso ou, pelo menos, no mesmo caminho. Mas será exato?

Na esfera do teatro — que não é decisiva no capítulo — o interesse renovado por Brecht aponta em direção diversa. Até onde entendo, e vocês dirão se me engano, o ensinamento que se busca no anti-ilusionismo dele é mais da ordem da pergunta que da resposta, embora a sondagem tenha horizonte de engajamento coletivo. Não assim porque a solução esteja lá, pronta, mas porque diante das proporções e da história da desigualdade brasileira a ideia "atualizada" e pró-mercado de renunciar à intervenção coletiva, ou de estacionar nos limites recomendados, do espectador, do consumidor e do eleitor, *parece ficar aquém*, implicando a atrofia de formas de consciência já desenvolvidas. Com perdão do esquematismo, imaginemos que até 64-68 a desnaturalização brechtiana funcionasse como uma palavra de ordem oportuna, sob encomenda para remover o verniz

11. Comentando o rádio e o cinema norte-americanos, Adorno observa que "eles se definem a si mesmos como indústrias, e as cifras publicadas dos rendimentos de seus diretores-gerais suprimem toda dúvida quanto à necessidade social de seus produtos". *Dialética do esclarecimento*, Rio de Janeiro, Zahar, 1985, p. 114. Há um intervalo de mais ou menos dez anos entre as formulações de Brecht e as de Adorno, que são do começo da década de 40.

de eternidade que protegia, além do palco, o latifúndio e o Imperialismo. Em seguida, com o surto industrial dos anos do "milagre" e com o surgimento de uma classe operária moderna, o momento pareceria favorável ao componente anticapitalista daquela palavra de ordem. Contudo, a dimensão extranacional pesou mais, como aliás era natural, e a nota dominante do período foi dada pela falência e derrota do campo socialista, esvaziando o ponto de fuga da concepção brechtiana, que é prático. Nova viravolta agora, nos anos 90, quando a ideologia oficial brasileira coincide com o ponto de vista que pusemos em epígrafe, segundo o qual "as regras da economia global são como a lei da gravidade", uma nova natureza que beneficia a todos que não a desrespeitam. Diante disso, a veracidade e o bem-achado do programa desnaturalizador e distanciador têm tudo para ressurgir em novo patamar. E de fato, uma pequena parte do mundo teatral trabalha a fundo na assimilação das técnicas de Brecht, apostando nelas como escola de formação superior: espera que a excelência da orientação artística aprofunde a noção que temos de nós mesmos e do caráter disforme e intolerável da presente *normalidade social*, ou da presente *modernidade.*

Para os fins de nosso comentário, tomamos o procedimento da desfamiliarização como a suma da *atitude brechtiana*, que discutimos em seus altos e baixos na história recente. Ficaram de lado as grandes obras dramáticas, em que se assenta a glória do artista, a sorte das quais no entanto envolve muitos outros fatores. Brecht não acharia errado o recorte, pois de fato reconhecia um valor à parte a certo molde ostensivo, ligado à pessoa, que havia cultivado e aperfeiçoado como uma espécie de dandismo de esquerda: um misto de provocação e distância desabusada, cujo alcance não se esgotava no campo literário. Atribuía-lhe função para política, de vacina anti-ideológica, sob medida para as imposturas da ordem burguesa. Com efeito, ao fazer da vexação da empatia — operada pelo distanciamento — a dialética de suas encenações, no palco ou fora dele, ao sujeitar a fascinação pelo indivíduo ao contraditório das causações materialistas e das realidades coletivas, com sua lógica de outra ordem, Brecht apurava uma nova forma de consciência, afinada com a superação *proletária* da sociedade capitalista. Tratava-se de tornar produtiva a relativização do indivíduo, de que a reflexão teórica e estética do tempo andava cheia, e sobretudo de responder ao caráter teratológico do espetáculo oferecido pela sociedade do capital, desde que olhada com distanciamento, por um prisma de classe antagônico. Ora, se o processo efetivo não tomou feição superadora e o curso das coisas foi outro, a decifrar, o prognóstico embutido naquela postura se torna uma tese duvidosa por sua vez, a ser tomada como parte do problema, e já não como lição.

A certa altura de seu ensaio capital sobre a literatura engajada, Adorno observa — deslocando o debate — que no teatro de Brecht o primado da doutrina atua como um elemento de arte; ou que o didatismo, no caso, é um princípio formal. Embora quebre a redoma da esfera estética, a relação militante com o espectador funcionaria por seu turno como uma lei de composição, armando um jogo que suspende a transitividade simples. Assim, diversamente do proclamado, a verdade das peças não estaria nos ensinamentos transmitidos, nos teoremas sobre a luta de classes, mas na dinâmica objetiva do conjunto, de que eles e a própria atitude didática seriam uma parte a interpretar, e não a última instância. O ensaio, que conhece e critica as posições político-estéticas de Brecht, dá mais peso à obra que à teoria, ou melhor, vê o papel desta no interior daquela. Sem prejuízo das muitas objeções incisivas — a meu ver todas certeiras — a retificação operada por Adorno ajuda o admirador do teatro didático a entender por que ensinamentos de alcance modesto o podem interessar tanto.[12] Libera também os nossos olhos para os requintes formais da

12. T. W. Adorno, "Engagement", *Noten zur Literatur, Gesammelte Schriften*, vol. 11, Frankfurt/M., Suhrkamp, 1974, pp. 415-22. Do mesmo autor, também sobre a

literatura brechtiana, obscurecidos pela saliência das questões políticas, mais fáceis de discutir. Sirvam de exemplo as misturas dissonantes de brutalismo e acuidade intelectual, ou de materialismo peso pesado e, do outro lado, delicadeza na condução de andamentos e raciocínios, à beira do arabesco e da variação abstrata. As correspondências oblíquas e flutuantes com a luta de classes fazem que essas combinações inesperadas se possam contemplar indefinidamente, pelas sugestões contraditórias que trazem. Noutras palavras, depois de desacatada em primeiro plano, à maneira vanguardista, a imanência formal se restabelece em outro raio mais amplo, sem garantia convencional, por força dos infinitos cuidados com a composição. Estes vêm subordinados à recusa política da inocuidade artística — ou vice-versa? — num sentido que cabe à encenação configurar. Consta, não lembro onde, que Brecht pensava em reservar uma sala de seu teatro, na Alemanha socialista, à produção de escândalos. É uma história plausível, que torna palpável a sua ideia especial de engajamento literário, ligada à transformação das técnicas e dos dispositivos práticos da cultura, no caso para sacudir o espectador, didaticamente, um pouco para além da contemplação estética, mas com o consentimento deste e com cobertura de instituição.[13]

posição de Brecht, ver *Ästhetische Theorie, Gesammelte Schriften*, vol. 7, pp. 366-7. Para uma apreciação menos favorável do ensaio sobre o engajamento, Iná Camargo Costa, "Brecht, Adorno e o interesse do engajamento", in *Sinta o drama*, Petrópolis, Vozes, 1998.

13. Peter Bürger procurou apontar o lugar específico de Brecht no mapa da arte moderna. Mais clarividente que os "vanguardistas", este não pensava cancelar a diferença entre arte e vida, nem queria liquidar a "instituição artística". Mas tampouco admitia deixá-la intocada, à maneira dos escritores "modernistas". Para ele, que se inspirava no marxismo, tudo estava em não abastecer a instituição tal e qual, mas em transformá-la. Cf. P. Bürger, *Theorie der Avantgarde*, Frankfurt/M., Suhrkamp, 1974, pp. 123-8. Ver igualmente José Antonio Pasta Junior, *Trabalho de Brecht* (São Paulo, Ática, 1986), que dá a importância devida ao papel que o escândalo tem na concepção do dramaturgo.

Acabamos de ver, no palco, que a *Santa Joana* é uma obra esplêndida. Isso anula as questões que levantamos? Só teríamos a perder com uma resposta simples. Antes de comentar algumas das extraordinárias verdades de sua configuração, que aliás não estão menos no tempo que a teoria estético-política a que se prendem, notemos — para refletir a respeito — que também aqui existem os aspectos que a experiência histórica tornou difíceis de aceitar.

Vocês terão observado que por comparação, ao contrário do que desejava o autor, a fala do dirigente comunista é pouco interessante. É certo que este se distingue por entender o essencial: explica os mecanismos da exploração e da especulação capitalistas, as suas relações com o desemprego e a baixa dos salários, além de saber que os trabalhadores só têm força quando agem coletivamente, e que a passagem à greve geral e ao uso da violência está na lógica dessa ação. A sua inteligência instruída de teoria contrasta superiormente com a mesquinharia e a credulidade gerais. Ou ainda, as suas razões duras e objetivas se contrapõem com vantagem à grandiloquência dos enganadores, a qual cai no ridículo, sublinhado pela dramaturgia. *Contudo, nem por isso as suas palavras dispõem de vibração à altura da virada superadora e inaugural que parecem prometer*, o que não deixa de propor um enigma. A despeito de dizerem *o que é*, e de adquirirem a autoridade correspondente, elas são cinzentas e *burocráticas*, no que de fato formam uma exceção no interior da peça. É como se a verdade — ou as certezas — da posição bolchevique não emitissem a luz que a composição artística esperava delas. Ou, invertendo os termos, como se a composição estivesse pedindo a seu material o que ele não podia dar...[14]

Lembremos que a *Santa Joana* é anterior ao predomínio do stalinismo no interior da esquerda, e que a tentativa brechtiana de

14. Bertolt Brecht, *A Santa Joana dos Matadouros*, São Paulo, Paz e Terra, 1996, pp. 127-8.

encontrar *poesia* na linguagem partidária — anônima, padronizada e autorizada — expressava um sentimento histórico e uma aposta: os militantes ilegais, com sua disciplina e abnegação, estariam entre as figuras-chave da luta pela nova era de liberdade. Ora, a vizinhança desse clima com o absolutismo stalinista, que começava a ocupar o campo, salta aos olhos de hoje e torna difícil a separação completa das águas. Veja-se a propósito dessa ambiguidade o terrível elogio do heroísmo, ou sacrifício, dos revolucionários profissionais.

UM
Que gente é essa?

O OUTRO
Nenhum desses
Cuidou só de si.
Viveram sem paz
Para dar pão a desconhecidos.
O PRIMEIRO
Por que sem paz?
O OUTRO
O injusto anda calmamente na rua, mas
O justo se esconde.

O PRIMEIRO
Qual é o futuro deles?

O OUTRO
Embora
Trabalhem por salários pequenos e sejam úteis a inúmeros
Nenhum deles vive até o fim os seus anos
Nem come o seu pão, nem morre satisfeito
Nem se enterra com as honras devidas. Acabam

Isso sim, antes do tempo natural e são
Liquidados e desfigurados e insultados
No seu enterro.

O PRIMEIRO
Por que não se ouve falar neles?

O OUTRO
Quando você lê nos jornais que um bando de criminosos foi fuzilado
Ou recolhido à penitenciária, são eles.

O PRIMEIRO
Isso continuará sempre assim?

O OUTRO
Não.[15]

Instruídos pelo meio século que passou e pela revelação de outras faces da medalha heroica, em particular a disciplina incondicional e a apropriação nacionalista-soviética da luta de classes, dificilmente saudaremos nesses *justos* os mensageiros da nova era. Levado em conta o labirinto dos interesses escusos em guerra, que agora é do conhecimento comum, as fortes figuras de *ativista* que nos fitam do passado adquirem uma nota indecisa. E se muito pelo contrário elas fossem as *vítimas* em *sursis* — ora generosas, ora autoritárias, ora sinistras — dos Estados e das polícias políticas, tanto as do adversário como as do próprio campo comunista? A interrogação dessas ambiguidades alucinantes, para não dizer duplicidades, e do déficit expressivo que as acompa-

15. Op. cit., pp. 174-5.

nhou, o qual reflete uma imensa derrota histórica, é talvez o desafio mais difícil para uma encenação responsável da peça.

Em tudo que diz respeito à vida do capital, por outro lado, *A Santa Joana dos Matadouros* brilha incrivelmente. Acresce que o nosso próprio universo, da Lua ao patrimônio genético, no momento tende a ser cotado em Bolsa e que esta vive à beira da quebra, exatamente como na peça, cuja oportunidade não podia ser maior. Ainda que os especialistas jurem que o *crash* de 29 não se repetirá, a choradeira dos "pequenos especuladores", esmagados pela especulação dos grandes, ou a miséria dos trabalhadores, a quem a saudável concorrência entre as indústrias desemprega, parecem saídos do noticiário de hoje. Dito isso, a impressão extraordinária não decorre apenas da semelhança imediata. Tão importante quanto esta é a ressonância que o assunto novo e decisivo — o ciclo da crise capitalista — encontra nas formas culturais canônicas, integradas à justificação da ordem burguesa.

Como se sabe, a *Santa Joana* é resultado dos estudos marxistas a que Brecht se dedicou na segunda metade dos anos 20, com o propósito de entender e de transpor para o teatro o movimento efetivo da sociedade contemporânea. Fredric Jameson refere-se com acerto a um lado Balzac no trabalho do dramaturgo, enfronhado em toda sorte de segredos de ofício, como por exemplo as engrenagens da luta de classes, as sutilezas do dinheiro, os mecanismos da Bolsa de Valores, os macetes da retórica fascista, os cálculos envolvidos na mendicância organizada etc.[16] Esse atualismo da inteligência artística representa por si só uma façanha, mais ainda se lembrarmos os pressupostos individualistas e anacrônicos do drama burguês, com os quais o homem de teatro tinha de se haver. A disposição de incorporar às letras o *realismo* trazido pela visão marxista, ou, ainda, de

16. Fredric Jameson, *Brecht e o método*, Petrópolis, Vozes, no prelo, prólogo e parte III, 16.

não construir sobre fundamento obsoleto, leva entre outras inovações à troca do eixo personalista pelo eixo coletivo, de massas, na composição: esta se ordena segundo o ciclo da crise do capital, com etapas de prosperidade, superprodução, desemprego, quebra e nova concentração econômica, contra as quais se rompem os propósitos individuais. Isso posto, a estatura singular da *Santa Joana*, dentro também da obra de Brecht, depende da adoção de mais outro ângulo inesperado, o qual — hoje — faz a diferença.

É fácil imaginar que a revelação do materialismo, na escala avassaladora ensejada pela Primeira Guerra Mundial e pela Revolução Russa, significasse a desqualificação ideológica do período anterior. Desse ponto de vista, tudo que cheirasse a idealismo, cartilha patriótica, autoridade dos clássicos nacionais, âmbito burguês ou resquício feudal adquiria tonalidade grotesca ou odiosa. Entretanto, apesar do clima de liquidação, talvez se possa distinguir entre vertentes da crítica materialista. Numa, os milhões de soldados mortos e a fome das populações fazem ver que entre o interesse econômico (o comércio de canhões) e a inculcação cultural e nacionalista há uma aliança que possibilita a guerra e é de classe. Na outra vertente, a mesma catástrofe ensina que tudo é ilusão, salvo a sobrevivência econômica da própria pessoa, reproduzindo assim o individualismo burguês, ou o antagonismo universal, em novo patamar. Em ambos os casos, o *corpus* ideológico da civilização de pré-guerra sofre uma desmoralização radical, seja em nome do sofrimento das massas (variante de esquerda), seja em nome do interesse econômico nu e cru, que a cultura burguesa prévia decorosamente encobria (o novo realismo do capital). A *Santa Joana* incorporou as duas acepções no que tinham de mais depreciativo e bem fundado, *mas sem lhes aceitar o corolário "reducionista"*, que mandava jogar a mencionada cultura no lixo por falta de substância.

Em vez de fazer tábula rasa do passado, Brecht, cuja posição a respeito era própria, tratou de montar uma antologia estratégica de textos máximos da tradição, a que as falas das personagens aludem sistematicamente. O escritor não abria mão da cultura consagrada, embora lhe sublinhasse o lado especioso, que o tempo trouxera à tona. Apoiado em seus dons excepcionais de pastichador, expunha as peripécias da luta de classes e os cálculos do cartel dos enlatados — a matéria nova — em versos imitados de Schiller, de Hölderlin, do segundo *Fausto*, da poesia expressionista, ou também dos trágicos gregos, vistos como alemães *honoris causa*. Os recursos literários mais celebrados da literatura nacional, ou, por extensão, o melhor e o mais sublime da cultura burguesa, contracenavam de perto com a crise econômica. Esta última, para agravar a afronta, é vista no âmbito satírico e sangrento da indústria de carne em conserva, onde matança, raciocínio financeiro e fome convivem pela natureza das coisas, metaforizando os tempos e fixando os ensinamentos deixados pela guerra.

A novidade não estava no contraste artístico entre o mundo moderno e a tradição clássica. Afinal de contas, a diferença cômica entre o herói homérico e o burguês encartolado e barrigudo foi um lugar-comum do século XIX. Noutra chave, vários dos principais escritores modernistas procuraram dar parentesco mítico a seus episódios contemporâneos, para lhes atenuar a contingência e lhes emprestar generalidade, dignidade arquetípica, eternidade etc., mesmo que irônicas, ou para lhes acentuar a sordidez. Basta pensar em Gide, Proust, Thomas Mann, Kafka, Joyce, Eliot e outros mais. Na obra de Brecht, que pertence quase aos mesmos anos, essa distância entre os modelos ilustres e o tom do presente assume uma feição própria, impregnada de marxismo, ou seja, de análise de classe e de busca da unidade do processo. A concatenação a frio do interesse econômico o mais cru e do idealismo filosófico e lírico o mais exaltado (a dimensão clássica alemã), sob o signo da crise capitalista, que é escarninho, compõe um Frankenstein. A ferocidade da caricatura até hoje faz correr um arrepio na espinha. Extravagante e certeira, a montagem brechtiana cancelava a passagem do tempo e obrigava à promiscuidade pública as aspirações *iniciais*, ou também *máximas*, e os pontos de chegada *presentes* da civilização burguesa. Ora, os resultados desta última, quanto à injustiça de classe e à degradação, incitam a uma paráfrase deprimente daquela mesma dignidade humana e harmonia social que num momento anterior os poetas e filósofos haviam idealizado. Assim, o que a dissonância coloca em jogo é uma relação histórica *interna*, satiricamente compactada.[17] A enormidade do efeito diz tudo, mas não é fácil de especificar.

A título indicativo, tomem-se as variações engenhosas com que os magnatas da carne enlatada formulam a sua angústia, que é da inadimplência, nos termos soberbos do sentimento hölderliniano do destino: como a água, que não conhece descanso, os humanos (ou serão os capitalistas?) tombam de penhasco em penhasco até o fundo insondável do abismo (a falta de fregueses solventes).[18] Ou tome-se a compaixão vegetariana — tingida de

17. Saudando o *Romance dos três vinténs,* em 1935, Walter Benjamin observa que até recentemente a figura *moderna* do gângster não era familiar na Alemanha. "Com efeito, o traço drástico de barbárie, que caracteriza a miséria dos explorados desde o início do capitalismo, só tardiamente marcou o lado dos exploradores. Brecht trabalha em presença dos dois âmbitos. Por isso ele conjuga as épocas, situando os seus gângsteres numa Londres que tem o ritmo e o aspecto dos tempos de Dickens. As circunstâncias da vida privada são de ontem, as da luta de classe, as de hoje. Esses londrinos não têm telefone, mas a sua polícia já usa tanques." W. Benjamin, "Brechts Dreigroschenroman", *Gesammelte Schriften,* Frankfurt/M., Suhrkamp, 1972, vol. III, p. 440.

18. Os versos de Hölderlin que servem de mote são os seguintes, tomados à "Canção de Hyperion" (trad. José Paulo Paes): "Mas a nós não é dado/ Repouso em parte alguma./ Exaurem-se, sucumbem/ Os homens sofredores/ Cegamente atirados,/ Ao longo dos anos,/ De uma a outra hora, de/ Penhasco em penhasco,/ Até, lá embaixo, o Incerto". A estrofe está em oposição às precedentes, onde os "gênios venturosos" caminham sobre "chão macio", ou dormem o sono da inocência, felizes

lirismo expressionista — com que Bocarra, o rei dos frigoríficos, justifica a venda em boa hora de sua parte no negócio das conservas:

como crianças de peito, quando não "Contemplam a paz/ Da eterna claridade". Anote-se a nota prometeica na nobreza atribuída ao "Incerto", à insatisfação, ao sofrimento, que contrastam com a plenitude descansada dos divinos.

Alinho a seguir os principais passos em que esse arcabouço é reutilizado na *Santa Joana*. O leitor terá uma ideia do alcance da operação brechtiana.

A primeira alusão ao poema refere-se à decisão de Joana, que quer conhecer e combater a causa da miséria dos trabalhadores. A advertência vem de Marta, sua companheira no movimento dos Boinas Pretas: "Nesse caso o teu destino é negro, Joana./ Não te intrometas em disputas terrenas!/ Quem se mistura é tragado./ A tua pureza não resistirá. Breve/ Em meio à frieza geral estará perdido/ O teu pouco calor. A bondade abandona/ Quem se afasta do aprisco./ De degrau em degrau/ Buscando sempre mais embaixo a resposta que não alcanças/ Desaparecerás na sujeira!/ Porque é com sujeira que se fecham as bocas/ Dos que perguntam sem prudência" (p. 37). Em lugar da queda de Hyperion, temos a descida deliberada de Joana, que quer conhecer a miséria que reina lá embaixo, no "Incerto". Uma descida heroica e, nesse sentido, ascencional. Não é a opinião de Marta, que teme que Joana desapareça na imundície, sugerindo a afinidade do Incerto com as classes baixas; ou pior, receia que usem (quem?) a sujeira para lhe tapar a boca. Se for assim, aliás, a descida não será um destino prometeico, mas uma liquidação infligida pelos de cima. Os deuses no caso seriam a classe dominante?

O esquema reaparece na fala de Criddle, um dos magnatas do enlatado, que aproveita o intervalo do *lockout* para lavar os seus matadouros, engraxar as facas e comprar "[...] umas tantas máquinas/ Modernas, que poupam muito salário./ É um novo sistema, da máxima inteligência./ Suspenso em tela de arame, o suíno sobe/ Ao andar mais alto onde começa a ser abatido./ Com leve ajuda o animal se precipita das alturas/ Sobre as facas. Entendeu? O suíno corta-se/ Por conta própria e transforma-se em salsicha./ Assim, caindo de etapa em etapa, abandonado/ Pela sua pele, que se transforma em couro/ Separando-se de seus pelos que serão escovas/ E deixando enfim os seus ossos — futura/ Farinha — o suíno impele a si mesmo/ Rumo à lata de conserva. Entendeu?" (p. 41). Aqui são os próprios deuses (o industrial capitalista) que abatem a criatura (o suíno) e a precipitam rumo ao Incerto (a lata de conserva). A inteligência técnica associa-se à crueldade com os animais e insinua que a vítima, que vai sendo esfolada por simples efeito natural, de gravidade, tem algo a ver com a classe operária.

Convencida da injustiça sofrida pelos trabalhadores, Joana vai juntar-se a eles

Lembra-te, ó Cridle, aquele vitelo
Que virava o olho claro, grande e obtuso para o céu
Enquanto entrava na faca? Senti como se fosse carne de minha carne.
Ai de nós, Cridle, como é sangrento o nosso comércio.[19]

nos matadouros, onde os comunistas pregam o uso da força e a greve geral, enquanto o exército começa a usar metralhadoras para evacuar a região. Acossada pelo medo, pela fome e pelo horror à violência, Joana entende que o seu lugar não é ali e resolve ir embora. Tomando distância didática de si mesma, ela explica ao público: "Durante três dias na capital das conservas, no lamaçal dos matadouros/ Foi vista Joana/ Descendo um degrau depois do outro/ Para purificar o lodo, para aparecer/ Aos ínfimos. Três dias/ Descendo, enfraquecendo no terceiro/ E por fim desaparecendo no lamaçal. Digam dela:/ O frio foi demais"(p. 146). A descida teve inspiração cristã e propósito salvador, mas a pressão da miséria e dos poderosos prevalece. À primeira vista, desaparecer no lamaçal significa confundir-se com os explorados no seu anonimato. À segunda, lembrando que Joana vai embora, pode sugerir a volta a seus pequenos privilégios anteriores.

Usando de sua "privilegiada inteligência cheia de astúcias", Bocarra fecha grandes contratos com os fabricantes de enlatados, ao mesmo tempo que por baixo do pano manda comprar a totalidade do gado em pé disponível. Para cumprir os contratos, os fabricantes são obrigados a comprar a carne do próprio Bocarra, cujos prepostos pedem mais e mais caro, levando à quebra as indústrias e a bolsa. "[...] os preços despencavam de cotação em cotação/ Como as águas precipitando-se de penha em penha mergulham/ Em busca do fundo do abismo. Vieram parar em trinta." O sujeito da queda aqui são os preços das mercadorias, que caem das alturas do céu e desaparecem no Incerto da perda de valor. Para os bois, o desastre significa a liberdade: "Arquejando, por fim liberta, naquele momento/ Em que contrato algum mais obrigava à sua compra/ A carne bovina entrou para o insondável" (p. 163). O insondável, muito apropriadamente no caso, é a supressão da forma mercantil.

Desbaratada a greve geral, a economia volta a funcionar, agora com menos empregados. Os Boinas Pretas — os soldados de Deus — preparam a sopa, a música e as rezas para enredar os desempregados. "Nós, aqui, a postos! Eles, ali, chegando! Olhem como a miséria acossa os pobres! Olhem como ela os empurra para baixo! Olhem como eles despencam/ Aqui para baixo onde não há saída e a postos estamos: nós!/ Bem-vindos! Bem-vindos! Bem-vindos!/ Bem-vindos embaixo entre nós!" (p. 172). A descida ao Incerto no caso termina nas malhas do desemprego, da religião e do assistencialismo.

19. Op. cit., pp. 19-20.

Qual a ideia por trás desses *sarcasmos de composição*? A nota de farsa grossa deve-se à inviabilidade do capitalista como figura lírica, já que por definição ele defende interesses particulares e de classe, que requerem esperteza — o contrário do abandono poético. A despeito da estilização chapada, que pareceria direcionada e sem revelações, a farsa não podia ser mais ambivalente: faz rir do capital com base na poesia, e da poesia com base no capital. Nada mais baixo que ele, nada mais desfrutável que ela. Estamos no terreno das *charges* políticas do período de Weimar, ou dos quadros de Grosz, com seus capitalistas de nuca espessa, focinho de porco, fraque impecável e cinismo blindado, cruzando na rua com mutilados de guerra, proletárias desnutridas e cachorros famélicos, tudo encimado por clichês do humanismo oficial, num clima de salve-se quem puder. As revoltas e os ódios condensados nessas imagens têm teor muito diverso, tanto de esquerda como conformista ou de direita. Desdobradas pela ação teatral, por outro lado, essas mesmas figuras estereotipadas vão espernear na crise, quando então o seu traço caricato e seu humor drástico se complicam ainda mais, entrando para uma dinâmica de outra ordem, na qual os exploradores são confundidos e os explorados não acham a saída, deixando fora de combate as classificações morais anteriores, que passam a contribuir por sua vez para o caos. Sob diferentes ângulos, a atualidade do conjunto tem a ver com essa equação.

Para Brecht, tratava-se de sublinhar — e assimilar? — a desenvoltura debochada com que a burguesia lida com os valores supremos de sua própria civilização, segundo as circunstâncias da economia e da luta de classes. Nesse sentido, observe-se que a cara de pau dos magnatas, além de denunciada, é também examinada atentamente, como uma espécie de maravilha da natureza, ou como uma aula sobre o funcionamento moderno das ideias, que derruba os ingênuos, *mas nem por isso detém a crise*. O escritor não vinha para moralizar — o que julgava inútil —, mas para aguçar o senso crítico na sua dimensão de classe. A seu ver, o artigo em falta no campo dos explorados não era a disposição para o entendimento, mas a capacidade de formular e sustentar interesses novos, à altura do tempo, com força de afirmação histórica.

Embora tenha algo de *receita*, o acoplamento de pastiches lírico-filosóficos às brutalidades da competição econômica e do antagonismo de classe compõe um dispositivo de grande alcance, em especial devido à *amplitude forçada* que o acompanha. No que diz respeito ao mundo dos trabalhadores, por exemplo, a fórmula evita a segregação cultural em que estes se viam fechados, além de dar expressão ao desencontro, a superar, entre excelência cultural e ponto de vista operário. Avesso à sentimentalização da cultura dos trabalhadores, Brecht sabia que a experiência destes, apesar de ter a justiça de seu lado, só ganha altura caso saia de seu encapsulamento e leve a melhor sobre o seu antagonista, graças a uma perspectiva superior e generalizável, que se elabora ou não. Para existir com envergadura plena, próxima da "consciência possível", como na época dizia o marxismo, o ponto de vista histórico dos explorados dependia de acumulação cultural e formulação buscada, bem como da contestação dos pontos de vista hegemônicos, que lhe são ferozmente adversos.[20] Nessa linha, trabalhando pela capacitação da fala operária, o dramaturgo recusava o enquadramento corrente, que manda confinar a vida dos trabalhadores a seu ambiente imediato e ao registro naturalista, sob pena de perda de autenticidade. Procurava, pelo contrário, vê-la na dimensão real (e raramente assumida) de força estrutural do presente, lidando com as demais classes e o todo da cultura contemporânea. As realidades

20. Num ensaio de 1920, Lukács distinguia entre a consciência psicológica ou empírica dos trabalhadores, limitada pelas circunstâncias, e a consciência de classe que lhes seria "possível", em virtude da posição-chave que ocupam na produção moderna. Ver, em *História e consciência de classe*, o artigo "Consciência de classe".

do trabalho e do desemprego, da fome e do frio, da luta organizada e do massacre militar são apresentadas em sua reciprocidade direta e decisiva com as estratégias do capital, com as convenções estéticas e as teorias econômicas, com o sentimento de si das classes proprietárias, com os ensinamentos da moral e da religião, com as novas maneiras de produzir etc., causando uma extraordinária ampliação e intensificação do presente, a que os espelhamentos antagônicos imprimem a qualidade literária e polêmica incomparável. Ao romper com a verossimilhança imediata, sustentada pela homogeneidade do ambiente e do discurso, a *Santa Joana* arma um palco de abrangência superior, única também na obra de Brecht. Adiante comentaremos a incrível apoteose protofascista da cena final, com a sua multiplicação operática de timbres literários — todos substanciosos em sua depravação —, que é um alto momento de literatura moderna, impensável sem a noção muito verdadeira da luta de classes no âmbito da cultura.

A propósito dessas operações de redimensionamento social das formas, observe-se a mudança por que passa o culto romântico da singeleza, à maneira do *Lied*, à vista dos sem-teto na nevasca. Os versos vêm escritos num telão e servem de final mudo ao episódio em que as metralhadoras triunfam sobre os grevistas. "Cai neve em cima de neve/ O que era vivo se escondeu/ Ficam de fora as pedras/ E quem não tem nada de seu."[21] Analogamente, o que significa a concisão trágica — um empréstimo do coro grego — quando usada pela massa trabalhadora, à espera diante dos portões fechados da fábrica? E o que quer dizer o acento leninista involuntário que desponta na pregação indignada da mocinha do Exército da Salvação? Nada menos verossímil que essas montagens e fusões nunca vistas (salvo em esquetes estudantis), nas quais entretanto a situação operária moderna se projeta e se des-

21. *A Santa Joana dos Matadouros*, p. 146.

cobre, ao redimensionar nos seus termos o desapego lírico dos românticos, a sobriedade do acento trágico grego, o compromisso cristão com a pobreza. Para apreciar a ousadia contraintuitiva dessas soluções, é preciso lembrar que elas forçam a contiguidade do que a história separou, e que superam, sem deixar de registrá-lo, o descompasso entre as formas eruditas e a luta social, bem como os preconceitos mútuos que lhe correspondem.

Para quem tenha noções de literatura alemã, a feição literária mais audaciosa da peça está no seu sistema de imagens, uma espécie de topologia lírica, em forma de coleção de cacoetes, que Brecht abstraiu das cenas finais do segundo *Fausto* e da canção de Hyperion, de Hölderlin. A alusão aos poemas celebrados da língua funciona como um baixo contínuo. Aí estão, em variantes numerosas, a aspiração ascensional dos humanos, a tragédia das quedas, a idolatria dos píncaros e desfiladeiros, a glória dos uníssonos, o éter divino composto de altura, luz, pureza, imaterialidade e superação, as harmonizações sentenciosas dos contrários, redimindo a divisão passada etc. Pois bem, para que a paródia cause o seu estrago, basta que esses esquemas quase religiosos de cenografia e coreografia idealista sejam aproximados da esfera da exploração capitalista do trabalho, quando então eles se tornam o correlato estrutural — e nada inverossímil — do desapreço pelo que está embaixo, no escuro, em desordem, com fome e trabalhando pesado. Como se vê, o reducionismo e o materialismo vulgar também têm os seus momentos de acerto explosivo... Feito o paralelo entre a paisagem de penhascos em que se move a ascensão lírica e, do outro lado, a topografia social do capitalismo, igualmente íngreme, o resto é automático. Movido a insinuações, trocadilhos, malícia, acuidade crítica, rancor social etc., não há como deter o processo de contaminação recíproca. O alpinismo da alma poética pode ser traduzido para o vernáculo da livre iniciativa, com a sua avidez ilimitada, a plenitude dos superlucros, as quebras, as trapaças e o canibalismo generalizado, sem esquecer a ânsia altruísta de não afundar na pobreza. Inversamente, o dia a dia da concorrência no mercado pode achar uma versão vantajosa de si no destino das águias.

A desmistificação de classe, que é devastadora, no caso liga-se a um trabalho de invenção e *conhecimento* dos mais consideráveis. Entre os objetivos da peça, Brecht assinalava a fixação do "estado evolutivo atual do homem fáustico".[22] Dito isso, a sátira tem data. Vocês sabem que o escândalo inicial da crítica materialista — o crime de lesa-humanidade cometido por Marx em meados do século XIX — esteve em afirmar que o capital, que é uma relação de classe, é o segredo e a chave da sociedade burguesa, inclusive de seu direito, do estado, da moralidade e da cultura. Longe de serem incondicionadas e de promoverem a universalidade humana que proclamavam, estas esferas formariam sistema com a exploração econômica, a qual, uma vez reconhecida pelos explorados como um fato de classe, sem caução divina ou natural, estaria com os dias contados. O virtuosismo com que Brecht nos faz rir do capital, apresentado no ato mesmo de se travestir de outra coisa, mais universal e menos inaceitável, pertence ao mesmo ciclo.

Ora, basta pensar um instante para saber que esse quadro está mudado e que o determinismo econômico hoje funciona como a ideologia explícita das classes dominantes, que justificam a sua hegemonia e a própria desigualdade social através dele, que trocou de campo. Assim, o que era esqueleto no armário se tornou bandeira pública, criando o mistério específico da nova fase: como entender que essa bandeira seja aclamada? Se antes as razões ditas ideais encobriam os interesses materiais, tidos como particularistas e indefensáveis, agora são as razões econômicas que legitimam ou criticam as outras, sem haver perdido — salvo engano — aquele mesmo

22. Bertolt Brecht, *Werke*, Berlim-Frankfurt/M., Aufbau-Suhrkamp, 1989, vol. III, p. 451.

caráter particularista. Digamos, para exemplificar, que um governo atualizado destina verba às artes pensando nos benefícios que estas trazem ao turismo, assim como toca as suas reformas educacionais de olho nos eventuais ganhos da produtividade, ou explica a distribuição absurda da renda com as contingências do capital. *A prova de seriedade é dada pela obediência às considerações econômicas*, aquelas mesmas cujo teor antissocial o marxismo noutra época denunciava como um indecente segredo de classe. A viravolta veio se impondo aos trancos, e a Primeira Guerra Mundial, com o que trouxe de bancarrota da civilização burguesa e do internacionalismo socialista, foi um de seus momentos. A ferocidade da denúncia ideológica na *Santa Joana* dá testemunho do abalo causado. O processo se completou algum tempo depois da guerra seguinte, quando as necessidades do capital se tornaram para todos os efeitos o equivalente da razão, ou ainda, quando a abundância de mercadorias passou a ser a ideologia e a justificação suficiente da sociedade capitalista, acatada também pela classe operária. Voltando à *Santa Joana*, como fica a sua atualidade nessas circunstâncias? Com efeito, por que rir ainda — como de fato rimos — da precedência do motivo econômico sobre os demais, se estamos cansados de observá-la o dia inteiro, em tudo e em nós mesmos, sem maior surpresa e nem sempre com sentimento de perda? A desmistificação, ligada ao lugar oculto da economia no rol das coisas, não se tornou um gesto vazio?

Ao tempo da composição da *Santa Joana*, o recurso aos chavões do idealismo como força viva do presente já seria algo estranho, vindo de um escritor de vanguarda e da esquerda. Para que ressuscitar o que a guerra havia enterrado? A ressurreição brechtiana naturalmente era peculiar, sublinhando ao máximo as avarias que a tradição sofrera, ao ponto de transformá-la num monstrengo risível — dotado entretanto de realidade. Na última cena da peça, por exemplo, a pobre Joana é canonizada contra a sua vontade e promovida a padroeira do capital em nova fase, tudo embaixo de bandeiras, banhado em luz cor-de-rosa e ao som de versos goetheanos. O *kitsch* saliente e cínico, proto-hollywoodiano, dava uma variante crítica das falsificações e mitificações baratas com que o nazismo começava a construir a sua ideia grandiosa do passado nacional e de si mesmo. De outro ângulo, havia o empenho de tornar comensuráveis a luta de classes e a literatura canônica, de modo a desmanchar a unção conservadora em volta desta e, assim, *devolvê-la à vida*, o que de fato ocorre. Apesar da irreverência, ou por causa dela, a pesquisa das implicações que a luta operária e o materialismo tinham para a fisionomia moderna das letras representava uma verificação crítica de primeira ordem.

A seu modo, o descaramento no trato com as ideias e formulações mais prestigiadas da civilização burguesa traçava o limiar de uma nova época, despregada de seus compromissos anteriores, vistos agora como velharias escarnecidas. O estatuto caduco da tradição idealista é complementar, no caso, da esperteza superlativa dos homens do capital, que em matéria de desmitificação — se o termo significar a precedência do dinheiro sobre tudo o mais — não recuam diante de nada e estão na ponta do processo. Isso posto, o limiar histórico da *Santa Joana* é outro, mais atual. *Conforme alimentam e aprofundam a crise, as espertezas geniais dos capitalistas trocam de sinal, tornando-se obsoletas e mais nocivas por sua vez.* O que está em cena, sob o signo da crise, é a transformação das astúcias do capital em reflexos contraproducentes e cegos, quase se diria antediluvianos. O contraste entre a jogatina na Bolsa e o pânico de todos em face das turbulências da economia de fato faz pensar em perda de juízo na escala da espécie.

É claro que na construção brechtiana essa progressão negativa — o idealismo superado pela esperteza que se revela cegueira — vem complementada por um movimento positivo: ao se tornar insustentável, a crise faz fermentar a revolução proletária, e com ela a superação do impasse. O leitor de hoje, escaldado pelo destino que tiveram as revoluções, não dá de barato esse esquema e procura mais precisões na constituição interna da peça que lhe permitam avançar um pouco. Até onde vai a minha leitura, ele dirá que há mais evidência na configuração do impasse e de seu aprofundamento que na saída revolucionária, limitada à determinação de vencer, ou de resistir e talvez morrer, para que outros trabalhadores vençam mais adiante. Digamos que falta substância específica à perspectiva de superação, o que não desmancha nem atenua as irracionalidades a que respondia, as quais na ausência de alternativa tangível tomam feição de desastre em permanência, para retomar a expressão de Walter Benjamin. E digamos ainda que, até segunda ordem, foi isso mesmo que a decantação operada pelo tempo reteve da peça. A classe operária dos anos 30, levemente esfumada, parece matéria de reconstituição histórica; ao passo que a outra classe, em vias de monopolizar a iniciativa, é o protagonista de um pastelão já de nossos dias, com duas ênfases modernas: uma, no interesse capitalista deslavado, que corre às cegas; a outra, no cinismo com que são adaptadas às circunstâncias as ideias antigas e célebres, em que ninguém acredita. Trata-se de um símile do presente histórico, de suas superações sem superação, do despropósito em curso e da disposição para o vale-tudo.

Em seu momento, suponho que a incorporação do ciclo da crise à forma teatral tenha sido um feito atualista de mais peso que o pastiche econômico-político dos clássicos, sem prejuízo de as duas novidades estarem relacionadas, como é óbvio. Contudo vocês observem que de lá para cá a troca de função do determinismo econômico alterou as proporções nesse ponto. Por engenhosos que sejam, os encadeamentos e sobressaltos da economia no palco não abrem maiores perspectivas, para além de aprofundarem a mesma coisa, e pouco diferem de seus equivalentes na imprensa diária, cuja agitação faz parte da estática de nossos dias. Ao passo que os reflexos grotescos na literatura clássica vivem plenamente. Por quê?

O riso diante dos golpes dos capitalistas na *Santa Joana*, em especial quando vêm vestidos de alusões ilustres, talvez seja de um tipo novo. Não se trata, como antigamente, de detectar o interesse escuso sob a fórmula respeitada. Pelo contrário, o interesse antissocial é o ponto de partida notório, e a piada está na ingenuidade dos que ainda não sabem disso, e sobretudo na desfaçatez com que a cultura nacional é posta a serviço dos negócios, não porque estes precisem da proteção dela ou porque ela tenha credibilidade, mas porque estamos a um passo das vias de fato. Nesse sentido, as citações clássicas deturpadas são uma espécie de análogo da disposição de reorganizar a legalidade em causa própria. E mais que do engenho dos golpes, rimos de sua regularidade inexorável. É como se existisse um imperativo, ou um defeito de constituição, mandando não fazer nada em que a esperteza não tenha parte. Os golpes tornaram-se uma segunda natureza — bem mais temível, nessa altura, que a primeira —, que entretanto nada, salvo ela mesma, impede de mudar.

Todos sabemos que hoje quem acumula forças, corre riscos, pula os mares, sobe à estratosfera, agoniza, aprende, morde o pó etc. é o capital, de quem os empresários e governantes são os pálidos executivos, e os demais — com algum exagero — as vítimas perplexas, atuais ou potenciais. Conforme o termo de Marx, trata-se do fetichismo da mercadoria, que faz que as coisas adquiram atributos humanos, e que os humanos se relacionem como coisas. Noutras palavras, o capital chamou a si as alternativas e os destinos que eram o assunto da literatura e, correlativamente, transformou em mentira barata a literatura que insista em desconhecer esse esvaziamento dos pobres-diabos que somos. Ao encharcar de clássicos o mundo das negociatas, Brecht preferiu ficar na penúltima etapa da fetichização, um passo aquém da delegação completa da energia social ao mercado. Como as citações estão acintosamente desfiguradas, não cabe imaginar que elas devam introduzir um rumo próprio, de resistência, diferente do outro. Brecht queria mostrar que algo de Bocarra já existia no *Fausto*, mas não que a grandeza das Luzes continuasse viva nas especulações da Bolsa. Digamos então que o universo do idealismo é uma presença que puxa para o exótico e só em parte adere às personagens. Ele existe no espaço social, onde é usado por uns e outros, com efeitos que sempre excedem a intenção imediata. O resultado é uma iluminação de viés, que faz ver a face não mercantil dos negócios, que não é boa, e não deixa que o fetichismo se complete, ou seja, que o capital pareça ser apenas o capital. Assim, a vizinhança escarninha do presente com as glórias peremptas da ordem burguesa segue nos interrogando, não porque proponha uma volta atrás ou uma solução, mas pela evidência de fraude que proporciona.

III

A nota específica

"O que se deve exigir do escritor antes de tudo é certo sentimento íntimo, que o torne homem do seu tempo e do seu país, ainda quando trate de assuntos remotos no tempo e no espaço." Com essa reflexão, talvez a mais celebrada da crítica brasileira, Machado de Assis se opunha à mentalidade provinciana "que só reconhece espírito nacional nas obras que tratam de assunto local". Para completar, o romancista aconselhava um brasileirismo "interior, diverso e melhor do que se fora apenas superficial".[1] Não é preciso dizer que pensava no seu próprio programa de trabalho, que pouco depois resultaria nas primeiras obras-primas da literatura brasileira em formação.

A polêmica movia-se no quadro das inseguranças culturais do país novo em folha, recém-saído da segregação colonial, desejoso de firmar identidade e de festejar-se a si mesmo. Os românticos haviam operado a fusão de colorido local e patriotismo, com sucesso avassa-

1. Machado de Assis, "Notícia da atual literatura brasileira — Instinto de nacionalidade" (1873), in *Obra completa*, Rio de Janeiro, Aguilar, 1959, vol. III, p. 817.

lador. Consciente do lado convencional e congratulatório desta combinação, em que o pitoresco tem algo de carta marcada, a que responde o aplauso fácil dos compatriotas, Machado aspirava a uma solução superior. Começara a busca de uma feição nacional que não significasse confinamento temático e superficialidade artística.

Dito isso, em que consistiria a tal interiorização do país e do tempo, capaz de impregnar assuntos longínquos, para não dizer estrangeiros ou universais?

Se examinarmos o romance machadiano, encontraremos na sua composição uma resposta de genial simplicidade. O quesito dos assuntos que vão além da província é atendido em escala enciclopédica pela verve e por certa "cultura geral" do narrador, figura cosmopolita e ultracivilizada, um compêndio de elegâncias de classe, que não se priva de discretear sobre o mundo e sobre si mesmo, de A a Z. Vai do Rio de Janeiro antigo aos tempos homéricos, passando por Santo Agostinho, os Rothschild, a guerra da Crimeia etc. Quanto à radicação na realidade nacional, outro ponto de honra do espírito moderno, estamos diante da prosa de um proprietário abastado à brasileira, quer dizer, enfronhado em relações de escravidão e clientela, das quais de fato decorre um sentimento peculiar da atualidade, passavelmente retrógrado, cuja fixação sarcástica, na escala do universo (de A a Z), é um feito artístico de Machado de Assis. Convenhamos que mais situado não seria possível. A exemplo do país, este narrador-protagonista, que é um tipo social, reúne o gosto pela civilização ao substrato bárbaro. É ele a invenção literária audaciosa, o eixo da composição, a esfinge trivial a ser decifrada — embora a leitura convencional, seduzida pelo clima refinado, de classe alta, o considere um modelo a imitar.

De passagem, notem-se os paralelos com argumentos muito posteriores de Jorge Luis Borges, por exemplo em "O escritor argentino e a tradição": "[...] os nacionalistas simulam venerar as capacidades da mente argentina, mas querem limitar-lhe o exercício poético a alguns pobres temas locais, como se os argentinos só pudéssemos falar de subúrbios e de fazendas, e não do universo. [...] Creio que os argentinos e em geral os sul-americanos estamos numa situação análoga [à de judeus e irlandeses]; podemos manejar todos os temas europeus, manejá-los sem superstições, com uma irreverência que pode ter, e já tem, consequências afortunadas".[2]

A riqueza da equação machadiana é grande. De um lado, assistimos à comédia local das presunções de civilidade e progresso, qualificadas e desqualificadas pelo pé na escravidão e nas relações conexas: o Brasil de fato não é a Inglaterra. De outro, invertendo a direção da crítica, temos a revelação do caráter apenas formal daqueles indicadores da modernidade, inesperadamente compatíveis com as chagas da ex-colônia, a cuja camada europeizante fornecem o álibi das aparências. No primeiro passo, o efeito satírico está na distância que separa as realidades brasileiras da norma burguesa europeia; no segundo, decorre da elasticidade com que a civilização burguesa se acomoda à barbárie, a qual parecia condenar e que lhe é menos estranha do que parece. A independência de espírito pressuposta sobretudo nesta última observação, feita em luta contra a atitude reverente do intelectual colonizado, colocava Machado entre os críticos abrangentes da atualidade.

Noutras palavras, a especificidade nacional existia, mas tomava feição *negativa*, desde que fosse elaborada com verdade e de modo artisticamente satisfatório. Depois de ser um ideal, o "homem do seu tempo e do seu país" fazia figura de *problema*, quando não de vexame.

As razões históricas do quadro são conhecidas de todos. Talvez se possa falar num *pitoresco estrutural*, definido pela discrepân-

2. A comparação entre Machado de Assis e Borges foi esboçada por Davi Arrigucci Jr., em "Da fama e da infâmia (Borges no contexto literário latino-americano)", in *Enigma e comentário*, São Paulo, Companhia das Letras, 1987.

cia com o Oitocentos europeu, em especial o trabalho livre e a igualdade perante a lei. Conquistada de forma conservadora, a independência política brasileira (1822) havia preservado o complexo social e econômico gerado pela exploração colonial. Entre outras coisas não suprimiu o tráfico negreiro e o trabalho escravo, o qual durou até 1888. Assim, por um longo período a prosperidade material e os avanços culturais do país deveram-se ao florescimento de formas sociais que se haviam tornado a execração do mundo civilizado. As ambivalências que essa constelação *inglória* causava valem um estudo sistemático. A fixação exclusiva no atraso ou no *defeito* social da nação entretanto limita o foco, em espírito moralista: faz supor que o século XIX tenha sido a história da Liberdade e de seus tropeços no país, e não, como é mais plausível, a do Capital, que não tinha objeções absolutas à escravidão, a qual havia abolido nalgumas partes, e suscitado noutras. Desse ângulo, a cena brasileira lançava uma luz reveladora sobre as noções metropolitanas e canônicas de civilização, progresso, cultura, liberalismo etc., que aqui conviviam em harmonia meio absurda com o trabalho forçado e uma espécie de "*apartheid*", contrariando o essencial do que prometiam.

Suponhamos então que a especificidade nacional residiu e reside no sistema desses funcionamentos anômalos, ligados à refuncionalização moderna — pós-colonial — da herança colonial. Os seus desdobramentos não burgueses são vergonhas? poesia? resquícios? tradição? promessas? Há fregueses para cada uma dessas hipóteses. Como as anomalias têm apoio na divisão internacional do trabalho, bem como em privilégios sociais internos, que as reproduzem, o desejo de superação ficou sem efeito decisivo até segunda ordem. No plano literário talvez se possa dizer que as obras que consciente ou inconscientemente deram forma ao problema e se situaram com profundidade a respeito, suspendendo a redoma nacional e sentindo que ali estava em jogo o mundo contemporâneo, tenham sido as decisivas da cultura brasileira. Entendida com amplitude suficiente, a sondagem da experiência específica que coube aos brasileiros é também a fonte do valor de seus trabalhos. Nem poderia ser de outro modo.

Sob o signo da industrialização e de um certo fechamento da economia, já perto de nosso tempo, o desenvolvimentismo prometeu incorporar ao mundo do salário e da cidadania a população relegada, com cujo pouco preço e muita esperança contava para conquistar um lugar para o Brasil entre as nações adiantadas. Se fosse possível, teria sido uma solução. Hoje vivemos a decomposição daquele projeto, substituído por outro, em que a hipótese da integração social figura com menos força. As "peculiaridades" do novo ciclo não deixarão de aparecer, se já não estiverem aparecendo, inclusive na literatura.

Fim de século

No começo da década de 60 um crítico observava que no Brasil se faziam filmes que, embora tendo público numeroso e entusiasta, não eram considerados propriamente cinema pelos seus produtores e espectadores. Cinema de verdade era o que nos vinha dos Estados Unidos ou talvez da Europa, muito diferente das nossas chanchadas. Cinema era somente o que não produzíamos, e que valorizávamos de modo aliás um tanto subalterno. É o que o crítico chamava "a situação colonial do cinema brasileiro".

Essa situação tinha prolongamentos também na reflexão, a qual com toda naturalidade tomava como objeto o cinema-arte, quer dizer, o cinema feito fora. Assim, enquanto o crítico americano ou europeu escrevia em diálogo virtual com os diretores dos filmes que comentava, o brasileiro não dispunha dessa referência importante. Na ausência dela não lhe restava senão a afirmação das mitologias e manias de um aficionado. Seu verdadeiro interlocutor eram a ignorância do público, a estupidez da censura, o mau gosto dos distribuidores, além da simpatia do grupinho dos adeptos. Tratava-se de um bem engrenado sistema de alienações, que em palavras do próprio crítico imprimia "a marca cruel do subdesenvolvimento" em todos que se ocupassem do assunto durante algum tempo. Não era uma ironia fácil, pois quem assim se expressava vinha se ocupando de cinema em tempo integral havia muitos anos.

O autor de que falamos é Paulo Emilio Salles Gomes, e o escrito em questão foi apresentado como contribuição à Primeira Convenção Nacional de Crítica Cinematográfica, em 1960.[1] Expus alguma coisa de seu argumento porque resume com felicidade a situação que o nacionalismo desenvolvimentista queria superar no campo da cultura. Note-se que o divórcio entre aspiração cultural e condições locais é um traço comum, e quase se diria lógico, da vida em colônias ou ex-colônias. Nesse sentido não se tratava de nada novo ou exclusivo ao cinema. Devido a seu componente industrial, entretanto, este último levaria a reformular aquele divórcio em termos atualizados, propícios à intervenção deliberada e política.

Posto como objetivo prático, o desenvolvimento nacional reorganizava o espaço da imaginação e do pensamento crítico em torno de um eixo interno. Cheia de dificuldades, a relação entre as aspirações de modernidade e a experiência efetiva do país se tornava um tópico obrigatório, desmanchando o bovarismo endêmico e convidando a reflexão a tocar terra. No limite tratava-se de arrancar a população aos enquadramentos semicoloniais em que se encontrava, e de trazê-la, ainda que de forma precária, ao universo da cidadania, do trabalho assalariado e da atividade econômica moderna, industrial sobretudo, contrariando o destino agrário a que o imperialismo — como se dizia — nos forçava (o que aliás naqueles anos 60 deixara de ser verdade). Isso na ótica justificado-

1. P. E. Salles Gomes, "Uma situação colonial", *Arte em revista*, 1, São Paulo, Kairós, 1981. Ver ainda, do mesmo autor, "A criação de uma consciência cinematográfica nacional", *Arte em revista*, 2, São Paulo, Kairós, 1983. A publicação mencionada reúne uma boa documentação sobre o período.

ra e como que "responsável" do projeto nacional. Com menos simpatia e mais acento na irresponsabilidade e na cegueira, pode-se dizer igualmente que os novos tempos desagregavam à distância o velho enquadramento rural, provocando a migração para as cidades, onde os pobres ficavam largados à disposição passavelmente absoluta das novas formas de exploração econômica e de manipulação populista.

Afastada de suas condições antigas, posta em situações novas e mais ou menos urbanas, a cultura tradicional não desaparecia, mas passava a fazer parte de um processo de outra natureza. A sua presença sistemática no ambiente moderno configurava um desajuste extravagante, cheio de dimensões enigmáticas, que expressava e simbolizava em certa medida o caráter pouco ortodoxo do esforço desenvolvimentista. Aliás, com a sua parte de simpatia e de tolerância, mas também de absurdo e de primitivismo, essa mescla do tradicional e do moderno se prestava bem para emblema pitoresco da identidade nacional. Por outro lado, é certo que o ritmo e a sociabilidade tradicionais lançavam por sua vez uma luz crítica sobre as pautas do progresso econômico dito "normal", criando a presunção de que nas condições brasileiras a sociedade moderna seria mais cordial e menos burguesa que noutras partes. Com a distância no tempo e a ampliação da perspectiva, entretanto, essa mesma mescla sofre mais outra viravolta: deixa de funcionar como emblema nacional, para indicar um aspecto comum das industrializações retardatárias, passando a representar um traço característico da cena contemporânea tomada em seu conjunto.

Seja como for, o nacionalismo desenvolvimentista armou um imaginário social novo, que pela primeira vez se refere à nação inteira, e que aspira, também pela primeira vez, a certa consistência interna: um imaginário no qual, sem prejuízo das falácias nacionalistas e populistas, parecia razoável testar a cultura pela prática social e pelo destino dos oprimidos e excluídos. De passagem seja dito que a derrocada posterior das promessas daquele período não invalidou — ao menos não por completo — o sentimento das coisas que se havia formado, reflexo agora meio irreal de uma responsabilidade histórica, cujas derrotas assinalam outros tantos avanços da nova dessolidarização social.

Nascido na conjunção de mercado interno e industrialização, o ciclo desenvolvimentista adquiriu certo alento de epopeia patriótica a partir da construção de Brasília; o seu ponto de chegada seria a sociedade nacional integrada, livre dos estigmas coloniais e equiparada aos países adiantados. É um fato que nas próprias elites existia a convicção de que essa trajetória incluiria momentos de fricção com os interesses norte-americanos. Ocorre entretanto que no início dos anos 60 se foi firmando mais outra convicção, esta explosiva, segundo a qual a firmeza do anti-imperialismo dependia de uma modificação na correlação de forças entre as classes sociais dentro do próprio país. O nacionalismo só alcançaria os seus objetivos se fosse impulsionado pelo acirramento da luta de classes. Começava a radicalização social que seria cortada em 64 pelo golpe militar.

Noutras palavras, surgia a consciência de que a exploração de classe no plano interno e as grandes desigualdades na ordem internacional se alimentavam reciprocamente e que era necessário enxergar as duas em conjunto. Pouco tempo depois Glauber Rocha formularia a sua "estética da fome", na qual reivindicaria a feiura e miséria do Terceiro Mundo, mas para lançá-las à cara dos cinéfilos europeus, *como parte do mundo deles*, ou melhor, *como um momento significativo do mundo contemporâneo*, e não mais como um exotismo próprio a regiões distantes ou a sociedades atrasadas. Por aqueles mesmos anos foi elaborada a Teoria da Dependência, que estudava o vínculo de estrutura entre a ordem mundial e as distintas situações de subdesenvolvimento. Como se vê, foi um momento forte de tomada de consciência contemporânea, nacional e de classe, que se traduziu por uma notável desprovincianização do pensamento. Não foi por acaso que o Cinema Novo, a Teoria da Dependência ou a obra de Celso Furtado tiveram a repercussão internacional que tiveram. À guisa de contraprova, note-se como a perda desse dinamismo devolveu a cultura do país à sua irrelevância tradicional, da qual hoje todos sofremos.

Com o golpe de 64 a dimensão democratizante do processo chegava a seu fim. Mas não o próprio nacionalismo desenvolvimentista, que depois de uma curta interrupção — um momento inicial de submissão direta aos interesses norte-americanos — voltava e até se intensificava, agora sob direção e com características de direita. A tal ponto que uma fração da intelectualidade, mais desenvolvimentista e anti-imperialista que democrática, acompanhou com certa simpatia o projeto dos generais de transformar o Brasil numa grande potência. O ciclo chegou ao fim com os dois choques do petróleo, a crise da dívida e sobretudo com os novos saltos tecnológicos e a globalização da economia, que somados levantaram uma muralha e transformaram a paisagem. Nos anos 80 ficava claro que o nacionalismo desenvolvimentista se havia tornado uma ideia vazia, ou melhor, uma ideia para a qual não havia dinheiro. Nas novas condições de tecnologia, as inversões necessárias para completar a industrialização e a integração social do país se haviam tornado tão astronômicas quanto inalcançáveis. O nacional-desenvolvimentismo entrava em desagregação — e começava o período contemporâneo, que para os efeitos deste seminário poderíamos chamar de "nosso fim de século".

Como estamos entre críticos literários, é interessante notar que a realidade começava a se parecer com a filosofia, no caso, com a terra movediça postulada pelo desconstrucionismo. O processo da modernização, com dinamismo próprio, longo no tempo, com origens e fins mais ou menos tangíveis, não se completou e provou ser ilusório. Nessas circunstâncias, a desestabilização dos sujeitos, das identidades, dos significados, das teleologias — especialidades enfim do exercício de leitura pós-estruturalista — adquiriu uma dura vigência prática. Assim, o desenvolvimento nacional pode não ter sido nem desenvolvimento nem nacional, nem muito menos uma epopeia. O motor da industrialização patriótica esteve na Volkswagen e os esforços de integração da sociedade brasileira resultaram num quase *apartheid*. A burguesia nacional aspirava à associação com o capital estrangeiro, que lhe parecia mais natural que uma aliança com os trabalhadores de seu país, os quais por sua vez também preferiam as empresas de fora. O que parecia acumulação se perdeu ou não serviu aos fins previstos. A verificação recíproca e crítica entre as culturas tradicional e moderna não se deu, ou melhor, deu-se nos termos lamentáveis das conveniências do mercado. Etc. etc.

Entre parênteses, não custa observar que as ideias de Derrida chegaram ao Brasil antes que se instalasse esse clima. Recordo um ensaio do amigo Silviano Santiago, aqui presente, que data de 1971, cujo horizonte ainda era outro, anterior à desmobilização, e aliás bastante pior. Naquela oportunidade a desconstrução servia como objeção ao paroxismo autoritário da ditadura, assim como à rigidez da esquerda envolvida na luta armada. Incluía também um ligeiro toque de reivindicação latino-americanista ao questionar o primado do centro sobre a periferia, o que talvez fosse um modo paradoxal de dar continuidade ao nacionalismo do período anterior.[2] Silviano me corrigirá se for o caso.

Voltando contudo ao argumento, a desintegração do projeto desenvolvimentista deixou por terra um conjunto impressionante de ilusões. Procurei indicar a afinidade que existe entre essa desautorização maciça de uma experiência histórica e o teor de ambigui-

2. Silviano Santiago, "O entre-lugar do discurso latino-americano", in *Uma literatura nos trópicos*, São Paulo, Perspectiva, 1978.

dade que a nova crítica injetou nas categorias históricas tradicionais. Tanto que a desconstrução filosófica, apesar do esoterismo, chega a parecer uma descrição vulgarmente empírica de notórios equívocos e desenganos contemporâneos. Contudo, basta pensar um pouco mais concretamente naquela desintegração para lhe notar a materialidade prática, um peso de catástrofe real que não se compagina com o estatuto apenas discursivo da crítica filosófica e de seu objeto.

Assim, por exemplo, o desenvolvimentismo arrancou populações a seu enquadramento antigo, de certo modo as liberando, para as reenquadrar num processo às vezes titânico de industrialização nacional, ao qual a certa altura, ante as novas condições de concorrência econômica, não pôde dar prosseguimento. Já sem terem para onde voltar, essas populações se encontram numa condição histórica nova, de *sujeitos monetários sem dinheiro*, ou de ex-proletários virtuais, disponíveis para a criminalidade e toda sorte de fanatismos. Passando ao esforço nacional de acumulação, o que se vê são sacrifícios fantásticos para instalar usinas atômicas que nunca irão funcionar, estradas que não vão a parte alguma, ferrovias imensas entregues à ferrugem, edificações-fantasmas que entretanto não se desmancham com as ilusões ou negociatas que as tiraram do nada. Que fazer com elas? Inclusive o crescimento da universidade pode ser visto em termos análogos. Digamos então que os resultados da ilusão são fatos sociais efetivos.

Um estudioso alemão da modernização, Robert Kurz, de quem emprestamos as fórmulas, os argumentos e exemplos do parágrafo anterior, chama "pós-catastróficas" as sociedades que se mobilizaram a fundo para o desenvolvimento industrial e não o conseguiram viabilizar.[3] O "colapso da modernização", que consiste exatamente na sequência de arregimentação profunda e fracasso, para o

3. Robert Kurz, *O colapso da modernização*, São Paulo, Paz e Terra, 1992.

autor já é um fato nestas sociedades, ao passo que a normalidade passou a não ser mais que um verniz. Noutras palavras, a falência do desenvolvimentismo, o qual havia revolvido a sociedade de alto a baixo, abre um período específico, essencialmente moderno, cuja dinâmica é a desagregação. Se for assim, o que está na ordem do dia não é o *abandono* das ilusões nacionais, mas sim a sua *crítica especificada*, o acompanhamento de sua desintegração, *a qual é um dos conteúdos reais e momentosos de nosso tempo.*

Considerada desse ângulo, aliás, a desintegração nacional não é uma questão nacional, e sim um aspecto da inviabilização global das industrializações retardatárias, ou seja, da impossibilidade crescente, para os países atrasados, de se incorporarem enquanto nações e de modo socialmente coeso ao progresso do capitalismo. As fragmentações locais são o avesso do avanço contemporâneo e de seu curso cada vez mais destrutivo e unificado. (Assim, o discurso desconstrucionista sobre os preconceitos e enganos embutidos na ideia abstrata de nação tem pouca relevância e passa à margem do processo efetivo. A presente desintegração nacional é uma realidade material da história contemporânea, e a distância que separa as suas condicionantes técnico-econômicas dos trocadilhos filosóficos em moda, talvez já ex-moda, é patética.)

Esse prisma tem interesse também para o fundo do debate intelectual brasileiro. A partir da Independência, este último deve a sua inspiração à tarefa inconclusa da formação nacional, à qual se vincula o imperativo de participar da modernidade — um imperativo com aceitação geral.[4] Com o ciclo desenvolvimentista a questão adquire as feições de hoje: trata-se de industrializar o país, trazendo a população rural a formas incipientes de trabalho assalariado e cidadania, de consumo e cultura atuais, a fim de equipa-

4. Antonio Candido, "Uma literatura empenhada", in *Formação da literatura brasileira*, São Paulo, Martins, 1969, vol. I.

rá-lo ao progresso do mundo. A reflexão a esse respeito costuma tomar caráter diferencial: em quais pontos e por que razões — devidas ao passado colonial — o país discrepa da norma civilizada? De certa maneira, apesar dos obstáculos, o sentimento de modernidade que corresponde a tal reflexão não é muito aflito nem problemático, pois a modernidade no caso se apresenta como estável, à espera e ao alcance da mão, além de encarnada positivamente nas nações que nos servem de modelo. Se já no século passado soubemos trocar a escravidão pelo trabalho mais ou menos livre, nada parece impedir agora que a elite se autorreforme e passe do clientelismo à conduta racional, do mandonismo à cidadania, da corrupção à virtude republicana, do protecionismo à livre concorrência etc., quando então faremos parte digna do concerto das nações evoluídas.

Entretanto, se historicizarmos a modernização, como é necessário, e a tomarmos não como coleção de normas abstratas, à disposição geral, mas como processo mundial efetivo, com seu desenho real, onde possivelmente não haja lugar para nós, e muito menos para todos, desestabilizaremos aquelas esperanças. Contrariamente ao que diz a ideologia — como bem observa Kurz — o mercado não é para todos. De passagem fica claro quanto era estreita e provinciana a nossa ideia de modernização, para a qual o problema não estava na marcha do mundo, mas apenas em nossa posição relativa dentro dela. Se é verdade que a modernização tomou um rumo que não está ao alcance de nossos recursos, além de não criar o emprego e a cidadania prometidos, como ficamos? *O que pensar dela?* O mito da convergência providencial entre progresso e sociedade brasileira em formação (ou latino-americana) já não convence. E se a parte da modernização que nos tocou for esta mesma dissociação agora em curso, fora e dentro de nós? E quem somos *nós* nesse processo?

As sociedades que não alcançaram a integração moderna são afetadas de modo diferenciado pela nova ordem global. No Brasil corremos o risco de ver reprisado o desastre da Abolição, quando os senhores, ao se modernizarem, se livraram dos escravos e os abandonaram à sua sorte. É sabido que o novo padrão competitivo, íngreme em face das realidades da vida popular, se compõe à maravilha com o nosso descaso secular pelos pobres. Em seu "despreparo", estes estão deixando de interessar até como força de trabalho quase gratuita. Passou o tempo em que incorporá-los parecia um imperativo econômico. Diante das novas tendências estruturais, mais segmentadoras que integradoras, com as suas desqualificações sociais duras e sobretudo o desemprego tecnológico, não será fácil as elites decidirem e entenderem, até para uso particular, em que consiste ser parte de um país ou governá-lo. Só por coração cristão ou deformação esquerdista antiga os cidadãos da faixa atualizada, aliás policlassista, sentirão afinidade com os que sobraram. O divórcio entre economia e nação é uma tendência cujo alcance ainda mal começamos a imaginar. A pergunta não é retórica: o que é, o que significa uma cultura nacional que já não articule nenhum projeto coletivo de vida material, e que tenha passado a flutuar publicitariamente no mercado por sua vez, agora como casca vistosa, como um estilo de vida simpático a consumir entre outros? Essa estetização consumista das aspirações à comunidade nacional não deixa de ser um índice da nova situação também da... estética. Enfim, o capitalismo continua empilhando vitórias.

Cidade de Deus

O romance de estreia de Paulo Lins, um catatau de quinhentas e cinquenta páginas sobre a expansão da criminalidade em Cidade de Deus, no Rio de Janeiro, merece ser saudado como um acontecimento. O interesse explosivo do assunto, o tamanho da empresa, a sua dificuldade, o ponto de vista interno e diferente, tudo contribui para a aventura artística fora do comum. A literatura no caso foi levada a explorar possibilidades robustas, que pelo visto existem.

Para indicar os novos tempos, o autor fala em "neofavela", por oposição à favela em acepção antiga, que foi reformada pela guerra entre os traficantes de droga e pela correspondente violência e corrupção da polícia. É este o processo que o romance recria, numa escala numerosa, com algo de enciclopédia, que lembra as grandes produções de cinema sobre o gangsterismo.

No parágrafo de abertura, que é sutil, encontramos as pautas clássicas da vida popular brasileira, em toda a sua graça. Enquanto divide o baseado com um amigo, Barbantinho sonha com o futuro. Quer ser um salva-vidas com bom preparo físico. Não um desses relaxados, que por falta de exercício deixam o mar levar as pessoas.

Até mesmo depois do expediente o menino cuidaria da forma, aproveitando o percurso entre a praia e sua casa para correr. "O certo era malhar sempre, alimentar-se bem, nadar o máximo possível." Em boa paz e sem susto para a consciência, o pé na irregularidade convive com a disposição prestativa, a ambição modesta, o respeito aos conselhos de quem sabe, o horário de trabalho, a atualização com o figurino em matéria de saúde, além da proteção de Iemanjá. Acresce que o pai e o irmão de Barbantinho também são salva-vidas, de modo que o menino está seguindo o bom exemplo.

Nas páginas seguintes, conduzidas de modo talvez um pouco indeciso, essa constelação cordata e otimista vai ser questionada pela pobreza, o desemprego e, sobretudo, pelos primeiros cadáveres boiando no rio que corre ao lado da favela. O aspecto da vida popular que irá prevalecer é outro. A diferença, que ressurge a todo momento, tem função estrutural e como que esboça uma perspectiva histórica.

Com o primeiro assalto e a entrada em cena dos bandidos, o livro adquire o andamento que fascinará o leitor até o final. Uma interpretação à altura do romance vai depender da contemplação e análise desse dinamismo poderoso.

No plano direto da movimentação, há a visibilidade realçada, à maneira do filme de ação. De revólver na mão, Marreco, Alicate e Cabeleira, o chamado Trio Ternura, "passaram correndo pelo Lazer, entraram pela praça da Loura, saíram em frente ao bar do Pinguim, onde estava parado o caminhão de gás" que iriam assaltar. Chutam a cara do trabalhador que, deitado no chão, tentava esconder o dinheiro. A palavra "trabalhador" torna mais condenável a violência dos bandidos? Ou pelo contrário ela escarnece do otário que os quis enganar? Impossível dizer. A ambivalência no vocabulário traduz a instabilidade dos pontos de vista embutidos na ação, um certo negaceio malandro entre ordem e desordem (para retomar, noutra etapa, a terminologia de "Dialética da malandragem").

Aliás, os mesmos assaltantes franqueiam os bujões de gás ao pessoal assustado, que saía de fininho mas num minuto leva toda a mercadoria. Tudo tão claro quanto complicado.

O apuro da coreografia combina-se à indistinção entre o bem e o mal. Quando trocam tiros, a autoridade e os bandidos põem "meia cara na quina da esquina". O acerto da expressão, com rima interna e tudo, faz pensar que não só a arte decanta a vida como também a vida se inspira nos seriados de televisão a que bandidos e policiais assistem. As fugas e perseguições mostram a favela como uma sucessão de muros precários, quintais e becos, onde quem dá a volta para surpreender o outro pelas costas topa de frente com o terceiro que não queria encontrar etc. A intensidade e o perigo das ações, bem como a nitidez do cenário, como que concebido sob encomenda, criam uma certa empatia, a que entretanto a brutalidade monstruosa logo tira o sabor de aventura. Sobra uma espécie de compreensão atônita.

Em plano menos palpável há a quase padronização das sequências, sinistramente monótonas em sua variação. Depois de uma ou outra droga ou diversão vem a saída para um assalto, com ou sem morte, para um estupro, para uma vingança amorosa, para a eliminação de bandidos de outro bando, ou também de inimigos dentro do próprio etc. Os passeios com propósito de distração, para jogar bola na praia ou armar rolo numa festa, depois de alguma confusão tendem para o mesmo desenlace, o que é uma das linhas evolutivas amargas do livro. Depois vem a fuga, a pé, de ônibus, em carro roubado ou táxi, e o entocamento para passarem as vinte e quatro horas do flagrante. Trancados num quarto qualquer, os "bichos-soltos" tomam leite ou precisam de mais droga para recuperar a calma e dormir.

Sem prejuízo da repetição constante dessas sequências, o movimento vai em crescendo, numa direção que é o problema a encarar, ou ainda, que é o presente inextricável. A cadência ampla do livro depende mais das mudanças de patamar, com alcance coletivo, que de pontos de inflexão na vida individual, embora estes tampouco faltem. Veja-se por exemplo um assalto de motel que toma rumo bárbaro, com muitas mortes e perseguição policial. Na mesma noite um homem se vinga da traição da amada cortando em pedaços a criança branca que ela dera à luz. Noutra esquina um trabalhador decapita o rival com um golpe de foice. Não há ligação entre os crimes, mas no dia seguinte Cidade de Deus saía do anonimato e passava a figurar na primeira página dos jornais como um dos lugares violentos do Rio de Janeiro. A importância dos bandidos aumenta aos olhos dos outros e deles próprios. O assalto ao motel, que dera em chacina por nervosismo dos ladrões, transformava-se num feito notável, aumentando a autoridade dos bandidos e o terror que inspiram. Estava formado o novo mecanismo de integração perversa: as piores desumanidades adquirem sinal positivo uma vez que alcancem sair na mídia, uma espécie de aliada para romper a barreira da exclusão social. "— Todo bandido tem que ser famoso pra nego respeitar legal! — disse Cabeleira a Pretinho."

Agitado pelo ferimento de um amigo, Zé Pequeno barbariza a esmo, murmura rezas incompreensíveis, manda comprar carne para um churrasco e põe o seu bando em vigília de guerra à base de cocaína. No dia seguinte o grupo sai de olho arregalado, rilhando os dentes e matando, mas, inesperadamente, não falta método à sua fúria: as vítimas são os donos das bocas de fumo. A pretexto de vingança, Zé Pequeno passava de assaltante a chefe local do tráfico, logo interessado num clima de ordem dentro do terror, de modo a não afastar os fregueses de fora. Como no outro caso, em que desgraças quaisquer empurraram o banditismo desorganizado para um nível superior de integração, também aqui o acaso de um furor pessoal faz deslanchar o processo de unificação do poder e do negócio local. A imensa desproporção entre a causa imediata e o resultado "necessário" é um desses nexos em que sentimos o peso inexorável da história contemporânea.

Ao acaso dos episódios, vão pingando elementos de periodização, comuns à ordem interna da ficção e à realidade: do roubo por conta própria à organização em quadrilha, do imprevisto dos assaltos ao negócio regular da droga, do revólver simples ao armamento de especialista (no auge da luta entre quadrilhas, Zé Pequeno, que não tem medo de nada, tenta negociar fuzis usados na guerra das Malvinas), da espreita de ocasiões ao controle e gerência de um território. Em vagas sucessivas, a violência cresce e a idade dos criminosos diminui. Na situação chega a parecer lógico que chefes de dezessete anos designem soldados de doze ou dez, menos vigiados, para a tarefa de fuzilar o dono de outra boca de fumo, que terá dezoito. Com lágrimas nos olhos, a missão será cumprida, para subir no conceito dos demais e alcançar logo as prerrogativas do "sujeito homem".

Quais as fronteiras dessa dinâmica? A ação move-se no mundo fechado de Cidade de Deus, com uns poucos momentos fora, sobretudo em presídios, para acompanhar o destino das personagens. Embora apresentado em grande escala, o curso das coisas está em versão restrita em relação a suas premissas: as esferas superiores do negócio de drogas e de armas, a corrupção política e militar que lhe assegura o espaço, não comparecem. Já os seus prepostos locais, quando não são os próprios bandidos, pouco se distinguem destes. A não ser por raros flashes, que no entanto bastam para sugerir a afinidade de todos com todos, a administração pública e a especulação imobiliária que estão na origem da segregação da favela tampouco aparecem.

Literariamente, a órbita limitada funciona como força, pois ela dramatiza a cegueira e segmentação do processo: em seu ramo, reservado aos desvalidos, os chefes de bando não deixam de ser potências, criaturas que entre outras coisas usaram a cabeça e aprenderam lições duríssimas, isso sem falar na incalculável tensão nervosa que suportam a todo momento. Nem por isso deixam de ser pobres-diabos que morrem como moscas, longe da opulência que nalgum lugar o tráfico deve proporcionar.

A oscilação vertiginosa na estatura das personagens, conforme o ângulo pelo qual se encarem, formaliza e dá realidade literária à fratura social, que se reproduz dentro também da esfera do crime. Morto no chão, o senhor violento e astuto da vida e da morte dos outros é um menino desdentado, desnutrido e analfabeto, muitas vezes descalço e de bermuda, de cor sempre escura, o ponto de acumulação de todas as injustiças de nossa sociedade. Se por um lado o crime forma um universo à parte, interessante em si mesmo e propício à estetização, por outro ele não fica fora da cidade comum, o que proíbe o distanciamento estético, obrigando à leitura engajada, quando mais não seja por medo. Trata-se de uma situação literária com qualidades próprias.

Colado à ação, o ponto de vista narrativo lhe capta as alternativas próximas, a lógica e os impasses. O imediatismo do recorte reproduz a pressão do perigo e da necessidade a que as personagens estão submetidas. Daí uma espécie de realidade irrecorrível, uma objetividade absurda, decorrência do acossamento, que deixam o juízo moral sem chão. Dito isso, estamos longe do exotismo ou do sadismo da literatura comercial de assunto semelhante. O horizonte reduzido é claramente uma desgraça geral, cuja extensão cabe ao leitor avaliar. Como não entender, por exemplo, que os meninos pequenos se iniciem assaltando velhos e mulheres grávidas? Há lógica igualmente em bater em acidentados para poder roubá-los. É compreensível que as mulheres do meretrício assaltem quando não encontram freguês; que os bandidos sejam muito nervosos; que fulano nunca haja "mantido relações sexuais com uma mulher por livre vontade dela"; que o melhor meio de fuga seja o ônibus, porque "preto que toma táxi ou é bandido, ou está doente à beira da morte". Etc. etc. A matéria é de humor negro e mundo cão, mas está noutro espírito.

O foco na ação, que a todo momento se precipita para soluções fatais, imprime ao livro o ritmo sem trégua. Ligada a essa rotina da tensão máxima, a trivialização da morte empurra para um ponto de vista desabusado e abrangente, a um passo da estatística, quer dizer, superior às emoções do suspense, ou ainda, voltado para coordenadas supraindividuais, de classe, as quais no caso são decisivas. A intimidade com o horror, bem como a necessidade de encará-lo com distância, se possível esclarecida, é uma situação moderna.

Como o antigo Naturalismo, o romance de Paulo Lins deve parte da envergadura e da disposição ousada à parceria com a enquete social. Lembrando que a constelação histórica é outra, talvez se possa dizer que em *Cidade de Deus* os resultados de uma pesquisa ampla e muito relevante — o projeto da antropóloga Alba Zaluar sobre "Crime e criminalidade no Rio de Janeiro" — foram ficcionalizados do ponto de vista de quem era o objeto do estudo, com a correspondente ativação de um ponto de vista de classe diferente (mas sem promoção de ilusões políticas no capítulo). Significativa em si mesma, essa recombinação de fatores tem um tom próprio, que no conjunto funciona vigorosamente, embora destoando da "prosa bem-feita". Seja como for, a amplitude e o mapeamento da matéria, o ânimo sistematizador e pioneiro, que conferem ao livro o peso especial, têm a ver com a vizinhança do trabalho científico, e também do trabalho em equipe: na página final, dos agradecimentos, o autor dá crédito a dois companheiros pela pesquisa histórica e de linguagem, à maneira do cinema. São energias artísticas da atualidade, que não cabem na noção acomodada de imaginação criadora que a maioria de nossos escritores cultiva.

O entrevistador e o pesquisador — profissionais ligados ao ramo das novidades sociais em formação, as chamadas "tendências emergentes" — ajudaram o artista a inventar o seu esquema, ao qual imprimiram certa precariedade literária, mas também a nota recentíssima e de ponta. São outros tantos sinais do tempo, que dão modernidade à construção. Com muito tino artístico, o trabalhador, o malandro, o bicho-solto, o cocota, os rapazes do conceito e a polícia se definem uns em relação aos outros, e não separadamente. São funções, em parte antigas, de uma estrutura nova em formação, na crista da atualidade, a pesquisar e adivinhar. É dentro dela que as personagens evoluem, se distinguem ou passam à posição oposta, assegurando pertinência fina à ficcionalização. Mesmo crua, a matéria das observações — cheirando ainda à caderneta de campo — cria complexidade quase que no ato: há o menino que prefere ouvir a conversa dos bandidos a rezar com o pai na Assembleia de Deus. Há o bicho-solto que por amor de uma preta bonita sonha com a vida de otário. Outro declara que "virar otário na construção civil, jamais". Esse mesmo, pouco depois, vira crente e arranja emprego na Sérgio Dourado: a fé passava a afastar "o sentimento de revolta diante da segregação que sofria por ser negro, desdentado e semianalfabeto". O mundo relacional armado pelo jogo das posições fica na interseção da lógica do cotidiano, da literatura de imaginação e do esforço organizado de autoconhecimento da sociedade.

Ainda nessa linha de arte compósita, vejam-se os momentos em que a prosa recapitula o passado ou explora o presente, no intervalo entre as ações. O gesto explicativo deve-se ao padrão da narrativa naturalista. A indicação descarnada é um subproduto da pesquisa de campo e tem a ver com a ideia de eficiência do relatório científico. A nota sensacionalista dos noticiários de jornal, usados como documentação fatual e matéria-prima ideológica, também entra para a escrita, que assimila ainda, além da determinação desesperada dos bandidos, a brutalidade entre administrativa e obtusa da terminologia policial. Com sua carga de modernidade degradada e alienada, a mescla é muito consistente e faz parte real, como se sabe, do universo de suas vítimas, que a despeito do abandono há muito tempo vivem em território trabalhado, para não dizer melhorado, pelo progresso. Basta pensar no "Lazer" pelo qual os bandidos passam na ida e na volta de suas saídas e que certamente foi a contribuição de um urbanista. Observe-se por outro lado que a gravitação ininterrupta do tráfico das drogas desqualifica todo um complexo de explicações, outrora científicas e agora bem pensantes, centradas no alcoolismo do pai, na prostituição da mãe, na desagregação da família etc. Nas circunstâncias, esses raciocínios adquirem algo de antigo e irreal, embora biriteiros, piranhas etc. formem a regra. Como uma ideologia entre outras, o repertório de causas naturalistas e sociológicas se integra a um tecido discursivo sem última palavra, que por sua vez funciona como elemento de um enigma mais amplo, formado pelo imenso negócio do crime, de contornos incertos, e pelo rumo da sociedade contemporânea, de cuja feição efetiva aquelas explicações não dão notícia.

Até certo ponto, a transcrição da fala popular, viva e enxuta ao extremo, à beira do minimalismo, faz contraste com essa argamassa. Por outro lado, pela brutalidade e constante repetição, ela pode também ser vista como a sua expressão pura e simples. A ousadia de linguagem mais notável, no entanto, vem por conta de uma inesperada insistência na poesia — à qual se pode objetar muita coisa, menos o grande acerto de sua presença. Nela se combinam os recursos da letra de samba e uma versão abandidada do trocadilhismo concretista — a epígrafe do livro é de Paulo Leminski —, cujas possibilidades populares aparecem aqui de maneira interessante. A importância deliberada e insolente da nota lírica, que faz frente ao peso esmagador dos condicionamentos pela miséria, dá ao romance um traço distintivo, de recusa, difícil de imaginar num escritor menos inconformado. Seria interessante refletir sobre a ligação entre esse lirismo improvável e a força necessária ao deslocamento do ponto de vista de classe — de objeto de ciência a sujeito da ação — que observamos a propósito do papel da enquete social na obra.

"É tudo verdade", avisava Balzac na abertura de um romance cheio de lances de imaginação extremada. Também para Paulo Lins não se trata de negar a parte da ficção, mas de lhe acentuar o valor de prospecção e desvendamento. Diante da tarefa de romancear a sua vasta matéria, o escritor lança mão de apoios de toda sorte, que vão de *Crime e castigo* e *Angústia* às superproduções de cinema. Há bastante proximidade com a imaginação sensacionalista e comercial de nossos dias, mas em espírito oposto, antimaniqueísta, antiprovidencialista, anticonvencional. A pauta é dada pelo atolamento das intenções — Mané Galinha, o bandido simpático e vingador, vai ficando igual a seus inimigos — e pela dissolução geral do sentido, o qual, embora enérgico, não se sabe qual seja. Por esse lado estamos no âmbito válido e sem consolações baratas da arte moderna. Assim, nas cenas de ação coletiva em grande estilo, interrompidas e retomadas em função do suspense, quando polícia e bandidos vão para o duelo decisivo *à la* Hollywood, tudo termina em desencontro: a morte não falha, mas chega antes do clímax programado, por mãos que não interessam e por motivos meio esquecidos que não estavam na ordem do dia. Noutro passo o melhor malandro de Cidade de Deus acaba como vítima de um carro que deu marcha à ré. Por sua vez o pior malfeitor do romance morre sumariamente com um tiro na barriga, que não restabelece a justiça nem reequilibra o mundo.

Atrás desse anticonvencionalismo metódico se desenha outra transição mais sutil, entre etapas da contravenção, também ela pouco edificante. Quando morre Salgueirinho — o bom malandro morto pela marcha à ré — choram escolas de samba, namoradas, amigos e discípulos, com ele se vai um pedaço da sabedoria que mandava assaltar só na área dos outros, não brigar à toa pois há mercadoria para todos etc. Quando morre Cabeção, o detestado detetive responsável pela ordem, a comoção é de outra espécie, mas a favela também vibra. Já quando morrem os novos bandidos, os filhos autênticos da neofavela, não acontece nada. Digamos que a forma anterior de marginalidade era bem mais simpática, para não dizer menos antissocial. Assim, nos meses de preparação do Carnaval, os malandros, ladrões e piranhas assaltam a todo o vapor, para levantar recursos para a escola de samba. Os crimes, que certamente não deixam de ocorrer no processo, são como que equilibrados pelo objetivo maior e comum, que alegra a cidade. É como se dentro da desigualdade houvesse uma certa homeostase do todo, até certo ponto tolerável, que a guerra do narcotráfico vem romper. No interior desta última e de suas exigências sem perdão, a alegria da vida popular e o próprio esplendor da paisagem carioca tendem a desaparecer num pesadelo, o que é um dos efeitos mais impressionantes do livro.

Segundo uma boa fórmula, a sociedade atual está criando mais e mais "sujeitos monetários sem dinheiro". O seu mundo é o nosso, e longe de representarem o atraso, eles são resultado do progresso, o qual naturalmente qualificam. No íntimo, o leitor sente-se em casa com eles, pois tendem a realizar o sonho regressivo comum da apropriação direta dos bens contemporâneos.

Nunca fomos tão engajados

Usada em sentido genérico, a palavra "engajamento" não tem cor própria. Um intelectual tanto pode se engajar no centro como na direita ou na esquerda. O senso das proporções entretanto logo avisa que o termo parece excessivo para a opção pelo centro. Algo como "ousar" uma ida à pizzaria. No caso da direita, o que destoa é a defesa do privilégio, que briga com a vibração democrática que irradia daquela palavra, cuja parcialidade pela esquerda se deve à repercussão generosa da figura de Sartre.

Esta última acepção pertence ao antifascismo europeu, ao ascenso operário do pós-guerra e chegou até o terceiro-mundismo dos anos 60. Salvo engano, ela pressupõe a formação burguesa do intelectual, e, do outro lado, uma semiexclusão civil e cultural dos trabalhadores. Mais ao fundo, deslocando tudo tragicamente, estava a Guerra Fria.

Estas coordenadas explicam a nota de aventura e escândalo cercando as decisões do engajamento. Com efeito, ao engajar-se o intelectual cometia uma traição de classe. Não só passava para o outro lado como colocava os seus conhecimentos e preparo cultural a serviço da luta dos despossuídos, ou, ainda, redirecionava a cultura burguesa contra o seu fundamento de privilégio.

A ideia parecia sob medida para o Brasil desenvolvimentista, onde as aspirações de progresso encontravam a barreira das formas arcaicas de propriedade e poder. Era natural que setores ilustrados da classe média notassem o parentesco entre a própria impotência e a precariedade da vida popular, quase desprovida de direitos civis, sem falar de mínimos materiais. Apesar da distância, não haveria algo em comum entre a falta de perspectiva de uns e outros? Daí a denunciar a perversidade de classe dessas privações, bem como o seu anacronismo, ia apenas um passo.

Para apreciar a dimensão brasileira do quadro é preciso lembrar o nosso passado escravista, ainda recente, cujas sequelas em matéria de sujeição total e exclusão, bem como de autoridade irresponsável, são maiores do que supomos. O extraordinário engajamento abolicionista de Joaquim Nabuco ilustra as distâncias sociais vertiginosas que o país desafia a transpor. Ilustra também uma problemática político-moral *sui generis*, da qual algo subsiste até hoje.

Segundo Nabuco, o mandato abolicionista é uma delegação "inconsciente da parte dos que a fazem, mas [...] interpretada pelos que a aceitam como um mandato que se não pode renunciar. Nesse sentido, deve-se dizer que o abolicionista é o advogado gratuito de duas classes sociais que, de outra forma, não teriam meios de reivindicar os seus direitos, nem consciência deles. Essas classes são: os escravos e os 'ingênuos'. Os motivos pelos quais essa procuração tácita impõe-nos uma obrigação irrenunciável não são puramente — para muitos não são mesmo principalmente — motivos de humanidade, compaixão e defesa generosa do fraco e do oprimido. [...] Aceitamos esse mandato como homens políticos, por motivos políticos, e assim representamos os escravos e os 'ingênuos' na qualidade de brasileiros que julgam o seu título de cidadão diminuído enquanto houver brasileiros escravos, isto é, no interesse de todo o país e no nosso próprio interesse".[1]

Esta modalidade radical e exigente de patriotismo, limpa de complacências sentimentais, que não acoberta o "nosso" atraso nem a injustiça social, faz esfregar os olhos incrédulos. Levado por ela, um moço bem-nascido desertava a sua classe, a sua "raça", relativizava a caridade cristã, dizia coisas duríssimas à Igreja, denunciava o jogo dos "plutocratas" no parlamento e se ligava ao movimento popular, em parte à margem da lei. Sem esquecer que revia a história e o funcionamento abjeto da pátria em termos de uma nitidez desconcertante.

Outra fase de engajamento intenso foram os anos de 1962 a 64, quando os impasses da política populista empurraram a Presidência da República a estimular a reivindicação popular como forma de pressionar os adversários. Partes da intelectualidade mais desperta, em especial os estudantes, começaram uma verdadeira "ida ao povo" e tomaram o partido da reforma social profunda, fora dos planos governamentais. A mobilização, amplamente caucionada pelas desigualdades inaceitáveis do país, somava os impulsos oficialistas e os subversivos. A ambiguidade favorecia a radicalização aventureira e desembocava em meses explosivos, de pré-revolução desarmada, a que o golpe de 64 pôs um termo.

O direito de cidade dos trabalhadores e dos pobres ainda não estava conquistado, quando a derrota do campo popular o suprimiu por tempo indeterminado. No campo da cultura, entretanto, sem prejuízo do desastre, as ilusões do período tiveram resultados reais. As novas alianças e simpatias de classe operavam transfusões de experiência social, se é possível dizer assim, além de combinações também novas de forma e conteúdo: a cultura do cinéfilo dava de encontro com o movimento camponês, o estudante educado no

1. Joaquim Nabuco, *O abolicionismo*, Petrópolis, Vozes, 1977, pp. 67, 69.

verso modernista se arriscava na música popular etc. Não será exagero dizer que de lá para cá boa parte da melhor produção em cinema, teatro, música popular e ensaísmo social deveu o impulso à quebra meio prática e meio imaginária das barreiras de classe, esboçada naqueles anos, a qual demonstrou um incrível potencial de estímulo. Para o professor cinquentão de hoje não é fácil explicar aos alunos a beleza e o sopro de renovação e justiça que na época se haviam associado à palavra democracia (e socialismo).

Quando o movimento operário voltou à cena e impôs a sua realidade, com as greves da segunda metade da década de 70, foi por sua própria conta, com seus próprios líderes. As greves do ABC pesavam de modo decisivo, e à vista de todos, para que se inviabilizasse a ditadura militar. A intelectualidade de esquerda, que correra riscos e fizera oposição ao regime, naturalmente vibrou. Mas as condições de seu engajamento — a "procuração tácita" de Nabuco — estavam mudadas. A antiga assimetria, que tornava complementares a privação de um lado e o preparo político e ideológico do outro, se transformara muito. Ao voltarem do exílio, as grandes figuras do pré-64 constatavam que o fundamento de sua influência anterior deixara de existir. No mesmo sentido o movimento estudantil, que fora uma caixa de ressonância nacional, passava a ter uma posição secundária no rol das coisas.

Enquanto a ditadura sufocava a vida intelectual do país, lá fora ocorriam mudanças. O ciclo das guerras de libertação nacional chegava ao fim, deixando sem objeto o terceiro-mundismo, cuja exaltação da solidariedade fora um dos fermentos revolucionários dos anos 60 nos países ricos.[2] Na própria Europa, em seguida aos vagalhões de 68, e aos aumentos salariais subsequentes, a integração política e cultural dos trabalhadores parecia se completar. Nes-

2. Fredric Jameson, "Periodizando os anos 60", in Heloísa Buarque de Holanda (org.), *Pós-modernismo e política*, Rio de Janeiro, Rocco, 1991.

sas condições o engajamento intelectual não se teria tornado um anacronismo? Diante de sindicatos poderosos e bem-sucedidos, dotados de *staff* e dirigentes à altura, com conquistas espetaculares no ativo, é como se a conversão do intelectual à causa dos trabalhadores passasse a sofrer de desproporção, ou lembrasse o alucinado apoio do mosquito ao elefante. A lógica da mercadoria expandiu-se violentamente, tanto na esfera popular como na cultural, em detrimento das conexões não mercantis, inaugurando um clima espiritual novo. O marxismo, cujo fundamento ativista havia sido a semiexclusão social do operariado, entrava em baixa acentuada, o que não deixava também de ser um paradoxo, uma vez que a crítica ao fetichismo da mercadoria é uma de suas contribuições centrais.[3] Esta morte provisória entretanto não foi morrida. Foi matada, já que a estabilização social do capitalismo nos países ricos veio junto com uma campanha ideológica encarniçadíssima, que valeria a pena documentar, cujo foco esteve e está na desqualificação da crítica ao capital e à cultura que o acompanha. Um cachorro tão chutado pode estar vivo.

Até onde pude acompanhar, a resposta intelectual à feição decepcionante da Abertura brasileira foi decepcionante por sua vez. Nada à altura do jogo de cena e dos acertos nos bastidores a que se dedicaram os conservadores dos campos autoritário e democrata. É como se a mudança nos termos da procuração social do pensamento houvesse lhe quebrado o ânimo crítico e abrangente. Acrescia que uma parte da intelectualidade oposicionista passava pela experiência de governo, pessoalmente ou por amigos interpostos. O aprendizado do realismo e dos segredos de ofício, ou do negócio, poderia valer muito à pedagogia política. Mas acabou limitando a

3. Sobre a independência relativa entre os temas da revolução operária e do fetichismo da mercadoria na obra de Marx, ver o livro de Robert Kurz, *O colapso da modernização*, São Paulo, Paz e Terra, 1992.

liberdade de escrita, constrangida diante dos novos interesses criados, que afinal de contas não eram inimigos (ao mesmo tempo que a maledicência podia correr ilimitada). Completando o quadro, o clima de capitalismo social na Europa deu o aval moderno à acomodação ideológica em curso.

Contudo, a integração de todos sob o guarda-chuva do mercado próspero — tendência que em certo momento autorizou os melhores espíritos a conceber as sociais-democracias como sociedades estabilizadas e racionais — no Brasil não ocorreu nem parece em vias de ocorrer. Posso estar enganado, mas imagino que a esterilidade relativa da produção intelectual do período se deva à adoção do horizonte teórico "pacificado" dos países ricos, talvez menos real e "avançado" do que a desagregação em curso entre nós. E agora mais ainda, quando a dinamização do capital se mostra ligada estruturalmente à criação de desemprego, recolocando a divisão social e a destrutividade da modernização competitiva no centro do debate europeu. Como será no Brasil, onde estes resultados não se produzem depois, e sim antes de integrada a população ao mercado e às garantias sociais? E se, com perdão da má palavra, entre globalização e desagregação houver uma dialética, a qual estamos cansados de ver na rua mas não formulamos, talvez por prudência política, ou por sentimento do decoro científico, ou para não sermos desconvidados aqui e ali, ou ainda por subserviência mental? Nestas circunstâncias, a ativação brasileira do discurso da modernização econômica, sem mais e socialmente neutra, parece fortemente ideológica.

Pensando melhor, veremos que a intelectualidade nunca esteve tão engajada. Rara mesmo, em nossos dias, é a torre de marfim. Acredito aliás que a crítica independente, sem patrocinador nem interesse direto à vista, é o que mais nos está fazendo falta. Quase todos estamos empenhados, suponhamos, na administração pública, nalgum partido, num departamento da universidade, numa firma de pesquisa, num sindicato, numa associação de profissionais liberais, no ensino secundário, num setor de relações públicas, numa redação de jornal etc., com o objetivo nem sempre muito crível de usar os nossos conhecimentos em favor de alguma espécie de aperfeiçoamento e modernização. Assim, um dos impulsos essenciais à ideia de engajamento, que mandava trazer a cultura dita desinteressada ao comércio dos interesses comuns, se realizou plenamente. O que não ocorreu foi a esperada diferença democrática que esta descida à terra faria. Na falta dela, o compromisso social dos especialistas, incluída aí a dose normal de progressismo, é o mesmo que ir tocando o serviço, e a combatividade do engajamento pode ter algo de um *lobby* de si próprio.

A tecnificação da sociedade avança e o número dos especialistas aumenta. A ligação entre estes e governo, administração pública e gestão do capital é estreita, formando o bloco da autoridade moderna. "Os varões sabedores", como dizia Machado de Assis, para caracterizar uma inteligência rara que acabava de se enganar por completo. Do outro lado da cerca vivem os leigos, que ficam inermes, e, mais que isso, desqualificados. O bloco das capacidades, de que mal ou bem as grandes lideranças sindicais também fazem parte, conhece esses efeitos e trata de tirar proveito deles. Os representantes do país organizado, e também de si mesmos, defrontam-se com o país desorganizado, oposição que em parte se sobrepõe à divisão entre as classes, que entretanto não desaparecem, a não ser que fechemos os olhos. Nesse ponto a velha inspiração democrática do engajamento intelectual talvez tenha alguma vigência moderna. Onde o intelectual conservador tira dividendos da autoridade de seu conhecimento técnico (no qual o materialista inclui as frequentações "exclusivas", tanto as de trabalho quanto as sociais), o de esquerda abre a caixa-preta, como "advogado gratuito" dos excluídos, e também de uma ordem onde o saber não sirva de álibi à dominação. O seu programa não é regressivo e não suprime a diferenciação social; mas o amálgama odioso desta última com a desigualdade, o poder irresponsável e os preconceitos do Brasil novo e velho tem de ser combatido.

Para ficar no preconceito de classe, basta pensar nas barbaridades do candidato Collor e na indulgência que mereceram, devidas ao que tudo indica ao figurino escovado, a umas tantas línguas estrangeiras e à casca de um discurso modernizador. Como os seus erros de gramática fossem de grã-fino, não causaram estranheza, ao passo que Lula, evidentemente um orador claro, ágil e interessante, era atacado por não saber português. Assim como agora em 1994 não é possível, em boa consciência, lançar dúvidas sobre a inteligência e o preparo do candidato popular — com certeza um homem acima do comum —, a não ser que as palavras sejam tomadas no sentido que lhes davam os nossos avós.

Um intelectual independente lembraria também que o Brasil com as suas taras e o capital global com os seus deslocamentos ciclópicos e imprevisíveis não deixarão de marcar presença e que nenhum dos dois candidatos lhes poderá fugir.

Um romance de Chico Buarque

Estorvo é um livro brilhante, escrito com engenho e mão leve. Em poucas linhas o leitor sabe que está diante da lógica de uma forma. A narrativa corre em ritmo acelerado, na primeira pessoa e no presente: a ação que presenciamos consiste no que o narrador, que é o protagonista, faz, vê e imagina. A linguagem reúne aspirações difíceis de casar: trata de ser despretensiosa — palavras de um homem qualquer —, mas ainda assim aberta para o lado menos imediato das coisas. A combinação funciona muito e produz uma poesia especial, que é um achado de Chico Buarque. A expressão simples faz parte de situações mais sutis e complexas do que ela.

O romance começa com o narrador semidormido diante do olho mágico de um quarto e sala. A cara do outro lado da porta, nem conhecida nem desconhecida, o decide a tomar a fuga que irá movimentar o entrecho. Havia razão? Não havia? Alucinações e realidade recebem tratamento literário igual, e têm o mesmo grau de evidência. Como a força motivadora das primeiras é maior, o clima se torna onírico e fatalizado: o futuro pode dar mais errado ainda. A interpenetração de realidade e imaginações, que requer boa técnica, torna os fatos porosos. Esta cara é feita de outras caras, a barba eu conheço de outro queixo, o presente é composto de outros momentos. O relato seco e factual do que está aí, bem como do que não está, ou da ausência na presença, opera a transmutação da ficção de consumo em literatura exigente (aquela que busca estar à altura da complexidade da vida).

As necessidades da fuga, com suas pressas e seus vagares, filtram o sentimento da cidade. O Rio existe fortemente no livro, mas de maneira íntima, de relance, sem nada de cartão-postal. Nas cenas iniciais há o que se poderia chamar de emoção da topografia e dos contrastes: o narrador desce às carreiras a escada de serviço, dobra a esquina que há um momento observara do sexto andar, corre pelo túnel na contramão, emerge aliviado noutro bairro, onde respira outros ares, e começa a subida da encosta em direção ao verde e às mansões de blindex, de onde vê o oceano. O leitor confira na imaginação a poesia dessa sequência.

Dependendo do ponto de vista, o narrador é um joão-ninguém ou um filho-família desgarrado. O primeiro mora num quarto e sala, anda de jeans, camiseta branca e tênis, bebe água na pia de mictórios fedidos, e arrasta a sua mala pelas calçadas. Mas sabemos também que o seu falecido pai tinha naturalidade para gritar com empregados; que a mãe fica quieta quando atende o telefone, porque acha impróprio uma senhora dizer alô; que a irmã, casada com um milionário, mora na mansão de blindex; que o belo sítio da família virou plantação de maconha e refúgio de bandidos.

Pode-se dizer também que se trata de um filho-família vivendo como joão-ninguém a caminho da marginalidade. Quais os conflitos embutidos nessa composição? Note-se que a tônica do romance não está no antagonismo, mas na fluidez e na dissolução das fronteiras entre as categorias sociais — estaríamos nos tornando uma sociedade sem classes, sob o signo da delinquência? —, o que não deixa de assinalar um momento nacional. Ainda assim, não se entende o nivelamento sem considerar as oposições que ele desmancha.

A fala em primeiro plano, muito simpática, é do homem qualquer, cuja ética é uma estética, ou cuja birra das presunções sociais se traduz, no plano da expressão, pela exclusão de fricotes e afetações literárias. Desse prisma, refinado a seu modo, e cuja data é o radicalismo estudantil dos anos 60, o luxo dos ricos não passa de desafinação. A casa de concreto e vidro está errada, os cavalheiros com cara de iate clube também, e a irmã muito produzida idem: "Eis minha irmã de peignoir, tomando café da manhã numa mesa oval". Mas os tempos são outros, e a antipatia pelo dinheiro não impede o narrador de aproveitar uma visita para roubar as joias que o levarão para o campo da marginália. Por seu lado os ricos não lhe condenam o temperamento "de artista", como aliás não antipatizam deveras com o mundo do crime. O assunto que excita o cunhado é o estupro de que foi vítima a mulher, que entretanto flerta com o delegado que se encarregou do caso, o qual se dá com os bandidos, que podem ser os do crime ou outros. Uma promiscuidade apocalíptica, à qual todos já parecem acostumados, e que pode ser imaginação do narrador, mas pode também não ser. Como a geografia, a história está neste livro só indiretamente, mas faz a sua força.

Numa grande cena de rua, com corre-corre, camburões e TV, uma baixinha com cara de índia procura impedir a prisão do filho, aos gritos e com bons argumentos. O narrador sente que vai ficar a favor dela, mas logo vê que se enganou, pois a mulher para de gritar quando percebe que não está sendo filmada. O episódio, que o narrador preferia que não tivesse acontecido, explica muita coisa, talvez marque um horizonte de época. O desejo de tomar o partido dos pobres e de vê-los defender na rua os seus direitos sobe de supetão, para se apagar em seguida. É como um reflexo antigo, antediluviano, hoje uma reação no vazio, já que a alegria do povo é aparecer na televisão. O desejo de uma sociedade diferente e melhor parece ter ficado sem ponto de apoio. Estaríamos forçando a nota ao imaginar que a suspensão do juízo moral, a quase atonia com que o narrador vai circulando entre as situações e as classes, seja a perplexidade de um veterano de 68?

O outro local importante do livro é o velho sítio da família. Como espaço da infância, da gente simples e da natureza, pareceria um refúgio, o remédio para os desajustamentos do narrador. Ao chegar lá, entretanto, este encontra um povo — crianças inclusive — organizado e escravizado para a contravenção, siderado por videogames, motocicletas, blusões e tintura para cabelos, além de preparado para negociar com as autoridades. Ou seja, fechando o círculo, a mesma coisa que na mansão de blindex: no reservatório das virtudes antigas não há mais água limpa. Assim, depois dos tempos em que a pobreza ignorante seria educada pela elite, e de outros tempos em que os malfeitos dos ricos seriam sanados pela pureza popular, chegamos agora a um atoleiro de que ninguém quer sair e em que todos se dão mal.

Por um paradoxo profundamente moderno, a indefinição interior dos caracteres tem como contrapartida uma visibilidade intensificada. Gestos e movimentações têm a nitidez a que nos acostumam a história em quadrinhos, as *gags* de cinema, os episódios de TV, bem como o sonho ou o pesadelo. Essa exatidão, muito notável, decorre em primeiro lugar da felicidade literária e da observação segura do escritor, e também da escola do romance policial. Mas há nela um outro aspecto, bem perturbador. É como se no momento ela não fosse apenas uma qualidade artística, mas uma aspiração real das coisas e das pessoas ao figurino evidente, ao logotipo delas mesmas. A irresistível atração da mídia ensina e ensaia a figura comunicável, o comportamento que cabe numa fórmula simples, onde a palavra e a coisa coincidam. É por esse lado de clone publicitário que Chico Buarque fixa as suas personagens. A irmã elegante sobe as escadas e gira o corpo, conforme o ensinamento da modelo profissional; o marido desfere o saque bufando, como os tenistas campeões; os marginais fazem roncar as suas motos vermelhas, numa cena que eles mesmos já viram em filme, e usam anéis enormes, que ofuscam como faróis. Malandros, milionários, empregados, bandidos e, naturalmente, a polícia, todos participam do mundo da imagem, onde brilham acima de seus conflitos, que ficam relegados a um estranho sursis. O acesso ao espetáculo dos circuitos e dos objetos modernos parece compensar de modo mais do que suficiente a sua substância horrenda.

Vista no conjunto, a linha da ação tem a força da simplicidade, apesar das alucinações. A fuga não vai a nenhuma parte, ou melhor, o narrador fica voltando aos mesmos lugares. São reincidências sem fim à vista, embora não possam também ser infinitas, pois a situação se agrava a cada vez. Nas cenas finais o monstruoso toma conta. De olhar fixo no grotesco dos outros, que de fato é extremo, o narrador não nota a crosta de sujeira, hematomas, feridas e cacos de vidro — sem mencionar a confusão moral — que acumulou e o deve estar desfigurando. Essas informações cabe ao leitor reunir, para visualizar a personagem que lhe fala, não menos anômala e acomodada no intolerável que as faunas do luxo ou do submundo. A certa altura, numa de suas alucinações, inconsciente de seu aspecto, o narrador quer abraçar na rua um homem que julga reconhecer. Este não hesita em se defender com uma faca de cozinha. Estripado, o narrador pega o ônibus e segue viagem, pensando que talvez a mãe, um amigo, a irmã ou a ex-mulher possam lhe dar "um canto por uns dias". Esta disposição absurda de continuar igual em circunstâncias impossíveis é a forte metáfora que Chico Buarque inventou para o Brasil contemporâneo, cujo livro talvez tenha escrito.

O livro audacioso de Robert Kurz

Como entender a derrocada dos países socialistas? Embora chegasse de surpresa, ela deu lugar a mais certezas do que dúvidas, e pareceu de fácil compreensão. Segundo a voz geral trata-se: a) da vitória do capitalismo, e b) da refutação do prognóstico histórico de Marx; ou ainda, da derrota do estatismo pelas sociedades de mercado. Pois bem, para desmanchar a unanimidade acaba de sair na Alemanha um livro inteligente e incisivo, de Robert Kurz, que arrisca uma leitura inesperada dos fatos.[1] A mencionada *débâcle* representaria, nada menos e pelo contrário, o início da crise do próprio sistema capitalista, bem como a confirmação do argumento básico de *O capital*.

O leitor escaldado dirá que o papel aceita tudo, até sofismas como os supracitados. Acaso será sinal de crise triunfar sobre o adversário? A derrota do socialismo não está à vista de todos? As so-

1. Robert Kurz, *Der Kollaps der Modernisierung*, Frankfurt am Main, Eichborn Verlag, 1991; em português, *O colapso da modernização*, Rio de Janeiro, Paz e Terra, 1992. O presente artigo serviu de prefácio à edição brasileira.

ciedades ex-socialistas não reconhecem elas mesmas a superioridade da economia de mercado, cujos mecanismos procuram assimilar avidamente, a despeito de Marx? Os reservatórios de mão de obra e os mercados potenciais do Leste não ampliam o espaço do capital?

O livro não desconhece essa ordem de fatos, que no entanto considera noutra perspectiva. Em lugar de contrapor modelos abstratos de sociedade — capitalista *vs.* socialista, democrático *vs.* totalitário, concorrencial *vs.* estatista, burguês *vs.* proletário etc. —, trata de conceber em movimento e no conjunto a história do sistema mundial de produção de mercadorias. A essa luz o desempenho daqueles termos opostos se redimensiona, deixando ver um panorama surpreendente, de verossimilhança perturbadora. Isso posto, devo dizer que não sou especialista na matéria, e que me animei a resumir os raciocínios de Kurz pelo seu impacto crítico: evidenciam a caricata falta de horizonte em que o deslumbramento com o mercado vem encerrando a nossa *intelligentsia.*

O ponto de partida é conhecido de todos. A competição econômica força as empresas a buscarem a eficácia, revolucionando o trabalho, a técnica, os produtos, que adiante voltam a competir e a ser revolucionados, e assim por diante. Noutras palavras, está na lógica da produção de mercadorias obrigar ao desenvolvimento das forças produtivas. Algum tempo depois da Segunda Guerra Mundial esse processo, que acompanha o capitalismo desde o começo, alcançou um patamar decisivo, cujas consequências determinam a história contemporânea. O dado crucial está no casamento, sob regime mercantil, entre a investigação científica e o processo produtivo. A ligação foi dinamizada a fundo pelas condições de mercado mundializado que a Pax Americana sustentou, as quais abriram possibilidades inéditas à velha concorrência entre capitais.

É sabido igualmente que esses passos, com destaque para o aproveitamento da microeletrônica e dos computadores, não puderam ser acompanhados pelos países socialistas. A partir daí a distância entre os dois blocos cresce, e empurra os perdedores para o colapso (reunindo-os aliás a boa parte do Terceiro Mundo desenvolvimentista, forçado a entregar os pontos dez anos mais cedo). Concebida nos termos da competição entre sistemas, essa sequência é a demonstração da vitória da economia de mercado sobre o estatismo. Não assim para Kurz, que entende as economias ditas socialistas como fazendo parte do sistema mundial de produção de mercadorias, de sorte que a quebra daquelas explicita tendências e impasses deste. A crise procede da periferia para o centro, ou seja, começou pelo Terceiro Mundo, foi aos países socialistas e já chegou a regiões e bairros inteiros nos países ricos. Qual a sua natureza?

A concorrência no mercado mundial torna obrigatório o novo padrão de produtividade, configurado pela combinação de ciência, tecnologia avançada e grandes investimentos. Tanto o mercado como o padrão, na sua forma atual, são resultados tardios e consistentes da evolução do sistema capitalista, que, chegado a esse patamar — sempre segundo Kurz —, alcançou o seu limite, criando condições completamente novas. Pela primeira vez o aumento de produtividade está significando dispensa de trabalhadores também em números absolutos, ou seja, o capital começa a perder a faculdade de explorar trabalho. A mão de obra barata e semiforçada com base na qual o Brasil ou a União Soviética contavam desenvolver uma indústria moderna ficou sem relevância e não terá comprador. Depois de lutar contra a exploração capitalista, os trabalhadores deverão se debater contra a falta dela, que pode não ser melhor. Ironicamente, a exaltação socialista do herói proletário e do trabalho "em geral" consagrava um gênero de esforço historicamente já obsoleto, de qualidade inferior e pouco vendável, superado pelo capital e não pela revolução. Mas o caráter excludente das novas forças produtivas não para aí.

Também a derrota adquire atributos novos no mercado global, sem perder os antigos. Não diz respeito a empresas apenas, mas a regiões e até países. Muitas vezes os gastos em tecnologia e infraestrutura, indispensáveis sob pena de abandonar a partida, são inalcançáveis. Assim, a vitória de uma empresa não é só a derrota da vizinha, mas pode ser a condenação e a desativação econômica de um território inteiro noutro continente. Com a agravante, no caso dos países desenvolvimentistas, de que a mundialização do mercado foi precedida por um esforço industrialista nacional que ficou incompleto. Este arrancou a população aos enquadramentos herdados, para criar a força de trabalho moderna, assalariada, "abstrata", *i.e.*, pau para toda obra, necessária às empresas. Ora, a mutação do mercado e do padrão produtivo faz que estas últimas já não tenham uso para as multidões de trabalhadores sem saúde, sem educação e quase sem poder aquisitivo que, depois de serem o trunfo competitivo do Terceiro Mundo, passam a ser a sua assombração, não tendo mais para onde voltar. Mesmo nos casos melhores, quando uma empresa sediada em país pobre logra enfrentar os custos da modernização e assegura um lugar no mercado mundial, o efeito é perverso. Na falta dos investimentos pesados em comunicação de toda ordem, bem como em educação e saúde, necessários à articulação social dessa espécie de progressos, os avanços eventuais ficam isolados, como um corpo estranho e dispendioso. Ou pior, só formam tecido com os parceiros de troca nos países ricos, constituindo talvez mais um dreno de empobrecimento dos já pobres.

Assim, combinada à concorrência global, a produtividade contemporânea leva de vencida e torna obsoleta grande parte das atividades produtivas do planeta, o que nas novas condições é o mesmo que as inutilizar. O debate ideológico entretanto não se fixou nessa queima, e sim nos méritos genéricos do mercado livre, entendido como modelo abstrato. Enquanto isso o mercado concreto, que é histórico, eleva a alturas mais e mais inatingíveis os seus requisitos de acesso. As virtudes do modelo, ao contrário portanto do que afirmam os ideólogos, não são para todos. Na vigência da lógica mercantil, o estoque de capitais que engendra os avanços produtivos já não tem como ser alcançado noutros pontos da Terra: cada passo à frente nos países atrasados é compensado por dois, três ou mais, que não há como acompanhar, nas regiões adiantadas.

Vejam-se a respeito os esforços desenvolvimentistas do Terceiro Mundo, anacrônicos, via de regra, antes mesmo de começarem a produzir, isso quando chegam a tanto e não param a meio caminho, satisfeitos com as bandalheiras propiciadas. Subsídios, endividamentos e decênios de sacrifício humano brutal não trouxeram a prometida modernização da sociedade, quer dizer, a sua reprodução coerente no âmbito do mercado global, agora mais remota do que nunca. Com esse fracasso abriu-se a época presente, das "sociedades pós-catástrofe", onde o desmoronamento dá a tônica. A situação em vários países da América Latina hoje se pode caracterizar como de "desindustrialização endividada", com populações compostas de não-pessoas sociais, ou seja, de sujeitos monetários desprovidos de dinheiro. Contudo, havendo ainda quem opere com lucro no mercado mundial, a ilusão de que esse sistema é "normal" e leva a algum porto não se extingue, mesmo ao preço de os beneficiados viverem atrás de guaritas. "São estas minorias" — escreve o autor — "que se aferram às estratégias de privatização e abertura do FMI, sustentando as miragens a que figuras como Fujimori, Menem ou Collor de Mello devem a sua ascensão." A tendência chega ao extremo lógico quando uma economia é expelida da circulação global, depois de a concorrência moderna lhe ter desativado os recursos locais: a massa da população passa a depender de organizações internacionais de auxílio, transformando-se em caso de assistência social em escala planetária. Droga, máfia, fundamentalismo e nacionalismo representam outros modos pós-catástrofe de reinserção no contexto modernizado.

A *débâcle* soviética segue uma via análoga, também ela determinada pelo custo inalcançável da nova produtividade. Não vamos recapitular as engenhosas observações de Kurz a respeito desse processo, bem como das desilusões que o mercado reserva aos ex-países socialistas. Fiquemos com dois pontos. a) A derrota deu-se no terreno capitalista da rentabilidade, que portanto tinha pertinência interna, o que aconselha o reexame do socialismo inicial. Sem duvidar da convicção dos revolucionários, Kurz aproxima formulações de Lenin e Max Weber, sublinhando o parentesco funcional entre a exaltação socialista do trabalho em abstrato e a sua justificação pela ética protestante. Nesse sentido e em retrospecto, o socialismo teria servido de cobertura ideológica a um esforço retardatário e gigantesco de industrialização nacional. Este não escapava ao sistema mundial de produção de mercadorias, a que aliás os momentos estatizantes nunca foram estranhos, bastando pensar no Mercantilismo, em Bonaparte e Bismarck, e, no entre guerras, no Keynesianismo, em Stalin e... Hitler. b) É desse ponto de vista que a derrocada dos países socialistas e de sua indústria representaria um capítulo, posterior ao terceiro-mundista, do colapso da modernização econômico-social. Esta não estaria mais no futuro, mas no passado, e deu no que deu, por tenebrosa que uma tal perspectiva seja para a Europa do Leste e a América Latina. O capítulo seguinte da crise já está em andamento nos países centrais, onde o mesmo inexorável aumento de produtividade vai inutilizando e assimilando ao Terceiro Mundo novas regiões e novas camadas sociais. O caráter suicida dos termos atuais da concorrência capitalista salta aos olhos e a cegueira do mundo a respeito não augura nada de bom. "A corrida entre o coelho e o ouriço só pode terminar com a morte do primeiro."

A ser verdadeira, a feição inviável que o desenvolvimento das forças produtivas tomou, levando o capitalismo ao impasse, confirma o prognóstico central de Marx. Por outro lado, a novidade da presente crise vem da incorporação da ciência ao processo produtivo, a partir da qual o peso da classe trabalhadora, seja do ponto de vista numérico, seja do ponto de vista da natureza do processo, entra em declínio. Assim, contrariando o outro prognóstico de Marx, a crise do capitalismo se aguça no momento mesmo em que a classe operária já não tem força para colher os seus resultados. A versão última do antagonismo não será dada pelo enfrentamento entre burguesia e proletariado, mas pela dinâmica destrutiva e excludente do fetichismo do capital, cuja carreira absurda em meio aos desabamentos sociais que vai provocando pode ser acompanhada diariamente pelos jornais. O movimento vai em direção a uma nova idade das trevas, de caos e decomposição, embora o processo produtivo, considerado em sua materialidade e envergadura planetária, e apartado da bitola concorrencial, exiba os elementos de uma solução, que o autor valentemente chama pelo nome de comunismo. A quem no entanto ocorreria pensar o mundo contemporâneo fora da lei da troca de mercadorias? Segundo o nosso livro, o próximo decênio ensinará a lição contrária, ou seja, a impossibilidade de conceber o mundo dentro daquela lei. Desse prisma, o Marx da crítica ao fetichismo da mercadoria será mais atual que o da luta de classes. O movimento pendular do capitalismo, entre momentos concorrenciais e estatizantes, agora irá para o segundo polo, talvez tomando a forma do estado de sítio, requerido pelo aprofundamento dos impasses do sistema.

O livro de Kurz procura adivinhar e construir o movimento do mundo contemporâneo, que trata de colocar em forma narrativa. Esta se vale de operações intelectuais díspares, sem nada de épico em si mesmas, das quais entretanto depende a força do andamento de conjunto — como aliás ocorre no romance moderno. Assim, a exposição combina observações avulsas, glosas do bate-boca ideológico mundial, uma tese a contracorrente sobre a dinâmica geral da atualidade, revisões críticas de noções do *establishment*, à direita e à esquerda, análises econômicas, rápidos excursos históricos, e um panorama — este vertiginoso, de verossimilhança notável — da devastação planetária trazida pelo progresso recente do capital. O leitor de Marx terá notado algo da composição do *18 Brumário*, com a sua grandeza acintosamente cacofônica, seus âmbitos e ritmos muito heterogêneos, tudo em função das *revelações* do presente, entendido como novidade histórica. Por um lado, a multiplicidade dos procedimentos, cada qual dependente de disciplina intelectual e estilo literário próprios, atende a esta noção de um presente complexo. Por outro, ela configura a promiscuidade (no bom sentido) em que vivem o jornalista, o filósofo, o economista, o historiador, o literato, o agitador etc. no interior do sujeito que busca fazer frente à experiência do tempo, por escrito e para uso do próximo. Diferentemente da epopeia de Marx, que saudava a abertura de um ciclo, a de Kurz é inspirada pelo seu presumido encerramento. Se em Marx assistimos ao aprofundamento da luta de classes, onde as sucessivas derrotas do jovem proletariado são outros tantos anúncios de seu reerguimento mais consciente e colossal, em Kurz, cento e cinquenta anos depois, o antagonismo de classe perdeu a virtualidade da solução, e com ela a substância heroica. A dinâmica e a unidade são ditadas pela mercadoria fetichizada — o anti-herói absoluto — cujo processo infernal escapa ao entendimento de burguesia e proletariado, que enquanto tais não o enfrentam.

A queda do bloco socialista foi acompanhada, no plano das ideias, pela proscrição da análise globalizante e pela promoção do catecismo liberal, pateticamente distante da realidade histórica. A perspectiva de uma história do sistema mundial de produção de mercadorias traz à frente conexões decisivas — bem ou mal apanhadas — que só por disparate, interesse de classe estreito ou acoelhamento intelectual um morador da América Latina que leia jornais deixará de notar.

Aquele rapaz

Nada mais francês pela filiação do que o livro de Jean-Claude Bernardet.[1] A primeira parte, passada na Europa, lembra os clássicos da *Nouvelle Vague*, com a poesia das amizades de colégio, a precariedade material e a intensidade moral do pós-guerra. Também decisiva e francesa é a tradição literária das confissões do inconfessável, para a qual o valor da arte não se separa do risco — em sentido forte — incorrido na procura da verdade pessoal, sobretudo no terreno do sexo. Uma tradição que busca a garantia de relevância artística, e até de realidade, no sentimento da ameaça que paira: só o que expõe o escritor ao castigo social, para não dizer à sanha da ordem, merece ser escrito. Faz parte dessa poética o desdém pela estetização literária, sempre uma atenuação. A dignidade das letras manda fixar a matéria proibida com a objetividade e o despojamento possíveis, regra severa, de que a provocação não está ausente. Um dos mestres desta linha, Michel Leiris, adota o símile da tauromaquia: o trato rente com o perigo — a realidade no que

1. *Aquele rapaz*, São Paulo, Brasiliense, 1990.

ela tenha de mortal para o desejo do indivíduo — confere distinção humana à movimentação do toureiro ou do literato.[2]

No livro de Jean-Claude a prosa se encontra sempre sob pressão. O narrador quer falar de um rapaz — aquele, mas aquele quem? — que não vê há décadas, se é que o deixou de ver, e talvez o veja constantemente. O rapaz, que os outros dizem efeminado, seria um companheiro de escola, cujo nome escapou? Possivelmente fosse o amigo decisivo, com quem se identificava, ainda que, salvo engano, sem lhe ter simpatia, ou quem sabe lhe tendo repulsa? Ou "aquele" rapaz seria ele próprio? A certa altura, do fundo de seu desconcerto (qual?), o menino pede socorro à professora de latim: quer salvar-se? E se pelo contrário quisesse obsequiar a família bem pensante, que reconhece na professora a estimável sobrinha de um figurão da república? Como saber no caso se quem falou de dentro dele e tomou a iniciativa não foi o pai em pessoa, seu arquiadversário? Para explicar a afinidade com o amigo, o narrador lembra os sofrimentos em comum, pois ambos eram filhos de pais recém-divorciados. Contudo o mesmo parágrafo diz, linhas adiante, que o foco da identificação estava nos modos femininos do colega e na caçoada que eles suscitavam. Explicações podem funcionar portanto como tapumes, e semelhanças e angústias podem não ser as designadas abertamente. Pessoas, fatos e motivos estão envoltos em incertezas vertiginosas, através das quais o narrador se procura (e expõe).

A narrativa começa um pouco desajeitada, com palavras modestas, sem entonação artística ou perfil forte: "Queria falar de um rapaz [...]". Falar, aqui, não será inventar; será lembrar, ruminar, vacilar, relatar, tudo preso ao conflito da autodefinição, um gênero literário também ele pouco definido. Naturalmente o acento bio-

2. "De la littérature considerée comme une tauromachie" (1945), publicado à frente de *L'Age d'homme*, do mesmo autor. Paris, Gallimard, 1986.

gráfico pode ser um artifício ficcional. Mas ainda que seja, a situação de autoexame traz consigo a regra da veracidade, o movimento de verificação interior e retificação, que cortam as asas ao romanesco. Assim, dada a exigência antiescapista, há propriedade crítica na aparência algo informe da exposição, na relativa falta de acabamento sintático e vocabular, na inflexão francesa do português, e sobretudo no caráter mais indicativo que realizado dos episódios, como que afirmando a primazia do problema, da intensidade e da inquietação moral, que são o que importa e torna secundárias as demais considerações.

Por outro lado, num paradoxo interessante, o viés conteudista e o gesto quase de depoimento andam acompanhados da panóplia formal do romance moderno. Aí estão a dúvida quanto à identidade da pessoa, as frases que mudam de sujeito a meio caminho, a composição heterogênea do presente subjetivo, onde os diferentes passados não se articulam conforme a cronologia, e aí está a relevância pessoal dos fatos, discrepando por completo do razoável. Entretanto, longe de serem rupturas com a convenção narrativa, pertencentes ao âmbito exclusivo da arte, estes prismas funcionam como os recursos necessários ao homem comum que busca a si mesmo. É como se o livro de Jean-Claude nos dissesse, sem alarde, que o passar dos anos pôs à mostra a dimensão referencial e realista da revolução formal da arte moderna... No mesmo espírito, as personagens são designadas sumariamente como o pai, a mãe, a madrasta, o amigo, os empregados etc., dispensando os nomes e reduzida a pouca coisa a particularização. Embora o ponto de mira seja uma configuração pessoal, cuja realização na vida custará atritos infernais, além de tenacidade notável e coragem, a sua estrutura é genérica, não autorizando maiores ilusões de individuação. Também a audácia kafkiana de reduzir um homem ao anonimato de uma função, ou da letra K, entrou para o consenso, e a mais atormentada luta pela particularidade subjetiva se resolve em fim de contas numa ou noutra variante de funcionamentos psicanalíticos e sociológicos. Nesse sentido, a narrativa assimila com muita consequência as conquistas e desilusões do século, donde a sua consistente modernidade artística. Não custa assinalar, por fim, num país de sexualidade gregária e publicitária como o Brasil, a novidade benfazeja do tom do livro de Jean-Claude. Até onde posso ver, o exame de consciência ateu, alheio ao espalhafato e ao glamour, mas com a coragem do desejo individual, traz uma dimensão literária que falta à nossa cultura.

Sobretudo nas partes iniciais, a tensão dos episódios decorre de proibições, obrigações, suspeitas, que formam o traço de união meio oculto entre as anedotas. Estas são heterogêneas e breves, alinhadas em grupos de três, quatro ou mais em cada parágrafo. Compõem um fluxo acelerado, deliberadamente sumário na sua indiferença a contrastes violentos: por exemplo, as perplexidades do colegial estrangeiro diante do sentido das palavras brasileiras ou diante do quarentão que o apalpa no bonde lotado são mencionadas num mesmo fôlego e a mesmo título. A equiparação escandalosa é operada pela homogeneidade do tom, por certa clareza geral, e naturalmente pelo ritmo de um mundo interior específico. Tomadas nelas mesmas, as microcenas pareceriam peças de uma reconstituição de época. Entretanto, à medida que seu denominador comum aflora, arma-se outro temário mais abstrato, em torno da coerção, da resistência ou da adesão a ela, envolvendo os funcionamentos efetivos e não canônicos da norma.

As imposições com que a personagem se defronta são variadas: formar fila na escola, decorar declinações latinas, guardar segredos, segurar os gases em sociedade, melhorar a caligrafia, não conversar a sós com os coleguinhas, provar coragem física ao pai, chamar de mamãe à madrasta etc. A relação do menino com o mundo das injunções não se resume contudo em rebeldia. Sirva de exemplo o alívio paradoxal que lhe trazem a disciplina do internato e a vaia dos colegas, que prefere à pressão da família nos fins de semana. Em certa ocasião o cachorro da casa o impede de abrir o armário para pegar um chocolate; é o mesmo cachorro bravo perto do qual o menino se sente protegido, em segurança para dormir. Pelo visto há pressões providenciais, que encobrem outras mais temíveis.

No caso, a chave da relação complexa com a coerção está na homossexualidade que não se conhece. Esta sobredetermina tudo. Por exemplo, o menino encara com desânimo infinito as exigências da caligrafia ou do solfejo, pois sente que no essencial o desempenho conforme não será para ele. Pelas mesmas razões pode olhar as regras com perplexidade verdadeira, de marciano, ou com revolta, ou ainda com distância crítica. Pode também acatá-las, para se acolher à sua sombra, ocultar-se de si e dos outros. Como é natural, essa distância irreparável entre o movimento espontâneo e a vida normativa se traduz por irrupções inopinadas. Num passo brusco, o menino põe na boca um peixe vivo, que acaba de pescar, deixa que se agite, e surpreende-se a si mesmo ao parti-lo em dois com uma dentada. Analogamente, as histórias que imagina escrever têm uma estrutura comum: os seus sentimentos não devem ser expostos, mas haverá uma cena que os sugira, "sem ter nada a ver com o enredo".

A guerra no escuro toma feição mais seguida e consistente no atrito com os "assim chamados" pais. Assim chamados, porque o menino não reconhece à madrasta a legitimidade de mãe e se sente traído pelo pai. A "traição" lhe dá o direito de desautorizar a autoridade, questioná-la, hostilizá-la, e, no limite, colocar-se como o pai de seu pai. A conjugação desse direito com a outra culpa engendra uma das constelações características do livro. O pai não merece que o filho confie nele e muito menos que lhe revele o melhor amigo, o que permite ao filho cheio de razões castigar o traidor por meio da mentira e, no mesmo passo, esconder a si mesmo o caráter particular de sua amizade. Está latente a hipótese complementar, na qual a revelação do caráter da amizade seria uma bofetada no pai, ou ainda, na qual a bofetada no pai traria a revelação da sexualidade do filho. A ansiedade envolvida nesse jogo é intensa e vai crescendo.

Dado o ângulo, recebem destaque quase exclusivo o convencionalismo, os preconceitos e a disposição repressiva da família burguesa, travestidos de racionalidade, não sem comédia. Entretanto, o conjunto pode ser considerado também em termos mais nuançados. No caso trata-se de uma família que pratica uma espécie de conformismo discutidor, com o inevitável trejeito das racionalizações, que no entanto não se confundem com a imposição autoritária direta. Andar com joias na praia é afetação? O cinema americano é ridículo? A sociedade desaprova gente "assim"? O farisaísmo das perguntas, juntamente com a veneração pela música e pelos livros, não impede que façam parte do espaço onde se constitui a liberdade própria à civilização burguesa, com o foro interior que ela supõe. É interessante notar, nesse sentido, a variedade nada unívoca dos papéis desempenhados no livro pela *reserva*. Desde cedo as crianças aprendem a guardar o segredo necessário a surpresas festivas. Mas o menino cala igualmente para negar obediência ao pai, para castigá-lo, para se defender e, também, para não ter a revelação de si mesmo. Durante a Ocupação, cala ainda para esconder as visitas noturnas do mesmo pai, que luta na Resistência. O pior da traição paterna, por fim, consistiu em pedir silêncio ao filho sobre uma viagem a Paris, pelo Natal, sob pretexto da tradição familiar das surpresas: na verdade tratava-se de apresentar as crianças à futura madrasta. Em todos os casos o silêncio constitui uma força e algo como um direito, usados para o bem ou para o mal, o que dá uma versão instrutiva e não-idealizada do aspecto fechado da compostura burguesa. Aliás, no diário do pai — outra forma de reserva — o menino lê às escondidas o elogio de seu próprio caráter taciturno e concentrado, sinal de seriedade e augúrio de bom futuro. E de fato, um dos focos da narrativa está na acumulação dos impasses e das razões que, somando-se, a certa altura permitirão afirmar uma identidade discrepante, além de refletida e combativa, sem que haja necessidade de ruptura violenta — o oposto, em fim de contas, do autoritarismo.

Voltando ao conflito, ele se solucionará anos mais tarde, já no Brasil, depois de se acentuar muito. A oposição à família agora alcança tudo, e vai da preferência pelos pais dos outros à incapacidade de passar em exames, à tentativa de suicídio, ao gosto por Picasso, Baudelaire e Prévert, numa guerra acerba, mas dentro de limites. A pressão do sexo funde numa proibição só todas as regras, qualquer uma das quais, mesmo fácil de contornar, parece resumir a reprovação da própria liberdade de ser; assim como qualquer liberdade tomada adquire ressonância exaltante, aludindo a um não-dito explosivo. Uma experiência com ácido lisérgico traz o desenlace. O rapaz vê rosáceas, tudo se organiza em círculos e semicírculos, certo quadro examinado na Bienal lhe vem à mente, quadro em que uma mancha rosa aveludada se desenha sobre fundo cinza, a mancha pulsa e adquire volume, lembra a forma de um ouriço, "sem os espinhos", e seu movimento peristáltico, passando ao corpo da personagem, faz que esta tenha um espasmo. Salvo equívoco, as figuras são do ânus. A experiência é da ordem de um renascimento radical, se é possível dizer assim, na qual o filho é mãe e pai de si mesmo: "Digo-lhe [ao médico] que tinha nascido de novo, que tinha me nascido".

Trata-se de uma vitória, pois a nova relação com o círculo tanto organiza como liberta. Permite "confiar em minhas emoções que, por mais arrebatadoras e incompreensíveis que fossem, tinham uma lógica interna. A partir daí passei a combater o círculo e evoluí para o labirinto e o fragmentário". Embora recôndito, há humorismo na formulação, pois o leitor atento não deixará de se perguntar a que partes da anatomia humana os dois últimos termos, tão da moda, correspondem. Retomando as revelações trazidas pelo círculo, este oferece uma explicação das duas experiências artísticas mais fortes, quase extáticas, antes descritas no livro. Assim, o que havia deixado fora de si o menino no cinema não fora a viuvez de Lady Hamilton, nem a morte de seu Almirante Nelson, mas o salão em semicírculo, cujas cortinas se fechariam em seguida, onde a dama — Vivien Leigh — se encontrava ao receber a notícia. Do mesmo modo, n'*A morte do cisne*, "o que me fascinava não era a morte, nem a queda final, nem a trajetória que a bailarina tinha de percorrer para alcançar o ponto do palco onde cairia, eram os círculos que descrevia antes de cair, é nesses círculos que começa o definhamento do cisne". Também quanto ao futuro, a iluminação propiciada pelo ácido lisérgico é o ponto de virada na vida. A nova consciência de si e do passado desarma o dispositivo do conflito e abre um movimento de reconciliação com os pais e o mundo.

Círculos, semicírculos e rosáceas no caso são figuras de geometria, mas têm existência igualmente no corpo empírico, além de darem visibilidade à aspiração profunda de um indivíduo e tornarem inteligíveis momentos cruciais de sua vida imaginária. Com a irrupção daquelas formas, o menino das primeiras páginas, desastrado e fora de esquadro, como que entra em novo foco. O que era resistência informe adquire contorno e afirma seu direito de cidade. Nesse sentido há um nexo de emancipação e realização pessoal unindo o momento da revelação aos sofrimentos anteriores. Uma espécie de historicidade interna, com radicalização de conflitos, ponto alto na tomada de consciência e, a seguir, aquisição de liberdade em relação a um mecanismo repetitivo, ao qual a personagem se vira obrigada a oferecer sacrifícios sem fim à vista.

Como entender o episódio, claramente central? A diversidade drástica dos âmbitos, dominados por um elemento *formal* em comum, lhe empresta interesse de *exemplo teórico* — um estatuto ficcional peculiar —, possivelmente em linha com o sentimento estruturalista da vida.[3] De fato, como o leitor do ensaísmo estruturalista reconhecerá, o intuito de associar matematização, zonas erógenas, teoria estética e atitude subversiva, tudo ligado ao esvaziamento do tempo, é muito da ideologia francesa daqueles anos. Mesma coisa para a associação entre as aspirações ao requinte máximo e à naturalidade também extrema, em princípio contraditórias. Que pensar da afinidade entre a reação química (o ácido), as formas geométricas (extramorais e universais por excelência), a fascinação estética e o êxtase sexual proibido? Sob o signo da natureza, ou da estrutura, que é indiferentemente natural e cultural, está sugerida uma ideia naturalista de inocência, inesperada em face da temática maldita... Mas observe-se que também na perspectiva contrária — ligada ao terror do tabu e aos poderes em parte sórdidos que compõem o conflito — a nota inocente aparece. Ela decorre do caráter muito rarefeito da historicidade, com seu ponto de inflexão dialética na consciência do... círculo.

Esta última, visto que o livro não esquiva ocasiões cruas e vexatórias, não pode ser tomada como um eufemismo estratosférico. Trata-se de uma concepção ousada, polêmica a seu modo, que isola do restante o curso profundo das coisas, o qual se realiza à margem e a salvo de terremotos históricos tais como a Segunda Guerra Mundial ou uma atribulada emigração transatlântica, que têm papel apenas de bastidor. Primeiro na França e depois no Brasil, assistimos a um movimento estrito, que se realiza em circuito fechado, indiferente às situações, movimento cuja fixação é o objeto de primeiro plano da narrativa. Do ângulo literário, contudo, esta linha de unidade não prevalece de modo total, e algo da verdade e poesia do livro resulta do que escapa a seu controle. A obsessão da consistência interior é um traço da personagem, bem como uma regra rigorosa de composição artística, mas não deixa também de ser

3. Agradeço a observação a Vinicius Dantas.

encenação de si mesma, quando então assume significações imprevistas, contracenando sobre o fundo mais amplo, entre outros ritmos e outros referentes.

Enquanto termina a guerra, começa a história do rapaz, toda voltada para dentro, movida a força de desadaptação e desconforto interior. A estranheza em relação ao mundo histórico tem realidade palpável, pois as anedotas comportam sempre uma pincelada de época — penteados americanos, a voga dos divórcios, os novos maiôs, a bomba *schrappnell* —, a que o foco moral, que dá continuidade à narrativa, parece indiferente. A ligação entretanto se faz por vias travessas, e o ângulo subjetivo não impede que desde o início o leitor tenha o clássico sentimento realista da sociedade francesa. O menino desajustado, que não se acomoda à definição corrente dos sexos, mas reprova e quer castigar o pai, está menos só do que pensa. Embora isso possa surpreender, o seu debate interior soma com a alegria postiça e decorosa da vida familiar, com os pensamentos cediços suscitados pelos "novos tempos", e também com o antagonismo e ressentimento, sem esquecer o desejo de punir, gerais entre os adultos. São expressões do caráter argumentativo — de que em sociedade burguesa se revestem a repressão e o juízo de gosto. Como na ficção realista, o entrelaçamento conflituoso da solidão moral e das relações sociais se projeta sobre a paisagem, com a qual compõe um mundo consistente, cheio de ressonâncias. Este permite, por exemplo, a poesia das cenas em que a amizade malvista faz frente tanto à reprovação geral como também ao frio e à umidade de um triste pátio de colégio francês no inverno, que reforça as demais adversidades. Um belo contraste é dado pela primeira visita a Nice, quando as palmeiras e a doçura do clima mediterrâneo despertam no menino uma excitação absoluta, "sem continuidade com o enredo".

A vinda ao Brasil suspende esta correspondência entre a vida interior e a sociedade à volta, fazendo que o sentimento correlato de plenitude romanesca desapareça. A não ser que a falta de continuidade com o novo ambiente tenha, por sua vez, força realista. É o que ocorre, e a determinação sem quartel com que os membros da família continuam iguais a si mesmos, fechados e ciosos de ter razão, oferece uma boa imagem do insulamento patético do emigrante. Melhor, na ausência do contexto próprio, e da configuração de um outro, o aguerrimento cheio de razões do europeu educado deixa entrever o seu componente despropositado, maníaco, algo como um impedimento quase insuperável. A reprovação moral recíproca entre franceses perdidos na Praia Grande; a certeza de que o mecânico mulato, embora aplicado e inteligente, no fundo não saberá trabalhar bem; a dureza com que o pai prefere passar fome com a família a deixar de ser patrão e procurar emprego, tudo isso não deixa também de ser exótico, a despeito da presunção de racionalidade. Sem propósito de crônica ou cor local, são episódios em que a tão buscada lógica interior, e, com ela, o padrão da burguesia europeia, mostram outra face, com muito poder de revelação.

Vimos como o rapazinho se debate no espaço confinado e pessoal das inclinações culposas. Os seus sofrimentos ainda assim têm alento libertário, pois reagem, com a força da incapacidade para o conformismo, a aspectos substantivos da repressão social. Lá estão o arbítrio paterno, disfarçado de racionalidade, a hipocrisia das famílias, o preconceito de classe e raça, as prescrições e proibições em matéria de amor, as preleções edificantes, o horror à arte moderna etc. A certa altura, com a revelação da consistência profunda de sua vida, que deixa então de lhe parecer uma coleção de desvios erráticos, a personagem se põe fora do alcance daqueles mandamentos. Contudo e de modo significativo, o resultado principal desta nova liberdade não será mais que um teor acrescido de tolerância, que permite a reconciliação, dentro de certo sentimento de superioridade, com a madrasta e o pai, a quem o rapaz agora maduro ajuda a morrer. Ou seja, a força tão penosamente adquirida se aplica em âmbito sobretudo privado, com forte efeito de anticlímax. Dizendo de outro modo, as energias de toda ordem, morais, intelectuais e outras, formadas na luta contra um preconceito basilar, se esgotam de maneira intranscendente. Na mesma linha, note-se a parcimônia e a falta quase completa de consequência para a narrativa com que aparecem, aqui e ali, indicações referentes à história política do século: o fim da guerra, a retirada dos nazistas, o pai que lutou na Resistência, a mãe que possivelmente se entregava a alemães (um pormenor que dá mais repercussão à ambivalência do menino na sua queda pelo lado maldito), e, muito mais tarde, o nacionalismo primário e complexado da burguesia argelina, além da presença de brasileiros em Argel, salvo engano os exilados de 64. O tratamento sumário dado a estas indicações responde, à distância, ao já notado efeito modesto da emancipação da homossexualidade, com o qual compõe uma figura. Através desta o livro alude ao tempo e nos diz que episódios tremendos, em que se desencadearam forças e esperanças máximas, acabaram por se reduzir a marcas na vida privada.

Pelo prisma da arquitetura

(uma arguição de tese)

Cara Otília:

somos amigos há muitos anos, e há muitos anos sou seu leitor atento. De modo que digo sem nenhum medo de errar que o seu trabalho intelectual chegou a um ponto ótimo.

Você publicou há pouco um livro sobre Mário Pedrosa que é realmente de primeira, cheio de observações que interessam à história não só de nossas artes plásticas, como de nossa literatura e vida política.[1] É um trabalho que convida a sair da rotina e a arriscar conexões entre domínios da vida que se costuma estudar em separado.

Acompanhando o percurso de um homem ligado ao mesmo tempo à vanguarda artística e à vanguarda política, você historia e analisa os acertos e os desencontros próprios a essa combinação, que para muitos de nós representou o ideal. Ao longo da vida tão

1. Otília Arantes, *Mário Pedrosa: itinerário crítico*, São Paulo, Scritta, 1991.

movimentada e internacional de Mário Pedrosa vão se aliando e desentendendo o socialismo, a arte social de Käthe Kollwitz nos anos 30, a luta anti-stalinista, o abstracionismo nos anos 50, e o megaexperimento modernista que é a construção de Brasília. Para o meu gosto, à parte as muitas ligações apontadas e os acertos de caracterização, o achado do livro está na sua linha central. Com toda razão, você sublinha a unidade do impulso utópico o qual levava o intelectual a ser revolucionário tanto nas artes quanto em política, ao ponto de imaginar que a realização de projetos caros à vanguarda artística só podia ser indício de algo paralelo, igualmente libertário, no campo social. Daí o entusiasmo que levou Pedrosa a se tornar por um momento uma espécie de ideólogo de Brasília.

Pois bem, chegada aqui você teve o bom senso (e a ousadia) de considerar que esta Brasília, que realizava o programa de artistas tão indiscutivelmente avançados como Niemeyer e Lúcio Costa, não dizia respeito somente ao mundo dos arquitetos. Ela era a mesma que, do ponto de vista da crítica social, representara um aprofundamento do caráter autoritário e predatório da modernização brasileira, em linha com a tendência que em seguida levaria ao regime militar. Noutras palavras, a realização mais sensacional e abrangente do programa histórico das vanguardas artísticas incluía entre as suas virtualidades o servir de álibi a um processo de modernização passavelmente sinistro, em cuja esteira ainda nos encontramos, e ao qual aquela realização em fim de contas se integra bem, sem dissonância notável. A revolução nas formas arquitetônicas e urbanísticas não cumprira a sua promessa de revolucionar a vida para melhor. A Brasília da vida real, que não há por que passar por alto num debate estético que se preze, constitui uma verificação palpável do caráter iludido do vanguardismo abstrato — como aliás constataria o próprio Mário Pedrosa no último período de sua vida, quando afirma que a noção de vanguarda artística perdeu o fundamento. Noutras palavras, você soube reconhecer no percurso e sobretudo no impasse de um crítico o destino local, mas globalmente relevante, de uma das grandes aspirações deste século no âmbito da civilização burguesa.

Logo depois desse livro você publicou outro, escrito a quatro mãos com Paulo Arantes, em que comenta e critica as duas conferências de Habermas em defesa do movimento modernista na arquitetura.[2] Esse trabalho não é de leitura fácil, porque é superlotado de argumentos, e muito econômico e preciso na exposição. O assunto está indicado no subtítulo: arquitetura e dimensão estética, depois das vanguardas. Trata-se da teoria da modernidade segundo o filósofo, bem como da situação da arquitetura contemporânea, confrontadas criticamente uma com a outra e tendo como fundo a *Teoria estética* de Adorno. Indiretamente está em jogo a própria situação atual da arte.

O tom é de discussão propriamente dita, sem ponto morto, sem temor à compartimentação acadêmica das especialidades, circulando com liberdade entre o argumento filosófico, a descrição de obras e a situação histórica. Tudo estritamente segundo as necessidades do objeto e do raciocínio, num clima de sobriedade e intensidade intelectual que é raro. Penso não me enganar achando que há aí um padrão de prosa crítico-filosófica novo no país.

Sem entrar na substância do livro, quero ainda chamar a atenção para o seu tópico final, intitulado "Um ponto de vista". Depois de haver discutido as razões da revalorização tardia da arquitetura moderna pelo filósofo, o ensaio salta para o Brasil, para a nossa experiência com o modernismo arquitetônico, a qual será chamada a testemunhar no capítulo. O passo à frente é grande, e consiste em dar-se conta de que as teorias de um pensador, mesmo alemão, podem ser testadas sem despropósito pela experiência local, ou,

2. *Um ponto cego no projeto moderno de Jürgen Habermas*, São Paulo, Brasiliense, 1992.

mais grave ainda, que a reflexão sobre a experiência local pode fornecer um capítulo a um livro filosófico...

Há um avanço paralelo no argumento sobre o significado local da nova construção. A inadequação de origem está à vista de todos que tenham um verniz materialista. De fato, "num meio acanhado como o nosso, onde está a base social e produtiva que daria sentido à racionalidade arquitetônica desejada pelos modernos?". Desse ângulo, na ausência de grande indústria, o Brasil não seria lugar apropriado para o essencial da nova arquitetura, cujos descaminhos locais seriam antes equívocos do que parte integral da linha histórica da arquitetura moderna. Ora, as suas reflexões vão em direção contrária a essa, cujo progressismo na verdade é conformista, pois se limita a denunciar e lamentar a falta das condições modernas no país. O ponto de vista que você expõe é bem mais drástico, e sustenta que foi precisamente a ausência de uma sociedade industrial desenvolvida que permitiu a realização dos experimentos por assim dizer totais da arquitetura e do urbanismo novos, os quais não poderiam ocorrer senão nas condições autoritárias do Terceiro Mundo, por exemplo, na Índia ou no Brasil. A reflexão nacionalmente engajada sobre os obstáculos locais à modernização (perspectiva tão incontornável quanto ideológica) cede o passo à reflexão teórica sobre o dinamismo modernizante global, tomado na sua feição efetiva, de que a teratologia terceiro-mundista faz parte. Assim, longe de ser um desvio sem significado, a combinação monstruosa e desconcertante de modernismo e miséria está na lógica do processo. Ela diz algo de essencial sobre a concepção de modernidade que animou a arquitetura deste século, bem como sobre a nossa ideia e a própria realidade da modernização.

Cada um a seu modo, os livros sobre Mário Pedrosa e sobre Habermas acompanham um movimento que, iniciado nos países do capitalismo maduro, a certa altura se transplanta e tem um capítulo brasileiro. Este, longe de ser uma variante folclórica, ensina algo de substantivo sobre o processo considerado no conjunto. O mérito desprovincianizador dessa estratégia expositiva é evidente, pois leva a encarar os fatos locais em termos não apenas nacionais, mas contemporâneos, e vice-versa, rompendo com a estreiteza de vistas do nacionalismo, sem no entanto desconhecer a realidade do âmbito a que este se refere. Nessas matérias toda receita é um erro, mas nos dois trabalhos está dado esse passo valioso, que acho que pode ser tomado como programa: os desenvolvimentos locais são vistos no bojo da história contemporânea, mas não como simples ilustração, em fim de contas redundante, e sim como momento verdadeiro e revelador do sentido geral da atualidade.

Bem, mas vamos então a seu livro novo, que você apresentou para esse concurso de livre-docência.[3] Trata-se de um conjunto de ensaios que recapitula momentos significativos da arquitetura deste século, e também da correspondente doutrina e ideologia. O ângulo de observação é atual, quer dizer, tem como ponto de partida o abandono em nosso tempo do projeto funcionalista, trocado pela orientação digamos pós-moderna, ou, para usar o seu termo, pela arquitetura simulada.

A unidade dos ensaios é forte e ao longo deles vamos encontrando a formulação e a crise das ideias estéticas, e não só estéticas, de que todos nos alimentamos. A propósito, sempre me impressiona como a história contemporânea soa diferente segundo seja contada pelos historiadores da política, da economia ou da arte. O seu livro deve uma parte do interesse a esta diferença, à surpresa de ver o século apresentado do ângulo do debate arquitetônico. De fato, a linha evolutiva que você expõe convida à reflexão, à maneira do enredo de um romance: o que quer dizer este andamento das coisas?

Reduzida ao mínimo, a história seria a seguinte: o ânimo utópico da arquitetura, ou seja, os planos de redenção social através do

3. *O lugar da arquitetura depois dos modernos*, São Paulo, Edusp, 1993.

novo arranjo do espaço habitado, na casa e sobretudo na cidade, deram no seu contrário. Em lugar da substância — que seria aquela transformação redentora — ficou um conjunto de normas de funcionalidade, que se mostraram funcionais sobretudo para o processo social e material da produção industrial. Passada a Segunda Guerra, as patologias urbanas desse novo tipo de sociedade se tornaram evidentes e inviabilizaram os sentimentos utópicos historicamente vinculados ao funcionalismo. Respondendo à morte deste e aparentemente em oposição a ele, vão surgindo experiências que acabam se afunilando no clima pós-moderno. Você recusa esta oposição — o glosadíssimo antagonismo entre arquitetura moderna e pós-moderna — por considerá-la uma aparência encobrindo o essencial, que seria da ordem da continuidade. Este o ponto central de seu argumento, cujo caráter polêmico dispensa comentários.

Os passos da discussão são os seguintes: nos anos 20, quer dizer, na esteira da Revolução Russa, que colocara o socialismo na ordem do dia, diz Le Corbusier: "Arquitetura ou revolução. Podemos evitar a revolução". Você nota bem que a arquitetura aqui representa "uma alternativa à revolução, e não à sociedade convulsionada do entre guerras". Logo adiante você lembra um passo da "Carta de Atenas" (1933), segundo a qual a "cidade funcional" leva em conta quatro funções: morar, trabalhar, recrear-se, locomover-se. Como é fácil notar, tratava-se de uma reforma modernizante, universalista, caucionada pelo espírito da utopia. É um modelo único, que aspira à validade internacional e nivela as diferenças históricas. Observa você, concluindo, que essas abstrações urbanísticas especificam no plano que lhes é próprio as próprias abstrações operadas pelo capitalismo no plano das relações sociais e de produção. Ou ainda, usando a sua frase, "O mecanismo totalizador encarnado pela cidade era o palco desta abstração".

Assim, num primeiro momento, o "International Style" reveste de utopia as condições de generalidade requeridas pela expansão do capital. Esgotada a credibilidade dessa promessa, surge a atual arquitetura do simulacro, do espetáculo, da multiplicação das imagens, escandalosamente oposta à sobriedade funcionalista e a seu ânimo de reforma. Você reage com bom senso e duvida da proclamada onipotência do simulacro, ou da volatilização da realidade operada pela presença generalizada da TV. Em lugar disso, você observa que com a nova arquitetura a cidade se torna ela mesma uma mídia, contribuindo por sua vez para a generalização do "efeito televisão". Guiada pela política cultural do Estado ou das grandes empresas, a arquitetura moderna vem a ser uma peça importante para o desenvolvimento da sociedade de consumo. Assim, depois de interpretar as necessidades da industrialização capitalista, a arquitetura inventa as soluções necessárias ao aprofundamento do consumismo. Ou, como você queria demonstrar, funcionalismo e pós-modernismo são momentos sucessivos de uma mesma racionalidade social.

O resumo foi um pouco acelerado, mas espero que não tenha sido muito inexato e que permita algumas perguntas, com as quais termino.

De um modo geral, as suas exposições se completam pelo confronto entre ideia e resultado, entre o que um movimento promete e o que ele cumpre no seu desempenho efetivo. Embora essa ordem de confronto pertença ao programa e ao próprio receituário da dialética, são poucos os trabalhos bem-sucedidos nessa linha. Fazem parte do grupo estes seus estudos, nos quais o curso das promessas e dos resultados da arquitetura moderna compõe uma figura vasta e de fato impressionante. Dito isso, quero lembrar uma boa reflexão de Adorno, segundo a qual as ideologias não são mentirosas pela sua aspiração, mas pela afirmativa de que esta se tenha realizado. Qual o significado, qual o partido que a crítica de arte pode tirar desse espaço entre aspiração e realização, e sobretudo entre obra individual e tendência geral? Nesse sentido, como ficam as experiências modernistas de que mal ou bem se formaram as noções de beleza de nossa geração e da anterior, noções de que não saberia como abrir mão? Penso no impacto de revelações juvenis, como aquelas propiciadas — digamos — pelos móveis escandinavos, pela religião das tubulações aparentes, pela sobriedade do espaço moderno, pelo anti-ilusionismo do palco brechtiano etc. Foram absorvidas pela modernização, sem deixar resíduo crítico? E como se liga ao destino da arquitetura a diferença tão tangível entre as casas modernas bonitas e as feias? Em que sentido as explicações que você dá poderiam incidir em nossa apreciação de obras-primas, por exemplo de Mies van der Rohe, ou de beldades como o Palácio do Itamaraty? O ângulo de análise teria de ser outro?

Minha cara Otília, quero cumprimentá-la calorosamente pelo bom trabalho.

Orelha para Francisco Alvim

Na poesia de Francisco Alvim estão juntos o mais alto lirismo e o conhecimento refletido e desabusado da vida contemporânea. Difícil de conseguir, essa aliança de faculdades inimigas não deixa a espontaneidade resvalar para a irrelevância e o *kitsch*, nem aceita a perspicácia sem transcendência, a desambição humana que por vezes diminui o realista. Quem diria que lugares-comuns da depuração lírica, tais como *a luz, o tempo, a água, o nada, o vento, o infinito* pudessem pautar a figuração talvez mais profunda e impiedosa de nossos recentes anos de chumbo? Usadas sem preciosismo ou pompa, aquelas palavras tão genéricas entram em simbiose com toda a antipoesia — esta muito específica — de que a formação social brasileira vem sendo capaz: impunidade oficial, adesão consciençiosa ao opressor, meandros morais do empreguismo, polícia atuando em faixa própria, além dos desdobramentos correlatos na vida amorosa e na conduta popular. É claro que o espelhamento recíproco de sentimento cósmico e notação do desarranjo social permite leituras variadas, que não tentaremos aqui. Mas fique assinalado um de seus efeitos: o compromisso com os elementos naturais faz que o sujeito mude a respiração e não caiba no conceito trivial dele mesmo. A função esclarecida do lirismo aqui é tangível.

O espírito humilde e fraterno buscado nos poemas deve muito a Manuel Bandeira; também a Dostoievski, no que toca à familiaridade interior com o erro e o crime. A convicção da fraqueza humana, assim como a ausência de presunção quanto à própria pessoa (Goethe: nunca soube de um crime de que não me julgasse capaz), autorizam o incrível vaivém sem quebra entre a debilidade do sujeito lírico, veraz e nobre em sua vitória sobre o orgulho, e as condutas clássicas da miséria nacional. A palavra passa livremente de um sujeito a outro, às vezes sem marcação clara: quem está falando é um poeta, um delator, um figurão da República, uma triste prostituta? A força necessária à identificação e ao reconhecimento de afinidades dessa ordem não é pequena, e tem o mérito de ser estética e socialmente substantiva.

Do ponto de vista da composição, o elemento-base não são palavras nem versos, mas *falas*, as mais simples e naturais, em cuja coleta ou confecção o autor acerta infalivelmente na mosca. Brevidade e naturalidade acentuam, no plano da forma, a similaridade dos que se presumem diferentes. Em muitos poemas é como se houvesse um microfone circulando. O que é dito é facílimo e quase nada, mas o conjunto, formado pelas vozes que contracenam, tem a complexidade da própria vida e esboça algo como uma fragmentária comédia nacional, interior e exterior. As descontinuidades da fala, que ora perde o fio, ora o reencontra noutro personagem, são o traço marcadamente moderno e enigmático do livro.[1] Imitam as intermitências do sujeito? A realidade suprapessoal dos discursos? A fragilidade de um tipo sociopsicológico? A força expansiva do lirismo, que rompe as paredes ilusórias da individualidade e se reencontra nos outros? Uma certa unidade no tom do país? A iden-

1. Francisco Alvim, *Poesias reunidas*, São Paulo, Duas Cidades, 1988.

tidade que se esboça através das descontinuidades tem estatuto incerto, e tanto pode indicar a descoberta de uma realidade comum, caso em que representaria força, como pode indicar complacência no irrealizado. Essa dúvida ela mesma é um elemento de pertinência histórica.

A limpidez da composição, lidando com matéria tão impura, deve-se ao enlace com a tradição, sobretudo a modernista, cujo relacionamento profundo com a realidade brasileira proporciona ao continuador uma espécie de justeza decantada. A fonte, além de Bandeira, é Drummond: o autoexame do pequeno-burguês, que através da culpa individual descobre vícios de classe e um passado histórico, possibilita as unificações a que aludimos. A técnica da notação mínima, com intenção de alegoria nacional, obviamente vem de Oswald. Por fim, o clima de desbunde pertence aos anos 70 e à geração dos poetas marginais, cuja experiência no entanto é tratada com disciplina intelectual e vocabular mineiras, de raiz neoclássica setecentista, o que paradoxalmente transforma a dissolução em clarividência.

Francisco Alvim é um grande poeta.

Um departamento francês de ultramar

Pelo assunto e à primeira vista, o livro de Paulo Arantes não podia ser mais caipira. Qual o interesse de estudar os primeiros passos de um departamento de filosofia paulistano, passos inevitavelmente um pouco bisonhos? O motivo pareceria mais sentimental do que teórico.[1]

Mas o leitor logo se dá conta de que não é isso. A vinda à USP dos professores estrangeiros nos anos 30, as anedotas sobre a sua vida mundana, o transplante de um programa de estudos francês para um país com outros pressupostos sociais, as alienações e os estímulos que resultaram desse arranjo, tudo isto rapidamente compõe um problema consistente, de muito interesse e cheio de ironias históricas.

A criação de um departamento de filosofia com padrão exigente é um capítulo entre outros da formação da cultura nacional moderna. Participa, assim, de um processo começado com a Inde-

1. Paulo Eduardo Arantes, *Um departamento francês de ultramar*, São Paulo, Paz e Terra, 1994.

pendência, ao longo do qual o país, que carrega todas as marcas da condição colonial, procura se dotar dos melhoramentos próprios às nações adiantadas. Isso diz respeito às instituições, às artes, às ciências, e vale também para o ensino da filosofia. As dificuldades do processo muitas vezes têm feição anedótica, mas a sua relevância é evidente, se forem vistas desse ângulo.

Aliás, quando estuda o esforço feito pelos nossos filósofos para se igualarem ao padrão europeu, Paulo não se concentra na diferença que faltava tirar. Em lugar disso, e mudando a perspectiva corrente, ele procura enxergar nas constelações um pouco esdrúxulas e por assim dizer defeituosas do esforço filosófico local, historicamente inevitáveis, a revelação de aspectos *reais* da filosofia europeia, que nas suas condições de origem não ficavam patentes. A aventura brasileira das ideias do Velho Mundo não é um capítulo de exotismo.

Assim, a crônica de um episódio universitário local se inscreve no processo secular de formação e modernização do país, e pode revelar facetas inesperadas do próprio padrão "alheio" que tratávamos de interiorizar. O próximo passo, que Paulo por enquanto só insinua, consistiria em tomar as discrepâncias entre o que a filosofia significa num lugar e no outro como cifras através das quais se adivinha o próprio movimento da sociedade contemporânea. Digo tudo isso de modo sumário, só para dar uma ideia do raio vertiginoso dessa construção.

A inspiração geral do livro vem da *Formação da literatura brasileira*, de Antonio Candido. Em especial de sua ideia mesma de "formação", que aponta uma fase específica, com traços e problemática próprios, em que o esforço literário funciona em aliança com o propósito de contribuir para a construção da nacionalidade. Tratava-se, nos termos de Antonio Candido, de escrever uma história dos brasileiros no seu desejo de terem uma literatura.

Paulo adaptou a fórmula e escreveu uma história dos paulistas no seu desejo de construírem uma cultura filosófica. O processo descrito por Antonio Candido entretanto vai de 1750 a 1870, recuo no tempo que faz diferença e permite ao autor tratar com amenidade as ironias da situação. Já o processo estudado por Paulo é quase contemporâneo. Nesse sentido o trabalho dele se aproxima mais do de Paulo Emilio, que por sua vez historiou o desejo dos brasileiros de terem um cinema, também um processo recente. Essa proximidade no tempo levou tanto Paulo Emilio como Paulo Arantes a se considerarem parte das contradições e alienações que descrevem, o que cria um tipo de ironia mais acerbo.

As linhas comuns aos trabalhos dos dois Paulos são numerosas e têm fundamento na realidade. Decorrem de questões gerais ou comparáveis, próprias aos processos de formação nacional nos diferentes âmbitos. Sugerem a possibilidade e o interesse de considerar essas evoluções em conjunto, no seu ritmo desigual e combinado.

Comentando a "situação colonial" de nosso cinema anterior ao Cinema Novo, Paulo Emilio observa a propósito da chanchada "uma harmoniosa combinação de pontos de vista entre os produtores e o público destes filmes brasileiros. Para ambos, cinema mesmo é o de fora, e outra coisa é aquilo que os primeiros fazem e o segundo aprecia". Ou seja, a chanchada que fazemos e apreciamos não é cinema, ao passo que cinema deveras é só o que não fazemos e que apreciamos de modo algo subalterno. O autor sublinha o efeito destrutivo destas alienações, sem excluir a si mesmo. Assim, a certa altura anota que todos que se ocuparam de cinema no Brasil por algum tempo, mesmo os vitoriosos, exibem "a marca cruel do subdesenvolvimento", reconhecível à primeira vista.

Há um paralelo sugestivo com a situação fixada entre nós pelo modelo estrutural de história da filosofia, situação que Paulo Arantes estuda. É claro que não havia nada no pensamento brasileiro que tivesse o grau de elaboração arquitetônica sem o qual a aplicação da perspectiva estrutural vira piada. Inversamente, a relevância dos estudos estruturais para o esclarecimento da experiência brasileira é muito indireta. O que pensamos — retomando Paulo Emilio — é chanchada e não filosofia; e a filosofia — o cinema sério, dos países adiantados — não nos ilumina. São impasses reveladores, que tanto falam de uma situação histórica como do método estrutural. O livro é rico em caracterizações desse tipo, e atento a toda sorte de conexões históricas imprevistas, próprias ao processo da "formação" tomado no seu conjunto, que ultrapassa a compartimentação acadêmica. Assim, há observações sobre a funcionalidade cultural de posições disparatadas, sobre as ligações entre a nova filosofia e o Modernismo, a arte da prosa, as ciências sociais, o diletantismo filosófico anterior, o Iseb etc.

Mas voltando a Paulo Emilio, a quase alegria com que ele denunciava as deformações do pessoal de cinema, repito que sem ressalvar a si mesmo, tinha muito a ver com o começo dos anos 60. Reconhecer a deformação ia junto com ligá-la à ordem internacional do imperialismo, que era preciso combater, para mudar. A radicalização de 64 batia à porta.

Pouco depois Glauber formularia a "estética da fome", na qual reivindicava a miséria feia do subdesenvolvimento, com propósito de jogá-la na cara dos cinéfilos europeus, não como um pedaço de exotismo, mas como parte inaceitável do mundo deles. Havia conexão entre a teratologia social brasileira e a ordem internacional. Na mesma época Antonio Candido concebia um modelo de crítica literária em que a análise das obras brasileiras permitia aprofundar a compreensão de obras pertencentes às culturas de que dependemos e que nos servem de padrão. No campo da filosofia, apoiado no marxismo mais ou menos independente que se desenvolvera na USP, Giannotti teve o topete ou a tranquilidade de escrever uma crítica excelente e forte ao trabalho de Althusser, o grande nome do momento. Por seu lado, Fernando Henrique Cardoso estudava os passos do desenvolvimento industrial brasileiro e concluía à sua luz que a teoria do desenvolvimento de Walt Rostow, o papa americano do assunto, não tinha a validade geral a que aspirava. Em todos esses exemplos está presente o sentimento de que a experiência cultural e a elaboração intelectual do país fazem parte da cena mundial contemporânea, e mais, que vale a pena levá-las adiante com independência, quer dizer, em relação crítica tanto com o deslumbramento colonizado como com as versões estereotipadas do anti-imperialismo e do marxismo. Hoje a ideia de que haja nexo entre as malformações do país e a ordem econômica mundial saiu completamente de moda e a vida intelectual voltou à irrelevância. Já o livro de Paulo reata com aquela tradição forte, o que, a meu ver, deve ser saudado.

Para terminar quero dizer alguma coisa sobre a escrita e a composição do livro. A prosa é mais de literato que de filósofo profissional. Ela circula com liberdade entre a evocação, a análise, a história das ideias, a piada, o perfil intelectual, a reconstituição minuciosa de um argumento, a observação literária etc. Em contrapartida o domínio filosófico perde o privilégio de não ser confrontado com o mundo e as demais modalidades de escrita. Empurrados por Paulo para o campo aberto da cultura política e da sensibilidade literária moderna, sem a proteção do cercadinho da convenção acadêmica, os maneirismos do gênero filosófico ficam como que expostos, fazendo uma figura às vezes inesperada, meio cômica, meio inócua. Verificações desta espécie "externa" são uma constante e uma força na escrita do livro.

Entretanto é claro que o sujeito da prosa no caso não é pré-filosófico. A sua lição de casa foi feita em grande escala e muito bem, e é nela que se apoia a agilidade da movimentação literária. Trata-se de reabsorver na fluência da fala inteligente um respeitável conjunto de disciplinas, estudadas em separado, no seu padrão mais rigoroso. Faz parte da vivacidade e da feição própria dessa estilização a referência periódica e desabusada às condições históricas do país, que lhe imprimem a nota situada, anti-ingênua, mas também a perspectiva especial.

Veja-se por exemplo a discussão luminosa da filosofia literária de Bento Prado Jr. Esta foi exposta num artigo divertido e bom dos anos 60, que demonstrava por a+b que o jovem crítico Roberto Schwarz, apesar de alguns acertos, de literatura não entendia nada. Para situar a ideia de absoluto literário que Bento defendia, Paulo reconstitui a noção do "concreto" em Sartre, resume a evolução do pensamento literário de Foucault, a mesma coisa para Lebrun, tudo operações vastas e delicadas. Ocorre que Bento não voltou à questão literária, de modo que se pode dizer que Paulo mobilizou conhecimentos e acuidade em escala notável para explicar algo que quase não veio a ser. Não digo isto para objetar, pelo contrário. O sentimento da existência e fecundidade de configurações pouco palpáveis é, além de bonito, indispensável ao projeto de Paulo, de cuja matéria "em formação" decorre. Não acredito por exemplo que na Europa tivesse sentido escrever o belo ensaio em questão.

Mesma coisa para a valorização da escrita de Bento, em quem Paulo vê o inventor do ensaio filosófico paulistano. Fui refrescar lembranças, e de fato, passados trinta anos, a mistura um tanto tradicionalista de parnasianismo, Drummond classicizante e Merleau-Ponty cultivada por Bento continua levemente antiga, mas sobretudo incrivelmente jovem, imune ao tempo, como observou Paulo. Impressões como esta, alimentadas também pelo envelhecimento irremediável de tanta coisa daquele tempo, valem muito para a reflexão efetiva.

A prosa de Paulo é guiada, se não me engano, pela ambição da fluência e da presença de espírito totais, entendidas como antídoto para a compartimentação acadêmica. Sabemos que hoje esta compartimentação é o natural, de modo que a naturalidade através da qual Paulo a quer superar tem muito de artifício e construção, que são méritos estéticos, mas talvez paguem um preço. A mobilidade ensaística, viabilizada pela exatidão e extensão dos estudos prévios, induz a uma leitura acelerada, na qual algo daquele esforço e de seu resultado pode perder em saliência.

Todos estão lembrados da "Teoria do medalhão", de Machado de Assis, na qual um pai ensina ao filho os truques do ofício. O principal é não se indispor com ninguém. Ora, quem abre a boca corre o risco de desagradar. Isso quererá dizer que o medalhão deva ficar mudo? Não, desde que ele se limite seja aos "negócios miúdos", seja à "metafísica", ou, noutras palavras, ao localismo e às generalidades que não venham ao caso. Machado naturalmente satirizava a irrelevância do pensamento nacional e sugeria a superação daqueles polos inócuos, o que é mais fácil de recomendar que realizar. Lembro o conto para indicar ainda uma vez o fundamento brasileiro antigo, extrauniversitário e muito sólido das preocupações do Paulo.

Pensando em Cacaso

Quando Cacaso morreu, em 1987, tinha quase pronto um belo estudo sobre a poesia de Francisco Alvim, seu grande amigo. O ensaio, a que as linhas que seguem serviram de introdução, foi publicado pouco depois em *Novos Estudos-Cebrap* e se chamava "O poeta dos outros". Era um título exato, que aplaudia o ouvido incrível de Chico para a conversa alheia. Designava também um ideal de vida do próprio Cacaso, que em matéria literária gostava de dar e receber palpites, entre risadas, de inventar projetos comuns e de estimular a produção à sua volta, sobretudo de pessoas improváveis, que ninguém imaginaria artistas. Ele andava atrás de uma poesia de tipo sociável, próxima da conversa brincalhona entre amigos. Um emendaria o outro, tratando de tornar mais engraçada e verdadeira uma fala que pertencesse a todos, ou não fosse de ninguém em particular. Era um modo juvenil de sentir-se à vontade e a salvo das restrições da propriedade privada. Nessa linha, ele tinha a intenção de estudar a poesia "marginal" dos anos 70 como um vasto poema coletivo, cuja matéria seria a experiência histórica do período da repressão, e cujo autor seria a geração daquele decênio, vista no conjunto, ficando de lado a individualidade dos artistas.

Cacaso estava sempre fazendo amigos novos, de cujo valor tratava de persuadir os mais antigos. A palavra-chave nessas explicações era "figurinha". Se não me engano, a expressão designava pessoas que não tendo posição firmada na praça nem por isso abriam mão de um perfil exigente e caprichado. Grande figurinha aliás era o próprio Cacaso, a quem por isso mesmo a fama, quando começou a vir, deixava um pouco atrapalhado.

A estampa de Cacaso era rigorosamente 68: cabeludo, óculos de John Lennon, sandálias, paletó vestido em cima da camisa de meia, sacola de couro. Na pessoa dele entretanto esses apetrechos da rebeldia vinham impregnados de outra conotação mais remota. Sendo um cavalheiro de masculinidade ostensiva, Cacaso usava a sandália com meia soquete branca, exatamente como era obrigatório no jardim de infância. A sua bolsa a tiracolo fazia pensar numa lancheira, o cabelo comprido lembrava a idade dos cachinhos, os óculos de vovó pareciam de brinquedo, e o paletó, que emprestava um decoro meio duvidoso ao conjunto, também. A ligação muito próxima e viva — cheia de fotografias — com a mãe, uma senhora de beleza comovente, completava o apego assumido aos primeiros anos.

Contudo, essa recusa da respeitabilidade adulta nada tinha de criancice, de desinteresse pelo mundo prático ou por confortos materiais. Cacaso sonhava muito, porém se concebia como pessoa objetiva e determinada, a quem o descaso pelos meandros convencionais permitiria um ataque mais funcional aos alvos que lhe importavam. A sua fé na eficácia de medidas racionalizadoras da conduta, como por exemplo a reorganização dos estudos, dos horários de trabalho, dos sistemas de fichamento, das formas de colaboração e convívio, chegava a ser desconcertante. Encarava o mundo e a si mesmo com distância humorística, e achava que os dois mereciam reforma, à qual se dispunha sem ligar para interesses criados — o que também dava aos seus projetos algo de conspiração de garotos que sabem o que querem. Queria construir a sua obra de poeta, queria trazer à luz do dia os podres da conivência literária, que o exasperavam, queria acertar no amor, queria dar o seu depoimento sobre o Brasil, queria vencer, e sem dúvida nenhuma queria ganhar dinheiro com o seu trabalho.

A certa altura, Cacaso imaginou que a sua vida de intelectual e artista seria mais livre compondo letras de música popular do que dando aulas na faculdade. Na época chegou a idealizar bastante a liberdade de espírito proporcionada pelo mecanismo de mercado. Penso que ultimamente andava revendo essas convicções. Seja como for, o passo de professor a letrista, acompanhado de planos ambiciosos de leitura literária, histórica e filosófica, assim como de produção crítica, mostra bem a sua disposição de entrar por caminhos arriscados e de vencer em toda a linha. Talvez apostasse que uma certa informalidade de menino lhe permitiria correr por fora, ignorar e superar as incompatibilidades que a nossa cultura ergueu entre arte exigente e arte comercial, entre estudos e estrelato, entre consequência política e fruição desinibida. A mesma consideração direta do que pudesse satisfazê-lo na ordem do ideal e na ordem do apetite fazia que Cacaso se sentisse atraído pelas manifestações correspondentes da barra-pesada.

Assim como não respeitava as convenções, Cacaso adorava fazer cerimônia e armar jogos pessoais, desde que fossem da invenção ou simpatia dos envolvidos. Nesse capítulo, leia-se a homenagem aos oitenta anos de Drummond, de uma graça especialíssima, onde o homenageado, o mais pernambucano dos mineiros, contracena com Manuel Bandeira, o mais mineiro dos pernambucanos. Para um primeiro palpite sobre o tipo tão peculiar de prosa que Cacaso estava desenvolvendo, note-se o convívio entre a diversão pura — a que ele dava uma feição meio interiorana, de conversa de tico-tico — e a notação crua de interesses e apetites. Os contos "Inclusive... aliás..." e "Buziguim" exemplificam o que estou dizendo.[1]

1. *Novos Estudos-Cebrap*, 14 e 19, São Paulo. O estudo sobre a poesia de Francisco Alvim agora está em Cacaso, *Não quero prosa*, Campinas, Editora da Unicamp, Rio de Janeiro, Editora da UFRJ, 1997.

Pelo prisma do teatro

Como a professora Iná polemiza em várias frentes, para não dizer em todas, o leitor corre o risco de não notar que está diante de um livro de concepção refinada e incomum. Resumindo ao máximo o seu argumento, digamos que se trata de estudar o capítulo brasileiro da história do teatro épico moderno, o qual de força produtiva passou, num segundo tempo, a artigo de consumo. O olho para mudanças desse tipo, em que as intenções dão no seu contrário, caracteriza o espírito desabusado da autora.[1]

Observe-se que a ideia do livro pode parecer forçada. O *teatro épico* do título, com o seu território mundial e seu episódio brasileiro, mais a ressonância subversiva, não será uma assombração? Ele não estaria funcionando como um fantasma transatlântico, parente aliás do outro — o comunista — que rondava a Europa e ocasionalmente se encarnava?

Com a queda do muro em Berlim, quando as contradições do capital saíram de moda, a ala dos ressabiados se dividiu: para

1. Iná Camargo Costa, *A hora do teatro épico no Brasil*, São Paulo, Paz e Terra, 1996.

os desiludidos da revolução, a dinâmica interna de classes perdia o peso; já para os cansados do anti-imperialismo, era o nexo global que deixava de contar, a culpa do atraso devendo se explicar e atribuir dentro do país. Uns e outros concordavam em esquecer o vínculo problemático entre os dois âmbitos, ou seja, coincidiam na liquidação da dialética.

Nessa linha, voltando à crítica literária, por que não ficar na crônica empírica e local do que realizaram o Teatro de Arena, o CPC, o grupo Opinião e o Oficina, o mais das vezes com verve e, salvo para o último, sem grande pretensão de arte? E uma vez que o assunto tangível era este, a referência a um processo de transformações mundiais, que além do mais deu em nada, teria mesmo cabimento? Por outro lado, se o interesse estava na irradiação das posições de Brecht, por que não estudar singelamente e caso a caso a recepção de sua obra no Brasil, que não se limitou àquele momento, nem compõe um todo unificado?

A encenação de *Eles não usam black-tie*, em 1958, cujo êxito inesperado abria um período, forma o ponto de partida do livro. Em sequência rápida e encadeada, São Paulo e Rio veriam mudar os assuntos, a dramaturgia, a plateia, a forma da empresa teatral e a própria ligação da cultura com a hegemonia de classe. Pela primeira vez no teatro brasileiro a greve operária e as suas questões políticas e morais figuravam no centro de uma peça. No ambiente jovem do Arena, próximo ainda das lutas estudantis, o novo tema refletia a subida do movimento popular, que modificava o debate cultural ao lhe levar as suas preocupações. Por seu lado, o público que manteve o espetáculo em cartaz durante mais de um ano também era diferente, anunciando a radicalização da próxima fase: uma plateia mais moça, politizada e informal, com birra das elites e ligada às reivindicações sociais de que o teatro anterior não se ocupava.

As consequências da matéria operária para a forma dramática são uma especialidade de Iná, que as estuda com precisão notável.

Com efeito, a convenção do drama burguês, para a qual o diálogo entre indivíduos é o fundamento último da realidade, exclui do teatro as dimensões decisivas da vida moderna, que são de massa. A solução encontrada por Guarnieri na sua peça ilustra bem o problema. Em cena, vemos os conflitos individuais dos operários, ao passo que a greve, que é o centro de tudo, tem presença apenas indireta, através de comentários e discussões. Noutras palavras, o principal está fora do palco, e deve a existência a procedimentos com fundo *narrativo* (por oposição a *dialógico*), que do ponto de vista da regra do gênero são outros tantos defeitos. A não ser, naturalmente, que o gênero é que esteja superado. Seja como for, a crítica na época notou e apontou o deslize, identificado como queda na tensão literária. Assim, a ordem do dia passava a incluir a contradição entre a forma dramática pura e, do outro lado, as novas realidades sociais e as técnicas necessárias à exposição teatral destas.

Firmada a perspectiva, a reorientação da dramaturgia foi rápida. Contrastando com a concepção otimista de Guarnieri, *A revolução na América do Sul*, de Boal, descobria para a cena a figura do trabalhador caricatamente inerme, sem qualidade dramática alguma, vítima despreparada da contrarrevolução em marcha: o achado crítico era este mesmo. Pouco depois, já que a intenção era pedagógica, Vianinha dava outro passo e inventava um modo cênico, aliás muito engraçado, de explicar o conceito de mais-valia. Nessa altura a convenção dramática burguesa estava aposentada, os destinatários do espetáculo passavam a ser estudantes e populares, bem diferentes do público pagante das salas convencionais, e os próprios atores, mobilizados para as tarefas do *agit-prop*, vulgo CPC, se haviam reconvertido a uma espécie de amadorismo engajado. A transformação não podia ser mais completa.

Como assinala Iná, a pressão das novas realidades econômicas e operárias sobre a convenção do drama burguês não fazia do Brasil um caso à parte. Do Naturalismo em diante, a evolução do teatro europeu pode ser vista em termos dela. Mas é fato que Guarnieri, muito jovem, de esquerda e pouco afinado com o vanguardismo artístico, descobriu por conta própria alguns passos daquele percurso clássico. A convergência da luta de classes com a crítica à norma canônica do drama e com a elaboração de formas de teatro narrativo estava sendo reinventada localmente, bem engrenada com as condições culturais e políticas do momento. É claro que em seguida o *corpus* das experiências e teorias europeias a respeito seria assimilado com avidez, mas rebatido nestas condições, que tornavam francamente produtiva a sua entrada.

Por outro lado, sabe-se que o questionamento da norma dramática na Europa havia corrido paralelo à crise da ordem burguesa ela própria, assim como o surgimento do teatro épico viera de par com as novas realidades populares e as perspectivas de revolução social. Nessas circunstâncias, o *direito histórico* das formas literárias e a luta entre elas participavam do caráter decisivo dos tempos, e não se esgotavam no campo da arte. A paixão despertada pelo teatro e pelas teorias de Brecht sempre teve a ver com este estatuto híbrido, como recordam os seus admiradores. Na década de 50, contudo, sobretudo vista de hoje, parte dessa aura possivelmente já fosse ideologia. Dito isso, salta aos olhos que a norma do drama burguês no Brasil não vinha sustentada por uma tradição de bons escritores, nem codificava as convicções efetivas de nossa elite, para a qual o individualismo burguês era no máximo uma angústia prestigiosa, bem distante dos funcionamentos locais. Assim, o nosso teatro épico surgia com autenticidade, ligado ao ascenso da luta popular, mas não se contrapunha a nada de artística ou ideologicamente forte. O Teatro Brasileiro de Comédia, que no caso funcionou como o bastião da cena burguesa, era ele mesmo uma inovação recente, criada pelo desejo paulistano de mudança e atualização. Talvez se prenda a essa falta de adversário enraizado a qualidade literária em fim de contas modesta das peças nascidas de um movimento tão vivo, que deu encenações tão brilhantes. Há bastante que aprender sobre nós mesmos com a feição meio inventiva e meio rala tomada pelo teatro épico nestas bandas, feição ligada à diferença das sociedades e das ocasiões históricas. É um assunto apontado por Iná, que merece mais exploração.

Noutras palavras, estamos diante da construção de nossa pré-história recente, buscada na sua complicação e através do teatro. Trata-se de estudar as ligações internas entre o acirramento social que levaria a 64, os novos assuntos, esperanças e belezas que lhe correspondiam, as contradições formais engendradas, as grandes defasagens internacionais, o tipo de dominação de classe e de hegemonia cultural, a presença conhecida mas pouco analisada do stalinismo etc. De outro ângulo, digamos que Iná compôs um objeto complexo, na melhor tradição da dialética materialista: as questões de arte (como as demais) são objetivas, transcendem o indivíduo, e o encadeamento em formação é uma força produtiva, que encontraria os seus limites internos se antes disso não topasse com a força bruta. A diversidade e precisão dos conhecimentos da autora é tão considerável quanto discreta. Sempre ágil e minimalista, a prosa vai por exemplo da análise engenhosa das sequências dramáticas à notícia pormenorizada sobre a repressão ao teatro épico em Alemanha, URSS, França, Itália, Estados Unidos e Uruguai, ou à discussão do que seria um socialista para um stalinista no Brasil dos anos 30, questão filológica sem a qual alguma coisa do teatro de Oswald passaria em branco. Por nosso resumo o leitor terá notado que a opacidade da Teoria Literária atual não comparece no livro, que na boa tradição dos estudos dialéticos prefere, sempre que possível, entender as matérias em termos de relações históricas e sociais. Neste sentido espero não errar achando que se trata de um convite, pelo exemplo, ao uso efetivo da inteligência, à multiplicação das observações, à pesquisa de ligações reais e ironias objetivas, aos raciocínios longos e complexos, em suma, à reflexão literária de nível.

Com o golpe de Estado de 1964, a trajetória que acompanhamos ficou interrompida. Como era inevitável, o teatro em parte reagiu, em parte se ajustou, e em parte se ajustou reagindo. Estas marchas e contramarchas, brilhantemente analisadas, já vão formando o nosso chão de hoje. Havia começado o segundo tempo do ciclo e do livro, em que o teatro épico passava de força produtiva a artigo de consumo.

Um aspecto marcante desta evolução foi a unanimidade, com algo de exorcismo, que se formou contra o CPC. Deixando de lado a direita, que não tinha mesmo por que gostar de um trabalho de esquerda, houve o arrependimento dos próprios cepecistas, que acompanharam com autocrítica e tudo o recuo do Partido Comunista, o qual nunca apreciara a arte moderna e agora procurava se distanciar da subversão. Houve também a militância concretista, que sublinhava a diferença entre a sua inovação "rigorosa" (?) e o populismo regressivo dos poetas do *Violão de Rua*. Quanto a isto, a ousadia da experimentação formal que Iná identifica no teatro cepecista lança uma luz surpreendente sobre o debate, e seria bem interessante que um espírito desprevenido da nova geração o examinasse de mais perto. E houve enfim a inesperada reação da intelectualidade que viria a ser do PT e que, parte por anticomunismo, parte por catolicismo, parte por ouvir os concretistas e parte por uma espécie de purismo melindroso no trato da cultura popular, fez do CPC e de suas iniciativas a encarnação mesma do espírito de Stalin (!). Não sendo sócia de nenhum desses partidos, e tendo sobre o problema a clara opinião de uma trotskista esclarecida, a autora vai encontrando as expressões certeiras de que precisa para caracterizar o recuo geral. Talvez seja o caso de saudar em sua escrita pouco dada à conciliação a entrada em cena desse ponto de vista especial, polêmico e clarividente onde outros se calam, e dotado naturalmente de parcialidades pronunciadas (às vezes cabeçudas, acredito eu, como na cegueira para a posição à parte de Decio de Almeida Prado).

Ao descrever e analisar a evolução teatral neste segundo período, postas de lado as intenções e fixada a atenção nas mudanças técnicas objetivas, Iná faz ver encadeamentos meio involuntários que dão frio na espinha e mostram o que pode a crítica literária como explicação e comentário da realidade.

“Um mestre na periferia do capitalismo”

(entrevista)

Augusto Massi: Vamos começar pelo título. Por que *Um mestre na periferia do capitalismo*?

Roberto Schwarz: Uma amiga maldosa diz que o título faz pensar em problemas do ensino em países do Terceiro Mundo. Até que podia ser, pois o livro de fato procura colher o ensinamento da obra machadiana, que tem tudo a ver com condições culturais periféricas, e nem por isso deixa de ser uma obra de primeiríssima linha. Voltando ao título, ele retoma a fórmula de Walter Benjamin para caracterizar Baudelaire, “um lírico na era do capital”. A graça está em reunir noções de data e âmbito muito diferentes e incompatíveis, mas que a realidade junta. O “mestre” pertence ao mundo do artesanato e traz um clima de exigência espiritual e perfeição. A “periferia do capitalismo” é um termo tomado à reflexão social moderna e faz pensar em condições de precariedade que nos atingem a todos. Pois bem, Machado de Assis chegou a ser um grande mestre a partir dessas mesmas condições desvantajosas. Meu livro tenta analisar e explicar esse processo.

M.: Qual a ligação entre este livro e o outro, *Ao vencedor as batatas*, dedicado a Alencar e ao romance machadiano da primeira fase?

S.: Nesse estudo sobre as *Memórias póstumas* procurei mostrar de perto, explicar em que consiste a força literária do romance machadiano da maturidade. A densidade da prosa, a sua potência intelectual, a quantidade e sutileza das observações de realidade, a malícia dos arranjos formais, o alcance estratégico do ângulo narrativo, a feição caracteristicamente nacional, tudo isso foi pouco examinado pela crítica. Dentro de minhas limitações, tratei de dar uma ideia dessa plenitude de grande prosador, e da unidade atrás da incrível variedade das soluções.

Acontece que esse padrão de escrita não nasceu pronto. Ele se formou a partir das dificuldades históricas e literárias do país, e através da reflexão crítica a respeito. No meu primeiro livro procurei identificar as estações desse caminho. Estudei os desacertos estruturais na ficção realista de Alencar, procurei mostrar que eles refletiam as circunstâncias peculiares do liberalismo numa sociedade escravocrata e clientelista como a brasileira, e sobretudo tratei de indicar a maneira metódica e refletida pela qual Machado procurou esquivar esses desacertos e construir narrativas mais consistentes. Estas escapavam às ingenuidades de Alencar, tinham bem mais noção da realidade e de seus problemas, mas só para incorrer noutras limitações, até menos simpáticas. Tomando em conjunto os romances e a situação, percebe-se uma problemática historicamente peculiar, complexa e perfeitamente moderna, quer dizer, nada caipira, contrariamente ao que aqueles romances "para moças" poderiam fazer crer. Os aspectos inaceitáveis do país, as deficiências de toda ordem dos romancistas que o precederam, as estreitezas de suas próprias obras de juventude, este o conjunto muito negativo que a prosa machadiana da segunda fase supera, e mais, ao qual ela deve a força e a relevância.

M.: A noção de volubilidade, que você aplica ao narrador do *Brás Cubas*, permite articular a análise da forma literária e da realidade social. De onde veio esse conceito?

S.: Se você acompanhar com atenção a voz do narrador, as inflexões, você logo nota que ele gesticula muito, que a todo momento ele está trocando de atitude. Você vai notar também que essas mudanças, que parecem o cúmulo do capricho e do arbítrio, são repetitivas e têm sua regra. O começo de meu trabalho consiste na descrição desse comportamento "volúvel" do narrador — o termo é de Augusto Meyer —, comportamento que imprime um ritmo próprio à narrativa, da qual por isso mesmo ele é a forma. Em seguida trato de identificar a estrutura de que o mesmo comportamento faz parte, ou seja, os tipos sociais, as ideias, as normas com que interage. A consequência imediata é que o narrador adquire uma feição social e histórica bem definida. Em lugar da isenção, que é a regra a que aspira a ficção realista, surge um narrador situado, agressivamente faccioso e sarcástico, a dramatização espetacular de uma conduta de classe. Machado é o romancista da desfaçatez das elites brasileiras, e não do "homem em geral", como frequentemente se diz. Voltando à sua pergunta, esse tipo de análise tem a vantagem — se não estiver errado — de colher o depoimento histórico da própria forma, que no caso machadiano é apimentadíssimo. A ideia é de superar o estudo a-histórico das formas, do qual uma história das formas que não saia do próprio plano delas na verdade é apenas uma variante.

M.: Como assim?

S.: A desregulamentação moderna da arte coloca a crítica numa situação especial, de que é preciso tirar as conclusões. A consequência tímida diz que não há mais forma canônica, que as obras inovam umas em relação às outras no plano da forma, e que cabe à crítica acompanhar esse processo de transformações e invenções. Você note que nesse raciocínio, em que tudo parece possível, há na verdade uma relação que não está posta em questão, o que faz que a posição toda seja muito menos móvel que a arte moderna e não esteja à altura dela. A liberdade formal de que trata esse raciocínio não inclui a liberdade de alterar as relações entre as formas e a realidade, liberdade que para o melhor da arte moderna obviamente é central. A consequência enérgica a ser tirada pela crítica, e que lhe daria outra robustez, vai por aí. A atual desregulamentação da arte inclui a liberdade e a obrigação, para toda e qualquer obra individual, de inventar com nitidez a sua situação no espaço extraestético, o seu lugar social, os seus relacionamentos reais, que não estão mais prescritos por um estatuto geral e aceito da atividade artística. Essa invenção é a verdadeira alma da inovação formal, o nervo de seu alcance crítico, o seu risco. A aventura da arte moderna está nesse plano, e só secundariamente na novidade em relação à tradição artística, novidade que existe mas decorre da outra. Cabe à crítica descobrir esses correlativos extra-artísticos da criação formal, explicitar a energia e perspectiva decorrentes dessa autolocalização e autodefinição por assim dizer totais. Desse ângulo, Machado foi um tremendo inventor, de extraordinária acuidade. Quando os nossos estudiosos se compenetrarem disso, vão se dar conta de um literato de vigor insuspeitado.

M.: Comentando a diferença entre o primeiro e o segundo Machado, a crítica lembra razões de ordem biográfica: a idade madura, a doença, o estalo do gênio etc. Você não vai por aí, e explica tudo por uma transformação de conteúdo em forma. A questão então é só de técnica?

S.: Convenhamos que é possível completar quarenta anos, ficar doente e até dar de cara com a morte sem escrever nada de especial. Agora, se ocorre ao cidadão escrever alguma coisa notável, naturalmente será interessante perguntar pelas razões do novo passo. Ainda assim é preciso saber primeiro em que consistiu a novidade, senão não há como fazer a pergunta certa.

Um tema básico nos romances da primeira fase é o estrago causado pela conduta arbitrária e caprichosa de algum proprietário. O contexto social no caso é de paternalismo, o que é decisivo, e as personagens "dependentes" vivem meio em pânico, à mercê dos repentes de uma viúva rica ou do filho querido dela. A intenção artística dessas obras, todas mais ou menos fracas e edificantes, é de educar sem ofender, aparar as brutalidades inconscientes ou desnecessárias da classe abastada, no quadro geral do clientelismo brasileiro. O que esses livros estão dizendo é que se a gente de posse tratasse os pobres de modo menos bárbaro seria melhor para todo mundo, inclusive para os ricos, já que teríamos uma sociedade mais civilizada.

Pois bem, no *Brás Cubas* Machado de Assis faz uma coisa incrível: por estratagema adota o ponto de vista do inimigo, apropria-se dele, transforma em procedimento narrativo de todos os instantes a conduta de classe arbitrária e irresponsável daquele mesmo tipo social que nos livros anteriores lhe causava horror e que ele havia criticado. O que era assunto vira forma, o que era um momento raro e especialmente negativo — a hora em que as figuras de classe dominante se desmandam — se torna a rotina em que está embebida a totalidade da vida. Machado trocava a perspectiva social de baixo pela de cima, e adotava, dentro de um espírito de exposição sarcástica, o ponto de vista e a primeira pessoa do singular dos proprietários. Em lugar da esfera acanhada e provinciana da primeira fase, onde se tratava de tornar menos ruins e destrutivas as relações paternalistas, temos agora um proprietário brasileiro frequentando em primeira mão o universo inteiro, no caso Portugal e Itália, e barbarizando a filosofia, a ciência, a política, a poesia etc. segundo as conveniências de seu interesse de liberal escravista e clientelista. Tratava-se da desprovincianização, da universalização em sentido literal da conduta de nossa elite, que passeava pela civilização contemporânea a marca registrada de seu procedimento ideológico, com efeito naturalmente deplorável.

Se voltarmos daqui à biografia de Machado, parece razoável supor que a virada corresponde a uma nova convicção, segundo a qual as relações entre os proprietários e seus dependentes não vão se resolver segundo as regras da civilidade, porque o interesse dos primeiros não é este. Descrente de uma saída civilizada, que havia desejado, e não vendo outra por perto, Machado inventou uma forma capaz de exibir na sua extensão a destrutividade da conduta de nossa elite, embora sem trazer propostas de reforma. Com isso ele desorientou o mundo inteiro, pois num país onde mesmo os conservadores sempre se entendem como reformistas, a ausência de proposta parece que só pode vir de alguém sem espírito crítico, isto é, de um espírito metafísico.

Seja como for, a inovação formal que sustenta as *Memórias* tinha sim fundamento biográfico — numa virada ideológica, numa opinião nova e negativa a respeito do futuro próximo do país.

M.: Me chamou a atenção que você não analisasse "frontalmente" os aspectos célebres da obra machadiana, como por exemplo as figuras femininas, o pessimismo etc.

S.: A lista pode ser ampliada, pois na verdade não há nada nas *Memórias* que se possa tratar diretamente. Isso porque tudo no livro vem atrelado aos repentes do narrador caprichoso, e se redefine na relação com eles, que não devem ser deixados de lado, sob pena de se perder o essencial das situações. Caso eu esteja certo e aqueles caprichos tenham caráter de classe, toda a vasta matéria universalista do livro, aquela que diz respeito ao homem dito "em geral", passa a ter efeito irônico, porque muda inteiramente de significado segundo a sua função de momento. Esta sempre reflete, ainda que à distância, o desequilíbrio atroz das relações sociais brasileiras e a dose de arbítrio que estas facultam aos de cima, arbítrio encenado e estilizado nas guinadas do narrador. A complementaridade entre o desvalimento de uns e a prepotência de outros transforma em sarcasmo a psicologia universalista que tem feito a glória de Machado de Assis, e que na verdade, levado em conta o seu funcionamento literário efetivo, só serve para escarnecer a ideia mesma de universalidade. Uma fórmula pessimista não quer dizer o mesmo na boca de um cavalheiro bem tratado ou na de uma pobre velha acossada pela necessidade. As máximas da psicologia feminina dão resultado diverso quando descrevem a conduta de uma mocinha pobre ou de uma senhora elegante. Assim, a arte machadiana da fórmula universalista, tão francesa, não se destina a confundir na mesma humanidade os socialmente opostos, mas a rir dessa hipótese, bem como a manifestar a ordem social que os opõe.

M.: Há conexão entre essas reflexões e os motivos que o levaram a organizar o volume sobre *Os pobres na literatura brasileira*?

S.: Você viu bem. Nós todos sabemos, mas costumamos esquecer, que o caráter irreal e o deslocamento da modernidade no Brasil não decorrem da incultura das elites, mas da situação apartada e da falta de direito em que vivem os pobres. Esta é a chave de quase todos os problemas políticos e estéticos do país. Não digo isso para desmerecer, mas por convicção de que sem entrar por aí não se entende nem se resolve nada. Quem diria que um jogo tão britânico e requintado como o andamento das *Memórias póstumas* está ligado às discricionariedades de uma sociedade escravista e clientelista? Pois está. Com os ajustes necessários, algo parecido vale para a rispidez de Graciliano, a malemolência de Mário de Andrade, o modernismo de Oswald, o profetismo de Glauber etc.

M.: Num trabalho como o seu, interessado no social, não deixa de surpreender a pouca presença da questão da cor. Afinal, Machado era mulato.

S.: Vários amigos me fizeram essa objeção. Sem desejo de ofender, tenho a impressão de que se trata de um preconceito invertido, segundo o qual o assunto do homem de cor só pode ser a sua própria cor, sob pena de lhe faltar autenticidade. Mário de Andrade, num estudo muito injusto e arguto, afirma que Machado havia perdido a sobriedade habitual, havia "mulatizado" ao adotar nas *Memórias* as fórmulas meio pedantes do humorismo inglês. Nesse plano tudo depende da acuidade fisionômica e é difícil dizer alguma coisa exata e limpa de preconceito. Mário, que prezava a naturalidade romântica e via nela o caminho para um Brasil mais fraterno e menos convencional, enxergou no empertigamento pernóstico de Brás Cubas um defeito por assim dizer sociorracial. Passado o tempo, ficou mais difícil de aceitar a ideia — cara aos modernistas — segundo a qual o problema do país era um certo formalismo, que uma boa dose de naturalidade e irreverência poderia derrubar. Se a espontaneidade e o desbocamento podem ser autoritários e conservadores, como agora sabemos, o formalismo e o empetecamento podem ser recursos críticos, coisa aliás que o autor da "Carta pras Icamiabas" sabia melhor do que ninguém. Assim, em lugar de ver a impostação algo encasacada da prosa das *Memórias* como manifestação de uma deficiência psicológica e humana de Machado de Assis, desejoso de branqueamento, tratei de entendê-la como parte da composição crítica de uma personagem com feição de classe bem definida e extraordinário alcance.

Enfim, é muito verossímil que os problemas ligados ao preconceito de cor estejam entre os móveis da arte literária de Machado de Assis. Mas, enquanto a evidência não estiver aí, fica difícil falar a respeito. O que não cabe é desconhecer a importância de uma obra porque ela não trata os problemas que em nossa opinião o seu autor teria a obrigação de tratar.

M.: No final de seu livro há uma defesa enfática do realismo. Você não está querendo fazer como Lukács e mandar todo mundo escrever à maneira de Balzac?

S.: Se estou bem lembrado, não recomendei nenhuma fórmula realista. Mas indiquei que a obra machadiana é profundamente pautada, no plano da forma, pelas iniquidades centrais da sociedade brasileira, e que sua força vem daí. Ou melhor, procurei mostrar o trabalho metódico e inteligente através do qual Machado tratava de buscar, de tornar presente e ativa a contradição social no interior de sua prosa. Isso vai contra a posição antirrealista na versão corrente entre nós, a qual acena com uma espécie de trabalho formal afastado de contradições extraestéticas, o melhor caminho, na minha opinião, para a irrelevância.

Conversa sobre *Duas meninas*[*]

1. BENTINHO COMO NARRADOR PARCIAL

Quando *Dom Casmurro* foi publicado, José Veríssimo escreveu um comentário que não entrava muito em matéria, no qual entretanto observava, de passagem, que seria possível não acreditar nas acusações de Bentinho a Capitu. Provavelmente outras pessoas também notaram a eventual parcialidade das acusações do narrador, que no caso era juiz e parte, mas isto não se tornou um elemento de interpretação. Lúcia Miguel-Pereira, num artigo dos anos 50, levanta a mesma hipótese, lateralmente, e também não dá continuidade ao assunto. Digamos que no geral, a despeito dessas dúvidas esparsas, a desconfiança dos leitores não questionou a probidade de Bentinho, o namorado acusador, mas a fidelidade de Capitu, a mocinha demasiado independente e inteligente, além de pobre. Se não me engano houve até um congresso de advogados para debater, dentro das regras da profissão, se Capitu era ou não

* Resumo de uma exposição feita ao grupo da revista *praga* em 1997.

culpada. É claro que um congresso desses faria as delícias de Machado de Assis, que de caso pensado havia arquitetado uma situação incerta, estimulando um tipo de discussão apaixonada, um tanto boba e sobretudo sem resposta certa possível. Machado quis criar um caso cujo combustível fosse o obscurantismo fofoqueiro do público: avaliou que uma acusação de adultério com provas a favor e contra faria cócegas nos seus compatriotas, que ficariam divididos, discutindo durante cem anos se Capitu era ou não uma traidora. Foi o que aconteceu. Noutras palavras, *Dom Casmurro* tem um lado de engenhoca hipercalculada, de romance policial, um recurso manipulativo e meio barato, tratado porém de maneira sofisticadíssima e genial.

Assim, não é que ninguém tivesse desconfiado do Casmurro. Mas mesmo quem desconfiou não extraiu daí maiores consequências. Até que veio Helen Caldwell e solucionou a questão, verdade que sessenta anos mais tarde. Como estrangeira e conhecedora de Shakespeare, ela ficou incomodada com a leitura patriarcal, torcida e bárbara que Bentinho faz de *Otelo*, e tirou as suas conclusões. Machado, que era bom shakespeariano, achou que, ao fazer que Bentinho desse razão a Otelo contra Desdêmona, estava deixando uma pista impossível de não ser notada por seus compatriotas mais inteligentes. Mas ninguém reagiu. Não havia familiaridade suficiente com Shakespeare, no Brasil, para que uma dica dessas fosse um dado de interpretação decisivo. A malícia de Machado ficava sem efeito: o país não estava culturalmente maduro para ela, o que não deixa de ser interessante.

A viravolta na interpretação de *Dom Casmurro*, fazendo que o réu passasse a ser Bentinho, e não Capitu, foi o mérito de Helen Caldwell. A mudança é das mais consideráveis, mas foi operada em âmbito restrito, digamos conjugal. O interesse da professora norte-americana estava centrado nos estragos do ciúme, no mal que este faz ao amor.

Na década de 70, Silviano Santiago deu continuidade a essa mesma virada, ampliando e aprofundando a discussão, acrescentando elementos de caracterização social à figura do ciumento. Além de marido destemperado, Bentinho agora é advogado e ex-seminarista. Com isso, Silviano dava dimensão nacional ao caso: trata-se da hipocrisia brasileira dos bacharéis e dos seminaristas.

O passo seguinte foi dado por John Gledson. No que me diz respeito — já que estou dando um depoimento — foi um exemplo bonito e interessante de colaboração literária. O Gledson leu muito bem *Ao vencedor as batatas*. A partir daí elaborou uma interpretação completamente original de *Casa velha*, que me tocou duplamente, porque o trabalho era muito bom, e também porque antecipava o que eu tencionava fazer. Meu plano era estabelecer, num primeiro passo, a lógica dos romances de Machado de Assis da fase inicial e, depois, explorar o tema da transição para a fase dos grandes romances. *Casa velha* é o livro estratégico para estudar essa transição. É uma pequena obra-prima, que vinha sendo subestimada, um livro no qual Machado superava, de modo rigoroso e ponto por ponto, as fraquezas da ficção do seu primeiro período. Gledson percebeu claramente tudo isso e escreveu o essencial do que eu pensava escrever.

Vocês vejam como o processo crítico é associado e objetivo. Uma vez que um esquema analítico está em andamento, todos que tenham pressupostos mais ou menos parecidos tendem a chegar a resultados semelhantes. Considerando que por meu lado eu também aproveitei dos achados do John, acho que se trata de um caso sugestivo de colaboração crítica. Aliás, ao longo do processo, nos tornamos grandes amigos.

Continuando o trabalho dele, o Gledson reinterpretou o *Dom Casmurro*, mostrando que esse romance, mais ainda do que *Casa velha*, é a solução extraordinária dos problemas montados na obra da primeira fase. Tudo o que antes deixava a desejar agora está resolvido. A consistência do progresso literário de Machado é algo que assombra. Resumindo: Helen Caldwell inverteu a leitura corrente, Silviano Santiago assinalou a dimensão nacional dessa inversão, e o John Gledson a plantou na estrutura social brasileira, ao mostrar em detalhe o seu embasamento de classe: além de marido ciumento (âmbito conjugal) e bacharel ex-seminarista (caracterização cultural e ideológica), Bentinho é herdeiro, vizinho rico, futuro patriarca e chefe de clã, o que empresta ao seu desgoverno temperamental uma lógica e um alcance específicos, em que está envolvida a sociedade em seu conjunto.

Por meu lado, retomei o quadro social caracterizadamente brasileiro que o Gledson tinha delineado, e procurei estudar o seu dinamismo interno, em particular as suas relações com o movimento da prosa, uma das sutilezas máximas de Machado. A tentativa mais ambiciosa de meu trabalho está na análise desse movimento, muito impalpável e no entanto muito consistente. O poder de Machado como escritor vem daí. Ele é dono de uma prosa que desdobra de maneira incrivelmente inventiva e penetrante, embora oblíqua, uma problemática social ligada ao sistema específico das diferenças sociais brasileiras. Assim, é impossível avançar no estudo da sua escrita sem passar pelo drama social, pela dramaturgia implícita, em especial pela posição e pelos interesses particulares do narrador, considerado como personagem. Em todos os romances de Machado de Assis, mas especialmente neste, você só aprecia devidamente a prosa se passar antes pela composição, pois esta desloca aquela. A prosa de Bentinho foi sempre tida como um exemplo de simplicidade e elegância, a que no entanto, se eu estiver certo, é preciso fazer uma restrição capital: vista a situação, é tudo falso (o que literariamente não é um defeito!). Machado compõe paradigmas de elegância que são ápices de falsidade, e é aí que reside a ousadia, a sua verdade artística. Nenhum patriarca brasileiro foi tão elegante na dicção e na hipocrisia quanto Bentinho, razão pela qual esta última passou despercebida. A ideia de aperfeiçoar a falsidade, como parte de um intuito crítico-destrutivo, é artisticamente pérfida. Por que aperfeiçoar o que se quer derrubar? Para derrubar de mais alto? Quando o artista aperfeiçoa uma posição, o público naturalmente pensa que é por coincidir com ela. Ocorre que em Machado o caso não é este, antes pelo contrário. O que dá uma ideia do requinte sarcástico da sua composição. Ele fabricou, digamos, uma prosa discreta, distinta, em meios-tons, ideal para... confirmar preconceitos conservadores e funcionar como ideologia no pior sentido da palavra. Um modelo de simplicidade visando esconder uma configuração social muito desigual e difícil de defender. Isso é coisa que se faça? Por outro lado, ao depurar a prosa conservadora e ao colocá-la em circunstâncias indefensáveis, Machado lhe sublinhava os mecanismos, com sarcasmo verdadeiramente máximo. Enfim, procurei detectar e analisar movimentos dessa espécie.

2. UM PROGRAMA PARA A CRÍTICA LITERÁRIA BRASILEIRA

Retomando de outro jeito, são passos críticos que dependem de uma análise precisa das relações sociais. Aliás, um fato característico da crítica brasileira é que nela, frequentemente de intenção muito social, praticamente não há análise de relações sociais. O primeiro no Brasil que fez análise social minuciosa, como parte íntegra da reflexão estética, foi Antonio Candido nos ensaios sobre *Memórias de um sargento de milícias* e *O cortiço*, que por isso mesmo abriram perspectivas críticas novas.

A sociedade brasileira é evidentemente *sui generis*, diferente das outras por causa da parte que o trabalho escravo teve em sua formação. Ela tem um sistema de relações sociais próprio, mas não ocorreu à crítica que esse sistema tivesse potência estruturante do ponto de vista estético. Ora, um bom escritor desenvolve as relações sociais inscritas em seu material — situações, linguagem, tradição etc. — segundo um fio próprio, quer dizer, próprio às relações e próprio ao escritor: um fio que é de livre invenção, mas nem por isso é arbitrário. A retomada e a exploração literária, em verso tanto quanto em prosa, da especificidade das relações sociais brasileiras até aqui praticamente não foi objeto de pesquisa. Insisto nisso porque vejo aí um programa de estudos.

Não que a crítica brasileira não tivesse posição social. Uma parte era e talvez ainda seja de esquerda e progressista, tomando o partido dos de baixo no plano das personagens ou da linguagem. Acontece que por alguma razão, sobre a qual valeria a pena pensar, esse ponto de vista teve dificuldade para se tornar produtivo no plano da análise estética. É como se ao afirmarem o valor *crítico* da arte moderna, bem como a importância geral da dominação de classe, da exploração econômica e da hegemonia ideológica, os críticos e professores ficassem impedidos de olhar e estudar as *formas efetivas* que haviam tomado essa mesma crítica, dominação, exploração e hegemonia. Talvez porque a literatura não estivesse apontando na mesma direção que os esquemas da esquerda? Seja como for, o passo da generalidade bem-intencionada ao esforço real de conhecimento é difícil de dar.

Isso não vale só para a esquerda de inspiração social. Valeu também para a esquerda de inspiração linguística, se é possível chamar assim a voga estruturalista que sucedeu à voga marxista. A partir de certo momento, os estudos da linguagem artística modernista passaram a se governar pela noção de *progresso* implícita no trabalho dos poetas e críticos concretistas, a qual envolvia um esquema abstrato de modernização. O que não deixava também de ser uma simpatia inespecífica pelo progresso, incapaz de penetrar no intrincado de seus problemas. Os escritores passavam a ser bons conforme usassem a linguagem de maneira experimental, ou segundo os cacoetes correspondentes. Quanto mais experimentais e antirrealistas, mais avançados, ficando pressuposto um contínuo de modernização — que não existe! — com ponto de chegada na vanguarda europeia. A ideia de que esta última fosse um processo linear de racionalização da linguagem não resiste à verificação histórica. E muito menos cabimento tem imaginar que Oswald de Andrade estivesse correndo em linha reta para a frente. Oswald operava uma aliança entre posições avançadas, de inspiração vanguardista europeia, e outras ligadas ao "atraso" brasileiro. O extraordinário interesse da obra dele não se entende fora dessa mistura, perfeitamente especificável.

Hoje está na moda dizer que as relações sociais são linguagem, o que certamente é verdade até certo ponto. Para a crítica literária, acho mais produtiva a verdade inversa, segundo a qual a linguagem — e em especial a linguagem artística — é ela mesma uma relação social, que precisa ser vista no seu corpo a corpo com as outras, a que trata de dar figura. A especificação das relações sociais e sobretudo da posição social envolvida no trato com a linguagem, na experimentação artística, é um trabalho que está praticamente todo por ser feito. Se você perguntar qual a posição social da prosa de Graciliano Ramos, ninguém sabe. Afirmar que o autor é comunista não quer dizer quase nada. Qual a posição social da prosa de Guimarães Rosa?

Na crítica europeia a história social e o conflito de classes estão mais ou menos mapeados. Há terreno comum entre a consciência histórica e a crítica de arte. No Brasil, não. A boa literatura brasileira é mais adiantada ou mais diferenciada do que os nossos historiadores e sociólogos. A crítica literária aqui se vê diante da insuficiência dos estudos sociais. Digamos que a versão que Marx dá para o século XIX ajuda a ler o romance realista europeu, com as diferenças de cada caso. No Brasil a situação é outra: munido de Gilberto Freyre, o crítico brasileiro não entende Machado de Assis. Pior ainda se quiser fazer uma aplicação direta de Marx. Daí a necessidade de se esmiuçarem com independência as relações sociais próprias à obra. Em vez de chapar os lugares-comuns da sociologia, local ou de outro continente, que raramente se aplicam sem mais, é preciso ir ao texto e reconstituir com as próprias palavras dele o seu sistema social implícito. Feito isso, rapidamente alguma coisa se diferencia. Nos escritores bons, o sistema se estrutura, escapa ao quadro previsto e entra em terreno conceitualmente novo, capaz de revelações.

Voltemos ao caso de Machado. Gilberto Freyre tem uma descrição desenvolvida do que se poderia chamar a molécula patriarcal brasileira, mas ele trata o assunto em veia saudosista, uma coisa que está no passado e se está perdendo. Em Machado de Assis esta molécula também existe, mas ela é diretamente confrontada, o tempo todo e no presente, ao padrão de racionalidade burguesa, dado na prosa analítica tipo século XVIII. Você tem aí o universo da dominação e afetividade "tradicionais" — a molécula patriarcal — combinado com uma linguagem analítica e racional. Os universos que em Gilberto Freyre correm separados, um no Brasil, outro na Europa, um no presente, outro no passado, em Machado estão imbricados, são simultâneos, criando um espelhamento recíproco, uma relativização mútua de grande alcance histórico e intelectual. Nenhuma sociologia no Brasil deu conta de operar com esta constelação. É da natureza do saudosismo de Gilberto Freyre separar esses termos. No caso de Caio Prado Jr., que é progressista, também se toma só um lado. O passado aparece em sua obra apenas como algo a ser superado. Em Machado, não. A constelação de herança colonial e racionalidade burguesa está estabilizada enquanto presente problemático, um universo a ser explorado em si mesmo, com os dois polos postos em questão, o que é mais real, de certo modo, que o progressismo ou o saudosismo dos dois grandes historiadores. No Brasil, o sociólogo com este ponto de vista facultado pela obra machadiana ainda não existiu.

3. OS DESASTRES DA TEORIA LITERÁRIA

Comecei a me interessar por crítica literária mais ou menos em 1957, no tempo em que o *New Criticism* estava entrando em voga. De lá para cá, de tempos em tempos entra em cena uma nova teoria com terminologia especializada, que desqualifica a acumulação e reflexão anteriores, mas sem que tenha havido crítica ou superação. Isto funciona como um biombo, que baixa do céu, dos Estados Unidos ou da Europa, de repente, e que impede que se veja e aprofunde o que vinha se sedimentando e que importa analisar. Diante da descontinuidade desnecessária, como não achar que somos baratas tontas?

É claro que temos de ler a teoria contemporânea para ficar em dia com o debate, que é sempre significativo de alguma coisa. Mas adotar os seus termos sem mais aquela, não. Muito pelo contrário, a verificação das conceituações atuais a partir da nossa experiência histórica, a relativização e a crítica que podem resultar daí são uma das contribuições que podemos dar de fato.

Um bom exemplo é a teoria do narrador que não é confiável (a *Retórica da ficção* de Wayne Booth), que ajuda a ler Machado de Assis, pois mostra que ele faz parte de uma tradição ilustre e pouco conhecida. Por outro lado, é certo também que ela atrapalha, pois funciona como uma espécie de gramática geral das posições dos narradores. Operando com Narrador e Leitor, Confiança e Desconfiança, com termos universalistas, ela cega para articulações historicamente mais específicas, que esteticamente são as decisivas. Bentinho certamente não é fidedigno como narrador, mas isto é dizer pouco. A sua deslealdade narrativa tem coordenadas históricas e de classe precisas, que pertencem à configuração social brasileira, um quadro de dominação e iniquidade que é onde ela adquire o seu alcance próprio. A constelação formal moderna tem chão histórico particular.

4. MACHADO DE ASSIS E A HISTÓRIA RECENTE

Desenvolvi a maior parte do meu trabalho quando estava na França, na época da ditadura. Esta me abriu os olhos para certas qualidades de Machado de Assis, não há dúvida. Até 1964 dominava uma visão muito positiva da modernização. A esse respeito é interessante notar que Machado de Assis esteve bastante fora de moda entre a época dele e a década de 30, quando saíram os bons estudos de Augusto Meyer e Lúcia Miguel-Pereira, mais as publicações suscitadas pelo centenário do escritor, em 39. Mesmo assim, Machado não foi propriamente incorporado, salvo na vertente oficialista. Para fazer uma ressalva, é possível dizer que, de um jeito ou outro, Oswald de Andrade é machadiano, pela desfaçatez do narrador e pela maldade dos pastiches. Mas isso ninguém sabia, o próprio Oswald não sublinhava, não era um tema. Como Machado é muito ácido e pouco otimista, os modernistas não gostavam dele. Mário de Andrade tinha uma aversão decidida pelo Mestre, embora o admirasse muito e soubesse como ninguém que se tratava do maior escritor brasileiro. Mas Mário simpatizava com o brasileirismo romântico, com a queda pela linguagem mais natural, familiar mesmo quando empolada, com uma espécie de sinceridade nacionalista, afastada das concisões do ceticismo e do cinismo. Isso corresponde à ideia de que a elite brasileira, com sinceridade, com boa vontade e com abertura para o povo, que era como que a sua família, iria arrumar esse país. Era um pouco a maneira com que Mário e o Modernismo se viam a si mesmos.

Essa foi a sensibilidade brasileira dominante até 1964. Quando os militares tomaram o poder, com vasto apoio na elite, veio à frente um outro sentimento, segundo o qual a sinceridade e as simpatias populares da cultura oficial não eram tão confiáveis assim. Surgia uma nova visão desiludida e amarga da elite brasileira, que no aperto aceitava qualquer negócio.

Depois de 1964 a visão esperançosa, ligada ao populismo e às suas promessas, acabou. Daí a atualidade de Machado de Assis quando mostra que não é para acreditar em nada que as pessoas bem-postas dizem, mesmo se as palavras forem elegantes. A visão machadiana das relações de classe, muito cruel e desabusada, de repente ganhava outro peso. Machado de Assis não havia sido um escritor importante no pré-64. Foi este o ano que forneceu a ótica nova, que permite dizer que o autor decisivo brasileiro — o que entendeu as nossas relações de classe — é Machado de Assis e não José de Alencar. Ouvi coisas engraçadas a respeito, vindas do Glauber Rocha, que tinha raiva de Machado. Os escritores preferidos dele eram Euclides e Alencar, os autores épicos, entusiastas, sofredores retumbantes, nacionalistas, enfim tudo que a partir da crise do populismo aprendemos a considerar empulhação. Mas naquele tempo, antes da Queda, a polarização Alencar-Machado existia, com partidários de um e de outro. Apesar do arcaísmo, o gosto da epopeia e da fusão popular eram temas da esquerda. Só depois começamos a dizer que as coisas não são bem assim. O ceticismo machadiano só passou a ser entendido como acuidade histórica depois de 64.

Levei muito tempo para escrever *Um mestre na periferia do capitalismo.* Estava terminando a redação no tempo do Collor, cujo governo tinha a ver com a franja crapulosa dos romances machadianos. De repente me pareceu que eu iria terminar um livro muito atual. Um livro que estava escrevendo havia mais de vinte anos, sobre outro, escrito havia mais de cem, que estava em processo de rejuvenescimento.

Em *Duas meninas* não há, como em Machado de Assis, a questão da elite crápula. No diário de Helena Morley o assunto é um arranjo social bastante simpático, muito ocasional, devido a um interregno econômico que vai se desfazer assim que o progresso retomar. Está lançado o tema do progresso que não traz progresso e que não só não resolve como também agrava muita coisa. É um tema geral da história brasileira de sempre, que se reapresentou em 1964 e que, em certa medida, está provavelmente sendo reeditado neste momento. Obviamente meu livrinho não é uma tese específica sobre a situação política atual, mas tem uma relação alusiva com as características do progresso do país. Trata-se do tema da modernização sem compromisso com a integração nacional. Um aspecto surpreendente do livro de Helena Morley é que você sente uma espécie de progresso social e de "humanização" que, por vezes, pode acompanhar a falta de progresso e mesmo a regressão econômica. Tendemos a uma noção muito economicista do progresso, segundo a qual as coisas só podem melhorar quando há progresso material. O interessante, o sugestivo nas memórias de Helena Morley é que vemos uma clara involução econômica permitindo que a sociedade se acomode de maneira bem mais aceitável. Isso é interessante não como receita, mas por relativizar a proeminência absoluta do progresso econômico. No livro de Helena Morley você vê que o momento de estagnação é compatível com reacomodações valiosas. A pressão do dinheiro diminui, fazendo com que outros elementos interfiram mais. A grande humanidade do livro tem a ver com isto.

Esse tipo de leitura, em que você explora o detalhe e o movimento da prosa de maneira alusiva ao presente, é um trunfo da crítica de inspiração marxista. Se há correspondência entre a estrutura social e a estrutura da obra de arte, a dinâmica interna de uma tem a ver com a da outra, e é possível estudar e escrever tendo em mente as suas relações de explicitação, aprofundamento, insuficiência, antecipação, atraso etc. Na minha opinião este é o ângulo capaz de dar conta da relevância da elaboração artística, ou melhor, é o ângulo que interessa a quem tem a convicção de que a elaboração artística de fato tem relevância.

5. FORMA OBJETIVA EM *MINHA VIDA DE MENINA*

Escrevi o ensaio sobre Helena Morley porque achei o livro muito bom. Ele tem qualidade literária alta, numa forma que não apresenta maior intenção literária. É uma questão interessante para a crítica. Fiquei mais interessado ainda quando me convenci de que Helena e Capitu são parecidas. Como explicar a semelhança entre um livro sem propósito literário e outro de composição elaborada ao máximo? A resposta passa pela noção de "forma objetiva", segundo a qual a forma existe, sendo ou não sendo fruto de intenção autoral. É uma noção corrente na tradição hegeliano-marxista, em especial a alemã, mas passavelmente indigesta para o *mainstream* da crítica atual. O pressuposto geral desse *mainstream* é que o mundo é um caos e a forma é posta pelo artista, uma criação deste. A matéria é informe e o artista lhe impõe uma forma. As pessoas de tradição marxista, pelo contrário, estão acostumadas à ideia de que o processo objetivo é ele mesmo formado. Isto não quer dizer que o artista não invente uma forma, mas que existem formas prévias, postas pela vida prática, sobre as quais ele trabalha, o que justamente dá a possibilidade de refletir sobre a forma de uma matéria que não tenha sido objeto de uma operação artística separada. Todos os que leram *O capital* sabem que ninguém é mais formalista ou estruturalista que Marx e que ninguém é mais atento que ele à dialética entre forma e matéria.

A teoria crítica corrente, ao dizer que forma é o que o artista cria e impõe, ao passo que a matéria ela mesma não tem forma alguma, é jejuna a esse respeito. Para esse ponto de vista, é impossível que o livro de Helena Morley seja bonito, já que ali não há forma. E de fato, a forma explícita, de primeiro plano, é mínima. São entradas de um diário, que vão de uma a três páginas, com data em cima, e ponto. Entretanto, ao entrarmos em matéria, que foi o que fiz, veremos que as anedotas têm organização notável, apresentam relações profundas entre si, em boa parte sem deliberação, em suma, uma arquitetura esplêndida, dentro de uma absoluta modéstia.

Como persuadir disso o leitor? Tentando a paráfrase dos resultados. Ela pode satisfazer ou não, ou pode satisfazer só em parte. A paráfrase pode convencer, por exemplo, quanto à complexidade da sociedade brasileira, mas não quanto à vida complexa do livro, que nesse caso funcionará apenas como material. A minha intenção era que funcionasse esteticamente. Tentei sugerir um modo de ler apropriado à complexidade de um grande romance. Se o diário de Helena sustentar esta leitura, de tipo cerrado e exigente, ganhei a minha aposta, que depende justamente da "objetividade da forma" de que estivemos falando. Procurei explicitar nexos estruturais da matéria, que são também formas que não foram trazidas completamente à superfície, não elaboradas e, sobretudo, não glosadas. No romance, em geral, a uma certa altura, o narrador glosa as formas, comenta o que aconteceu, sublinha as linhas principais. Não há isso no livro de Helena Morley, que não é um romance. Então, aqui, você depende totalmente da atividade do leitor, que busca ou não busca essas relações. Se buscar, eventualmente dirá que o livro é capaz de dar grandes emoções estéticas. Se não buscar, vai incorporá-lo de outra forma, interessando-se apenas pelo material. Seja dito de passagem que a exigência de uma leitura ativa, que não se limite ao padrão passivo da leitura corrente, é um aspecto decisivo da literatura moderna, em sentido próprio, aquela que busca o inconformismo.

6. A COMPARAÇÃO COM *DOM CASMURRO*

A comparação de um livro que não consta do elenco das grandes obras brasileiras com outro que possivelmente seja o melhor de todos naturalmente tem um tantinho de provocação. Mas garanto a vocês que o meu propósito principal não foi o de mostrar originalidade. Eu estava interessado em explicitar o sistema de relações sociais, pontos de vista, registros de dicção etc. que foi engendrado pela história do país e que pode tanto animar uma obra artística máxima como organizar o diário despretensioso de uma adolescente. É isso que chamei de "matéria brasileira". Vocês notem que no meu estudo esta não aparece como ponto de partida, mas como resultado de observação e objeto de análise: ela está lá, em dois livros, de modo muito diferente, que no entanto devem a força, todos os dois, à profundidade com que souberam se situar diante dela — esta "forma objetiva" — e desenvolvê-la. Um resultado similar pode ser obtido pela análise de muitas outras obras importantes da cultura brasileira, suspeito que possam ser quase todas. Se for assim, seria possível concluir que a história do mundo moderno cristalizou no Brasil uma problemática, para mal e para bem, mais para mal, que teleguiou consciente ou inconscientemente os trabalhos decisivos de nossa cultura, que a procuram explorar e solucionar de uma forma ou outra. Nada mais natural, por outro lado, que imaginar que a estrutura histórica de nossa sociedade, em particular os seus aspectos mais insustentáveis, mas também os mais simpáticos, sejam o encargo de que nos coube extrair o sentido que acaso tenhamos.

Contra o retrocesso

Minha mulher e eu hoje levantamos cedo para comprar uma ponte. Ao que dizem será a última privatização realizada no país. A pinguela foi construída há muitos anos pelo Estado, mais precisamente pelo cunhado do prefeito. Ela vai de um lado a outro do córrego e é atravessada por praticamente todo mundo várias vezes ao dia. A sua utilidade está fora de dúvida. Talvez de caso pensado, o edital da venda não explica se o governo costumava cobrar pedágio dos moradores. Sabemos que não, mas é claro que a intenção do comprador não pode ser outra. De minha parte, que não sou do ramo, confesso que estou me apresentando à licitação mais por curiosidade. Uma pinguela não há de ser cara e pode servir de entrada a quem está à margem da atividade econômica moderna. Foi a leitura da página de economia dos jornais que me alertou contra o perigo de ficar parado. Ainda assim, a hipótese de ser dono da ponte me perturba e parece um sonho. Não estarei repetindo o papelão do caipira esperto que comprou um bonde? Anedotas à parte, o que pensar de minha repentina taquicardia, sem mencionar o surto de caretas indignas, em que não me reconheço e que me desequilibra o espírito? A pinguela é pouca coisa, mas muda tudo, se o negócio for feito. As idas e vindas no município nunca mais serão as mesmas, e também eu sairei alterado. Terei ainda a força de passar por alto, de deixar sem comentário a inocência dos patos? O capital não ri enquanto cresce. *Aos patos do mundo inteiro, aquele abraço!* No meu sonho, além de pagar, todos os usuários me darão um alô, que não estarei lá para receber, devido aos muitos afazeres. Acho indispensável o alô pelo consentimento que ele exprime. Não penso em mim, mas na saúde psicológica do povo, a que o costume da cortesia por ocasião dos pagamentos dará a convicção do próprio valor. Se pagam e agradecem, aparecem e existem. Isso no sonho, porque na realidade sou um homem esclarecido, amigo dos fatos, avesso às finezas com que uns e outros gostam de ornamentar a simplicidade das coisas. Nunca me convenci por exemplo de que a propriedade fosse o coroamento do mérito. Nem apelo para o destino para explicar a existência dos miseráveis, que considero efeito normal da falta de dinheiro. Assim, não fujo aos problemas morais difíceis colocados pela privatização da ponte: por que eu? Por que não outro? E por que não eu mesmo, não havendo desfeita para os demais? No meu entender, os paradoxos da justiça e injustiça desembocam num vale-tudo, o *catch-as-catch-can* dos anglo-saxões, preferível todavia ao igualitarismo doutrinário de 1793 ou 1917, quando se manifestou a falta de pragmatismo dos latinos e dos eslavos respectivamente.

As perguntas de minha mulher vão noutra direção. Ela quer saber por que se diz que as privatizações acabaram. Custei a perceber o alcance da dúvida. Como sempre nessas ocasiões, a tormenta fechou o céu em questão de segundos. A inteligência de minha mulher é rápida e vai direito a um ponto que nem sempre ela sabe explicar. Eu sou mais acadêmico e não argumento mal, porém desconfio que aqui e ali falte assunto às minhas dissertações. Muitas vezes nos completamos, ela e eu, e posso dizer, com a mão na consciência, que não me queixo do estado conjugal. O afeto, a confiança, a cumplicidade sem a qual não teríamos visitado o Egito nem nos animaríamos a investir na ponte, tudo isso é invulgar e me enche a alma de satisfação. Sei o que a minha vida ganhou com o casamento e o que perderia sem ele. Ainda assim, um nada muitas vezes desata os elementos. Entre a incompreensão obtusa e a implicância atilada os canais são múltiplos, e longe de mim a pretensão de saber qual das duas provoca animosidade maior. A questão desperta a minha curiosidade, e gostaria de aprofundá-la em outro momento, quando não fosse suspeito de argumentar em causa própria. Seja como for, o fato é que nunca deixei de saudar com pânico e euforia a irrupção em cena dessa outra mulher mais ríspida, de mãos na cintura, que ri alto e com desplante das razões que alego. Quanto a mim, os meus amigos, que de um modo geral são pessoas educadas, ficariam surpresos de ver a determinação selvagem com que nessas ocasiões de beligerância insisto no uso apropriado das noções, aponto erros de raciocínio ou gramática etc. Certa vez, diante de um impasse dessa ordem, me neguei a procurar no dicionário a palavra controvertida. Disse à minha mulher, um tanto quanto vaga no que respeita à ordem alfabética — razão pela qual em casa sou eu quem consulta listas telefônicas e enciclopédias —, que buscasse o termo ela mesma. A humilhação só não se consumou porque ela atirou o dicionário à minha cabeça, deixando-me na testa esta cicatriz, de que sem hipocrisia me orgulho e que considero algo de forte que a vida me deu. E aliás devo dizer que numa mulher de juízo tão fulminante a insegurança quanto à ordem convencional das letras, causada embora pelas carências da escola secundária em nosso calamitoso país, é um traço de adorável superioridade, a que só um marido trivial não saberia se curvar.

Hoje cedo a minha cegueira era sincera e fui franco ao dizer que minha mulher procurava pelo em casca de ovo. As privatizações estavam terminando porque estavam terminando, ora essa, e neste passo era inevitável que chegássemos tarde à licitação. Assim, nem sempre o discernimento é bem recebido, pois há coisas que o ser humano prefere ignorar. Nossa guerrilha matutina corria tranquila e minha mulher me parecia perdida como de costume num mato de suposições e distinções que não fazem diferença, quando senti vacilar o chão. Por mais que me contrariasse, o argumento caminhou dentro de mim com clareza, como se eu estivesse a seu favor. Há momentos em que nós não somos nós. Ato contínuo passei ao obscurantismo deliberado e furioso, que entretanto não durou vinte minutos, pois o interesse falou mais alto e reconheci, com admiração espontânea e sem reservas, a qual é um reflexo caro a meu amor-próprio, que mais uma vez não era eu quem tinha razão. Uma coisa é não haver mais nada a privatizar; outra é a inutilidade de seguir privatizando. Qual seria o nosso caso? É em circunstâncias como essa que lamentamos a falta de uma experiência de vida mais ampla, que permita opinar com propriedade sobre a solidez da ordem vigente.

A mercantilização é a tendência de nosso tempo. Entendo que estão comercializando o espaço sideral e submetendo ao regime de propriedade privada a fórmula dos genes, em detrimento do Brasil. "Entendo" é maneira de dizer, pois imagino que até poupadores mais atualizados do que eu não meçam o alcance desta marcha. Em linha com ela, o arrendamento da Rua Central, a terceirização da primeira missa, nos dias úteis, e a próxima privatização da pinguela podem mesmo ser os episódios finais de um processo que se completa e não deixa nada de fora. Os céus, a estrutura da vida, a pinguela, foi-se tudo. Não que eu lamente a extensão das operações de compra e venda à totalidade do cosmos, fora e dentro de nós. Como todo mundo, sei que se não fosse assim seríamos presa da irracionalidade, que leva ao totalitarismo. A emoção que senti quando mentalmente me alistei entre os possíveis compradores da ponte liga-se a essa ordem de ideias vitoriosas. Só a disciplina do mercado imprime razão ao interesse dos indivíduos. Se é permitido sonhar, o princípio chegaria à vigência benéfica plena quando a desestatização alcançasse o oxigênio que eles respiram. Vejo daqui os narizes se torcendo para o exagero demagógico dessas palavras, já que a pressão do mercado normalmente se exerce através de privações com efeito menos direto, como por exemplo a fome. Mas o raciocínio não é tão infundado como se pensa, e a raiva que me dá quando olho as pessoas respirando de graça tem igual só na raiva que me daria ter de pagar para respirar por minha vez. Dito isso, não estou querendo sufocar ninguém, e tenho a certeza de que o pedágio na pinguela colocará ordem e sentido no vaivém de meus conterrâneos, que conhecerão o preço de seus caminhos. Deixemos porém os devaneios e tratemos de chegar a tempo à licitação, última oportunidade para que minha mulher e eu subamos ao bonde da História e nos alinhemos com a minoria responsável.

Há coisa mais poética do que um casal que compra uma ponte? Os dois madrugaram cheios de planos e um pouco apreensivos, abriram as persianas da sala, afastaram as cortinas do sonho, puseram-se de acordo sobre alguns detalhes que estavam pendentes, e agora saem à rua, ao sol da manhã, com o propósito de adquirir um bem. Conhecem a ponte há muito tempo, de cor e salteado, e nesse sentido ela já era sua quase desde sempre. Quem saberia dizer quantas vezes a cruzaram, a passeio ou às pressas, juntos ou separados, com terceiros ou em bando? Sem faltar ao respeito, o papel passado não virá senão oficializar uma intimidade antiga. Pois bem, com a compra essas relações todas vão se intensificar. A ponte agora será propriedade dos dois, a quem deixa mais unidos. Ela fará parte íntima deles, também para os outros, que os definirão como os donos dela, pessoas separadas das demais nesse aspecto, que desperta sentimentos variados. O casal por sua vez precisará dos amigos moradores de um modo novo e mais complexo, em que a colaboração passa pelo risco da negativa: quem não coopera não vai ao outro lado, e quem não vai ao outro lado poupa um tostão. O propósito obviamente não é de interditar a passagem, mas de a disciplinar e trazer à decisão consciente, com benefício geral. No conjunto estas relações participam de uma forma superior de civilização, contratual e consentida, com meandros de ironia e desprendimento, privação aqui e plenitude adiante, um jogo de embates e reciprocidades que me comove até o âmago, e que, para tudo dizer, resume a minha ideia de humanidade, música e beleza. Sem estas considerações talvez não se entendesse o efeito de ducha fria do reparo que me esperava. "Mas quem vai pagar o pedágio que tornará rentável a pinguela? Os desempregados?" A pergunta não é descabida, como eu mesmo fui capaz de reconhecer, passado um momento. Trata-se de mais uma intuição desassombrada de minha mulher, que procura aplicar bem o nosso dinheiro, no que tem razão e o meu apoio. Aí estava aliás a prova de que a cessação das privatizações pode ser vista de diferentes maneiras. Por que então o tumulto interior que as formulações dessa espécie me causam?

Não quero passar por melhor do que sou. Como toda pessoa adiantada, me dou conta do papel determinante da economia na vida moderna, e discordo do idealismo dos socialistas. Não me escapa que a ponte será mau negócio se os pedestres estiverem sem dinheiro no bolso, e bastou que minha mulher lembrasse esse lado da coisa para que nos puséssemos de acordo. Demos até muita risada e de brincadeira calculamos que na circunstância seria mais educativo derrubar a pinguela. Tudo isso é corriqueiro e pouco digno de nota. O que vou submeter ao leitor entretanto são os pensamentos que me assaltaram *no intervalo*. Me refiro ao tempo decorrido entre a compreensão do adulto maduro e o instante em que ouvi a pergunta. Com efeito, quando a minha mulher mencionou os desempregados fiquei em pé de guerra. O que tem a ver o desemprego com o meu direito à ponte e a uma vida dinâmica, enriquecida pelos benefícios da modernidade? Ninguém viu os pais de família demitidos! Eles podem não estar desabrigados. Alguém os conhece e confirma que não caíram na farra ou coisa pior? Quem são eles? Às vezes ficamos de quatro diante de um chavão. Quando a ponte estiver comprada, eles talvez me conheçam. E por que falar deles coletivamente, como se fossem uma entidade? Mas sou psicólogo o bastante para sentir o insulto escondido na entonação de um reparo infeliz, que de resto apoio. O negócio da ponte vai ter mesmo que ser repensado. Agora a frase sobre a capacidade de pagamento dos desempregados não é apenas uma dúvida, por mais objetiva e oportuna que seja; ela é também um sarcasmo, cujas farpas vou enumerar. a) Ela falta com a caridade cristã em relação aos moradores pobres de nossa cidade, vistos como pouca coisa. b) Ela me põe como um idiota que não percebeu o essencial. c) Sugere que a base de meus planos de grandeza é irrisória. d) Por extensão, ridiculariza o direito do marido à palavra final. Esse último aspecto fica mais claro se o leitor souber que naquele exato momento eu empurrava migalhas de pão com o dedo, de modo a formar as minhas iniciais sobre a toalha, ao passo que minha mulher lixava as unhas e tinha a sobrancelha esquerda erguida. Explodi. Então só quem paga é consumidor? A baixeza desta definição dispensa comentários. Quem não paga o que é? Pior talvez, quem não consome fica dispensado de pagar? Neste caso como ficam as entradas do proprietário? Sem entradas ele não é nada? E nada não será muito otimismo? Apesar do labirinto dos sentimentos, a figura do desempregado para mim não anula a distinção entre irmão e freguês. Ainda não investimos o nosso dinheiro e já estamos pobres. Eu não acho que uma mulher sem qualificação profissional devesse cortejar o abismo com tanta insistência. E sem o pedágio a ponte ficará ligada a nosso nome somente à maneira antiga, pela anedota e a saudade, algo como por exemplo a Rua do Piolho ou a Travessa do Sapateiro? Retrocesso não é comigo, e vou me defender da inadimplência dos despossuídos. Dou de barato a função matrimonial dos prognósticos econômicos muito negativos, que às vezes projetam sobre a sociedade a falta de saída do constrangimento conjugal. Os que lembram contam que a aspiração antiga por uma sociedade sem oprimidos não passava da amplificação absurda do mal-estar em família de alguns temperamentos messiânicos. Acho possível. Mas sustento que o influxo contrário também ocorre. O sopro que anima os dias de combate em grande estilo em minha casa é uma clarinada que vem de fora e de mais alto. Como não ver no meu desdém pela crase mal colocada o direito ao mando das classes que dominam a ortografia? Quem sabe escrever, sabe governar. A controvérsia violenta sobre o arranjo das folhas de salada no prato em última análise se refere à indisciplina da mão de obra brasileira. A desordem que flui e reflui em nossa sala de visitas é de natureza claramente insurrecional. Gosto dela. São antecipações de um dia pelo qual anseio, em que nós brasileiros ajustaremos contas fora da regra tacanha do lucro e do juro, com a liberdade e os movimentos amplos que fazem das evoluções do tubarão no cinema um espetáculo inigualável. Concordo plenamente com o rei que mandou enforcar o mais querido de seus pintores paisagistas porque o suspeitava de exaltar um sentimento da natureza sem lugar para a propriedade privada. Vejo na TV como o público vibra com a implosão de arranha-céus leprosos, de cuja inauguração com bandeirolas as pessoas de meia-idade se recordam. Neste ponto minha mulher e eu simpatizamos com o povo, como aliás achamos que o melhor da TV é o momento de desligar. Contam que ao chegar a Manhattan a refugiada de guerra Ernestina Roth se recusou a dobrar os joelhos e disse, com ingratidão imperdoável, que aquilo que tinha diante dos olhos era um despropósito que não se sustentaria conceitualmente em caso de a humanidade alguma vez se levar a sério. Pois bem, vou à licitação assim mesmo. Não sei se quero a pinguela, que vai me dar uma porcaria por não sei quanto tempo, o qual tratarei de prolongar ao máximo, à bala ou como for possível, depois do que não fico no país nem um minuto mais. Não devo esquecer a minha carteirinha de primo da sobrinha do prefeito.

Sobre os textos

"Saudação *honoris causa*." Lido na cerimônia em que a Universidade Estadual de Campinas concedeu o título de doutor *honoris causa* a Antonio Candido, em 1987. A universidade publicou o discurso, a resposta do homenageado e a apresentação do vice-reitor, Carlos Vogt, numa plaquete: *Antonio Candido & Roberto Schwarz: a homenagem na Unicamp*, Campinas, Unicamp, 1989.

"Sobre a *Formação da literatura brasileira*." Comentário à exposição de Paulo Arantes sobre a ideia de "formação" na obra de Antonio Candido, exposição feita no quadro da III Jornada de Ciências Sociais da Unesp, em 1990. Maria Angela D'Incao, Eloísa Faria Scarabôtolo (orgs.), *Dentro do texto, dentro da vida*, São Paulo, Duas Cidades, 1992.

"Adequação nacional e originalidade crítica." Trabalho apresentado ao colóquio sobre "La crítica literaria en Latinoamérica", em 1991, a convite de Carlos Rincón, na Universidade Livre de Berlim. *Novos Estudos-Cebrap*, 32, São Paulo, março de 1992.

"Os sete fôlegos de um livro." Participação no seminário dedicado a "Antonio Candido: pensamento e militância", na Universidade de São Paulo, em agosto de 1998. Saiu no volume de mesmo título, publicado em São Paulo pelas editoras Fundação Perseu Abramo e Humanitas, em 1999.

"Discutindo com Alfredo Bosi." *Novos Estudos-Cebrap*, 36, São Paulo, julho de 1993.

"Um seminário de Marx." Comunicação ao colóquio sobre "Marxismo ocidental no Brasil", organizado na Unesp de Marília, em 1994. *Mais!*, *Folha de S.Paulo*, 8 out. 1995.

"A contribuição de John Gledson." *Novos Estudos-Cebrap*, 31, São Paulo, outubro de 1991.

"Altos e baixos da atualidade de Brecht." Redigido a partir do comentário a uma leitura pública da *Santa Joana dos Matadouros*, organizada pela Companhia do Latão e dirigida por Sérgio de Carvalho. Inédito.

"A nota específica." Saiu em *Le Monde des livres*, que dedicou um número especial ao Brasil. *Le Monde*, 20 mar. 1998.

"Fim de século." Comunicação apresentada ao colóquio sobre *Las culturas de fin de siglo en América Latina*, na Universidade Yale, em 1994, a convite de Josefina Ludmer. Saiu, sem a parte final, em Josefina Ludmer (org.), *Las culturas de fin de siglo en América Latina*, Rosario, Beatriz Viterbo Editora, 1994.

"*Cidade de Deus*." *Mais!*, *Folha de S.Paulo*, 7 set. 1997.

"Nunca fomos tão engajados." *Mais!*, *Folha de S.Paulo*, 26 jun. 1994.

"Um romance de Chico Buarque." *Veja*, São Paulo, 7 ago. 1991.

"O livro audacioso de Robert Kurz." *Folha de S.Paulo*, 17 maio 1992. O artigo serviu como prefácio à tradução brasileira da obra: Roberto Kurz, *O colapso da modernização*, Rio de Janeiro, Paz e Terra, 1992. A presente versão inclui um trecho de outro trabalho: "Ainda o livro de Kurz", *Novos Estudos-Cebrap*, 37, São Paulo, nov. 1993.

"*Aquele rapaz*." *Mais!*, *Folha de S.Paulo*, 6 set. 1992.

"Pelo prisma da arquitetura." Arguição da tese de livre-docência de Otília Fiori Arantes. *Mais!*, *Folha de S.Paulo*, 26 jun. 1994.

"Orelha para Francisco Alvim." Francisco Alvim, *Poesias reunidas*, São Paulo, Duas Cidades, 1988.

"Um departamento francês de ultramar." *Novos Estudos-Cebrap*, 39, São Paulo, julho de 1994.

"Pensando em Cacaso." Serviu de apresentação a um ensaio inacabado de Cacaso sobre a poesia de Francisco Alvim. *Novos Estudos-Cebrap*, 22, São Paulo, outubro de 1988.

"Pelo prisma do teatro." Arguição da tese de doutoramento de Iná Camargo Costa. Saiu como prefácio a Iná Camargo Costa, *A hora do teatro épico no Brasil*, São Paulo, Graal, 1996.

"Um mestre na periferia do capitalismo." Entrevista dada a Augusto Massi, *Letras*, *Folha de S.Paulo*, 11 ago. 1990.

"Conversa sobre *Duas meninas*." Exposição feita ao grupo da revista *praga*. Publicado em *praga*, 5, São Paulo, Hucitec, 1998.

"Contra o retrocesso." *Novos Estudos-Cebrap*, 39, julho de 1994.

ESTA OBRA FOI COMPOSTA PELA PÁGINA VIVA EM MINION PRO
E IMPRESSA PELA PROL EDITORA GRÁFICA EM OFSETE SOBRE
PAPEL PÓLEN SOFT DA SUZANO PAPEL E CELULOSE PARA A
EDITORA SCHWARCZ EM ABRIL DE 2014